Christian Grawe · Jane Austen

Jane Austen. Aquarell von ihrer Schwester Cassandra Austen

CHRISTIAN GRAWE

Jane Austen

Mit einer Auswahl von Briefen,
Dokumenten und nachgelassenen Werken

Mit 24 Abbildungen

PHILIPP RECLAM JUN. STUTTGART

Universal-Bibliothek Nr. 8506 [5]

Gesamtherstellung: Reclam, Ditzingen. Printed in Germany 1988

ISBN 3-15-008506-3 (kart.) ISBN 3-15-028506-2 (geb.)

Inhalt

Einleitung

Obwohl Jane Austens sechs Romane *Verstand und Gefühl, Stolz und Vorurteil, Mansfield Park, Emma, Kloster Northanger* und *Überredung* endlich auch in Deutschland mehr Aufmerksamkeit finden, ist der Ruhm der Schrifstellerin hier noch so wenig etabliert, daß Informationen über sie und ihr Leben auf deutsch nicht verfügbar sind. Der deutsche Leser hat es deshalb schwer, die Autorin hinter ihren Büchern zu finden und sich eine Vorstellung von ihrer Stellung in der englischen Literaturgeschichte und ihrer Beliebtheit in der englischsprachigen Welt zu machen.

Dort sind ihre Bücher in unzähligen Leinen- und Taschenbuchausgaben mit und ohne Illustrationen verbreitet und fehlen in kaum einem Jahr im Abiturkanon. Sie haben als Filme und Fernsehserien – etwa die sechsteilige Folge nach *Mansfield Park* – ein weltweites Publikum gefunden. Jane Austens bekannteste Gestalten sind in England sprichwörtlich. Schon um die Jahrhundertwende nannte man in manchen Familien einen überschwenglichen Dankbrief nach dem überkandidelten Pfarrer in *Stolz und Vorurteil* einen »Collins«. Ständig werden ihre Romane von der Literaturwissenschaft neu beschrieben, gedeutet, verglichen. Jedes Jahr werden neue Doktorarbeiten über sie angefertigt. Jeder erhaltene Brief, den Jane Austen geschrieben, jedes Dokument, das sich auf sie und ihre Familie bezieht, ist veröffentlicht worden. Die Bibliographie über Jane Austen enthält allein für die Jahre 1952 bis 1972 über 800 Einträge. Jane Austen ist einer der am intensivsten erforschten Schriftsteller der englischen Literaturgeschichte und nach dem Verblassen von Walter Scotts Ruhm der einzige wirklich vielgelesene Autor vor der Viktorianischen Zeit. Sie ist konkurrenzlos der beliebteste Klassiker Großbritanniens.

Aber nicht allein dies: Es gibt eine Jane-Austen-Gesellschaft. Zu ihrem 200. Geburtstag 1975 erschien eine Serie Briefmarken in Großbritannien. Ihre beiden Romanfragmente sind in den letzten zehn Jahren von modernen Autorinnen zu Ende gesponnen worden. 1984 ist Jane Austen in Barbara Ker Wilsons (leider allzu naivem) Buch *Jane Austen in Australia* sogar zur Romanheldin auf dem fünften Kontinent geworden. 1986 hat die englische Autorin Judith Terry den Roman *Mansfield Park* unter dem Titel *Abigail's Part; or Version and Diversion (Abigails Rolle; oder eine unterhaltsame Variante)* aus der Perspektive eines Dienstmädchens im Haus von Sir Thomas Bertram neu erzählt. Es gibt Tassen mit Jane Austens Schattenriß und Postkarten mit ihrem Porträt. Das Haus in Chawton, wo sie gelebt und ihre Bücher geschrieben hat, das Haus in Winchester, wo sie gestorben ist, und die Kirche, wo sie begraben liegt, sind literarische Wallfahrtsorte.

Der englische Dichter Alfred Tennyson fuhr 1867 in das südenglische Seebad Lyme Regis, um die Stelle auf der Mole zu sehen, wo Louisa Musgrove in Jane Austens *Überredung* die Treppe hinunterfällt. William Allingham, der ihn begleitete und das Ereignis in seinem Tagebuch festhielt, las ihm an Ort und Stelle dann das entsprechende zwölfte Kapitel des Romans vor. 1870 berichtete James Edward Austen-Leigh, einer seiner Freunde benutze die Frage, ob jemand Jane Austen mag, als Test für die Einsicht einer Person. 1926 veröffentlichte Rudyard Kipling, der heute allenfalls noch durch sein *Dschungelbuch* weiter bekannt ist, eine Kurzgeschichte mit dem Titel *The Janeites (Die Janiten)*, in der englische Offiziere, die begeisterte Anhänger Jane Austens sind, im Ersten Weltkrieg an der französischen Front einen einfachen Soldaten zur Lektüre ihrer Romane veranlassen. Außer dem Soldaten, der die Geschichte im Rückblick erzählt und dem ihre Gestalten Modelle der Wirklichkeit geworden sind, werden sie alle im Krieg getötet. Seitdem sind die Begriffe »Janeites« und »Anti-Janeites« in England für Verehrer und Gegner Jane Austens eingebürgert. Die Erzählung ist nur *ein* Dokument für die besondere und persönliche Beziehung, die sich über das Literarische hinaus immer wieder gerade zwischen

dieser Autorin und ihren Lesern herstellt. Jane Austen ist mehr als eine Klassikerin der englischen Literatur. Jane Austen ist eine Kultfigur.
In Deutschland war sie, soweit ihre Bücher überhaupt verfügbar waren, lange ein Geheimtip. Aber nun beginnt sie breitere Anerkennung zu finden. Im Reclam Verlag sind ihre Romane zum erstenmal vollständig in deutscher Übersetzung erschienen. Da es jedoch auf deutsch keine Biographie über sie gibt, scheint es an der Zeit, Jane Austen bei den deutschen Lesern auch als Person einzuführen. Aus diesem Grund ist im vorliegenden Band eine Darstellung ihres Lebens mit dokumentarischem Material über sie und einigen Briefen, Jugendwerken und Fragmenten vereinigt. Der Verfasser der Biographie, seit der zufälligen Lektüre der ersten Seite von *Stolz und Vorurteil* vor zwanzig Jahren ein »Janeite«, dankt Dr. Denise Ryan (Melbourne) für die kritische Lektüre des Manuskripts. Alle Zitate aus Jane Austens Romanen sind den Ausgaben des Reclam Verlages entnommen; die Seitenzahl in Klammern verweist jeweils auf die entsprechende Stelle.
Jede Darstellung von Jane Austen steht vor der Schwierigkeit, daß das biographische Material keineswegs reichhaltig, ja, für bestimmte Perioden ihres Lebens geradezu dürftig ist. Das hat mehrere Gründe. Der außerordentlichen Beliebtheit ihrer Bücher heute, ihrem überwältigenden Nachruhm, der sie selbst zweifellos sehr überrascht hätte, steht die Anonymität ihres Daseins als scharfer Kontrast gegenüber. Sie lebte zurückgezogen im Kreis ihrer Familie in der englischen Provinz und kannte keine einzige literarische Persönlichkeit ihrer Zeit. Ihre Bücher erschienen anonym. Nicht einmal ihre weitere Familie wußte, daß sie Schriftstellerin war. Sie ließ die Blätter, auf denen sie ihre Manuskripte schrieb, unter ein Löschblatt gleiten, wenn jemand das Zimmer betrat, und unternahm nichts gegen das Quietschen der Zimmertür, weil es sie rechtzeitig warnte. Eine ihrer Nichten nahm in ihrem Beisein einen ihrer Romane in einer Buchhandlung in die Hand und legte ihn mit einer abfälligen Bemerkung über den

Titel wieder auf den Tisch zurück. Ihr ältester Neffe fiel aus allen Wolken, als er drei Jahre vor ihrem Tod erfuhr, daß *sie* die Romane geschrieben hatte, die er so bewunderte, und er machte ihr sein Kompliment in einem reizenden Scherzgedicht, in dem er seinen Schreck über die Enthüllung ihrer Autorschaft mit dem des Schweins unterm Fleischermesser vergleicht und hofft, der Prinzregent werde sie nun heiraten, falls seine Frau sterben sollte.

Gerade als sie berühmt zu werden begann und der Schleier ihrer Autorschaft sich lüftete, starb sie im Alter von nur 41 Jahren. Es gibt nur ein einziges authentisches Porträt von ihr – eine flüchtige Skizze, die ihre Schwester in Pastell entworfen hat und die nach Aussagen ihrer Verwandten nicht sehr treffend ist.

Obwohl ihre sieben Geschwister sie zum Teil um Jahrzehnte überlebten, haben auch sie aus dem Leben Janes, deren Zurückhaltung sie kannten, aus Diskretion nichts veröffentlicht. Ja, ihre einzige Schwester hat in der Befürchtung, daß Persönliches doch an die Öffentlichkeit gelangen könnte, einen Teil ihrer Briefe ganz vernichtet und andere von Intimem, Unliebsamem und Indiskretem gereinigt, indem sie einzelne Zeilen mit der Schere daraus entfernte. Die Äußerungen Jane Austens gerade während persönlicher Krisen oder Zeiten von besonderer seelischer Belastung sind daher unwiderruflich verloren. Nur der indiskreteste ihrer Brüder, Henry Austen, gab den beiden aus dem Nachlaß herausgegebenen Romanen kurz nach dem Tod seiner Schwester eine biographische Notiz von mehreren Seiten bei, die zwar für die Öffentlichkeit stilisiert ist, aber doch aus unmittelbarer Nähe und intimer Kenntnis Jane Austens stammt (vgl. S. 389). Henry war ihr Lieblingsbruder.

Die meisten Augenzeugen starben, ohne der Nachwelt ihr Wissen und ihre Eindrücke über Jane Austen zu hinterlassen. Erst als in der zweiten Hälfte des 19. Jahrhunderts ihre Bücher immer beliebter wurden und ihr Ruhm sich immer weiter verbreitete, sammelten die nachfolgenden Generationen der Austens alles, was sich über Jane noch finden und erfahren ließ, und veröffentlichten es zwischen 1870 und 1913 in mehreren die Grundlage der Jane-Austen-Forschung bildenden Bänden. Sie wurden zwar nicht mehr von Familiendiskretion, aber dafür von viktorianischen Vorstellungen der Wohlanständigkeit geleitet. Manches wurde deshalb zurückhaltender behandelt, als dem heutigen Wahrheitsbedürfnis lieb ist, und so liegen das Leben der Schriftstellerin und ihre Ansichten über ihre Kunst zum Teil für immer im dunkeln. Daß sich um sie allerlei Mythen ranken, ist bei dieser Quellenlage nicht verwunderlich. Auf welches Material kann sich eine Biographie Jane Austens stützen?

(1) Überlebt haben in ihrer kleinen, ungewöhnlich gepflegten und leserlichen Handschrift 153 Briefe, von denen fast hundert an ihre Schwester gerichtet sind. Erst in den letzten drei Lebensjahren ist die Zahl der Adressaten größer und daher der Eindruck von Jane Austens Persönlichkeit weniger einseitig. Die Briefe wurden zum größten Teil in der Lebensbeschreibung Jane Austens von ihrem Neffen James Edward Austen-Leigh (*A Memoir of Jane Austen*, 1870), in der Briefausgabe ihres Großneffen Edward Lord Brabourne (1884) und in der Biographie ihrer beiden Seeoffiziers-Brüder durch die Nachkommen des einen von ihnen (1906) veröffentlicht. 1932 hat der Philologe R. W. Chapman alle erhaltenen Briefe in einer bis heute nicht überholten kommentierten Ausgabe herausgegeben.

Aber so dankbar man für diese erhaltenen Briefe sein muß, so wenig erschöpfend sind sie auch. Der erste Brief stammt von 1796, also aus Janes 21. Lebensjahr, so daß es aus ihrer Kindheit und Jugend keinerlei eigene Aussagen von ihr gibt. Zudem gibt es zwischen den brieflichen Äußerungen große zeitliche Lücken, einmal weil die beiden Schwestern den größeren Teil ihres Lebens zusammen verbrachten und daher häufig keine Veranlassung bestand, aneinander zu schreiben;

zum anderen weil Cassandra offenbar für einige Lebensabschnitte die Briefe vernichtete. So fehlen etwa Briefe zwischen September 1796 und April 1798, Mai 1801 und September 1804, August 1805 und Januar 1807, Juli 1809 und April 1811, Juni 1811 und November 1812, und von 13 der insgesamt 21 Jahre sind nur ein, zwei oder drei Briefe überliefert. Die brieflichen Äußerungen Jane Austens erhellen also ihr Leben nicht gleichmäßig, sondern beleuchten daraus in Abständen nur einzelne Phasen.

Obwohl diese Briefe für den Jane-Austen-Biographen außerordentlich reiches Material enthalten, sind manche Leser von ihnen enttäuscht, weil es sich dabei um Familienbriefe handelt und sie selten Themen außerhalb des häuslichen Lebensrahmens der Autorin berühren. Über die großen Begebenheiten der Zeit, über kulturelle Ereignisse, ihre Lektüre und Schriftstellerei spricht Jane Austen nur ganz gelegentlich. Erst in den letzten Jahren ihres Lebens tauchen in den Briefen an ihren ältesten Neffen James Edward und ihre älteste Nichte Anna, die beide in jungen Jahren literarische Ambitionen hatten, und an den Bibliothekar des Prinzregenten Bemerkungen über das Romanschreiben und ihr Verständnis von Literatur auf. Was die Briefe trotz dieser Einschränkungen zur so erfreulichen Lektüre macht, sind die Menschlichkeit, die aus ihnen spricht, der Einblick in das englische Provinzleben um 1800 und der unverwechselbar heiter-ironische Jane-Austen-Ton. Eine notwendigerweise sehr knappe Auswahl aus den Briefen enthält, zum erstenmal auf deutsch, der vorliegende Band.

(2) Die Manuskripte ihrer meisten Romane sind nicht erhalten; Entwürfe, Skizzen und Studien sind außer einem ausgeschiedenen Kapitel von *Überredung* nicht vorhanden. Wohl aber gibt es die Sammlung ihrer Jugendwerke, die sie selbst säuberlich in drei Hefte abgeschrieben und zum Teil datiert hat. Sie vermitteln einen höchst lebendigen Eindruck von der Entwicklung der Schriftstellerin Jane Austen, die ungefähr in ihrem zwölften Lebensjahr zu schreiben anfing. Diese frühen

Versuche sind noch heute zum Teil wegen ihres Humors und parodistischen Geschicks ein Lesevergnügen. Ein paar Beispiele sind – ebenfalls zum erstenmal auf deutsch – Teil des vorliegenden Bandes.

(3) Die Bücher oder Aufzeichnungen ihrer Neffen und Nichten und deren Kinder und Enkel, die ab 1870 unter Verwendung von Familienbriefen und -dokumenten erschienen, haben die Kenntnis von Jane Austens Leben erheblich bereichert. Ihre Verfasser und Verfasserinnen, Nachkommen von dreien ihrer sieben Geschwister, kannten die Schriftstellerin oder doch einige ihrer Geschwister – Cassandra lebte bis 1845, ihr Bruder Francis sogar bis 1865 – noch persönlich oder waren jedenfalls mit den Familientraditionen vertraut. Das heute wichtigste dieser Werke aus dem Familienkreis ist *Jane Austen. Her Life and Letters. A Family Record (1913, Jane Austen. Ihr Leben und ihr Werk. Eine Familienchronik)* von William und Richard Arthur Austen-Leigh, Sohn und Enkel des ersten Biographen, James Edward Austen-Leigh, einem Sohn von Jane Austens Bruder James. Das Buch verarbeitet die früheren Veröffentlichungen und stellt daher, da später kaum neue Quellen zutage gekommen sind, die an glaubwürdigen Informationen und an Fülle des Materials reichhaltigste Lebensbeschreibung Jane Austens dar. Sie wird allerdings von dem erwähnten früheren Werk *A Memoir of Jane Austen. By her Nephew (1870, Erinnerungen an Jane Austen. Von ihrem Neffen)* an schriftstellerischem Geschick und Atmosphäre weit übertroffen.

R. W. Chapman, der Jane Austens Werke und Briefe zwischen 1923 und 1954 in der heute autoritativen Ausgabe herausgegeben hat, hat in seinem Buch *Jane Austen. Facts and Problems (1948, Jane Austen. Tatsachen und Probleme)* auch einen kompetenten Abriß der Probleme der Jane-Austen-Forschung gegeben. Auf englisch ist zudem eine ganze Reihe von neueren Biographien Jane Austens verfügbar. All diesen Büchern verdankt der deutsche Biograph Fakten und Anregungen.

Erster Teil

Leben, Werk, Zeit

Erstes Kapitel

Steventon 1775–1801

I

Jane Austen wurde am 16. Dezember 1775 geboren und starb am 18. Juli 1817 im Alter von nur 41 Jahren. Ihre Lebenszeit umfaßt eine der ereignisreichsten und turbulentesten Epochen der europäischen Geschichte: die Französische Revolution von 1789 bis 1799 und die Herrschaft Napoleons von 1799 bis 1815. Die politische Ordnung des europäischen Kontinents wurde erschüttert, die soziale vorübergehend in Frage gestellt. Fast ganz Europa wurde nach und nach in blutige und verlustreiche Kriege verwickelt, die in Deutschland zur Besetzung weiter Teile des Landes durch französische Truppen und zu einer tiefempfundenen nationalen Erniedrigung führten.

Jane Austen ist also eine Zeitgenossin von Ludwig van Beethoven (1770–1827), Heinrich von Kleist (1777–1811) und Madame de Staël (1766–1817), von Napoleon (1769 bis 1821) und Königin Luise (1776–1810). Aber von den *inneren* Erschütterungen und künstlerischen Krisen des Komponisten und des Dichters, von den plötzlichen *äußeren* Lebensumschwüngen des französischen Kaisers und der preußischen Königin ist in ihrem Leben nichts zu spüren, und das Wanderdasein im Rampenlicht der europäischen Öffentlichkeit, das das Lebenselixier der Französin war, die im gleichen Jahr wie sie starb, wäre ihr sicher ein Grauen gewesen. Madame de Staël, über die Rahel Varnhagen gesagt hat, »es ist nichts Stilles in ihr«, ist der genaue Gegentyp zu Jane Austen. Die Familienüberlieferung, daß sie die Gelegenheit, der berühmten französischen Kollegin in London zu begegnen, ausgeschlagen hat, klingt durchaus glaubhaft.

Zwar war England fast zwanzig Jahre lang in den Kampf

gegen die Revolution und dann gegen Napoleons Empire verwickelt, aber die »splendid isolation« des Inselreiches verschonte es davor, den Krieg auf eigenem Boden führen zu müssen, und das funktionierende System der konstitutionellen Monarchie – damals trotz solider parlamentarischer Institutionen weit davon entfernt, eine Herrschaft für und durch das Volk zu sein – bewahrte das Land vor schwereren Krisen. Anders als auf dem europäischen Festland gab es deshalb hier keine Umstürze und staatlichen Notsituationen, und die Welt der englischen Provinz veränderte sich während dieser spannungsgeladenen Jahrzehnte nicht wesentlich – jedenfalls nicht in dem ausschließlich landwirtschaftlich bestimmten Süden. Dort verbrachte Jane Austen ihr ganzes Leben – abgesehen von kürzeren Aufenthalten in London – auf dem Land oder in kleinen Städtchen. Nie kam sie nach Norden weit über die Linie London – Bristol hinaus; nie setzte sie nach Süden auf das Festland über. Da es zu ihren künstlerischen Grundsätzen gehörte, in ihren Büchern nur das zu schildern, was sie aus eigener Anschauung kannte, sind der Umkreis Londons und die südenglische Landschaft zwischen Bath und Brighton, zwischen Lyme Regis und Canterbury, zwischen Somerset und Kent auch der Handlungsraum ihrer Romane. *Verstand und Gefühl* spielt in London und ganz im Südwesten, im Umkreis der Stadt Exeter. In *Stolz und Vorurteil* ist die Handlung in Hertfordshire, nördlich von London, und in Kent, südöstlich von London, angesiedelt. Das Herrenhaus Mansfield Park, der zentrale Handlungsort des gleichnamigen Romans, steht in Northamptonshire, nordwestlich von London; später zieht die Heldin nach Portsmouth, in die berühmte Hafen- und Marinestadt an der Südküste. Highbury, das Dorf der Woodhouse in *Emma*, das der Leser nie verläßt, muß man sich in Surrey, südwestlich von London denken. Catherine Morelands Abenteuer in *Kloster Northanger* finden in Bath und der näheren und weiteren Umgebung des Kurortes statt. Bath und Somersetshire, die Grafschaft südlich davon, sind die Schauplätze in *Überredung*, wobei der Ausflug nach Lyme Regis, das kleine Seebad an der Südküste, nicht vergessen werden darf. Und das aufstrebende Seebad Sanditon in dem gleichnamigen Fragment hat sich der Leser ebenfalls an der Küste, allerdings viel weiter östlich, zwischen Hastings und Eastbourne, vorzustellen.

Steventon Rectory. Zeichnung von Jane Austens Nichte Anna

Jane Austens Elternhaus stand in Hampshire, in der Grafschaft mit den Hafenstädten Southampton und Portsmouth nördlich der Insel Wight. Steventon liegt in hügeliger, leicht bewaldeter Landschaft mit den breiten, hohen Hecken, die im zehnten Kapitel von *Überredung* ein Handlungselement bilden, und war mit seinem Herrenhaus, seiner Pfarre und seinen bäuerlichen Hütten ein typisches friedliches Dörfchen, in dem es zwar Armut, aber nicht Elend gab. Es hat sich bis heute fast nicht verändert und wirkt wie unberührt von der Zeit. Die Landstädtchen Basingstoke und Winchester waren in der Nähe. Hier war Jane Austens Vater seit 1764 Pastor und neben der Grundbesitzerfamilie der angesehenste Bewohner des Dorfes. Das Pfarrhaus, das in den dreißiger Jahren des 19. Jahrhunderts abgerissen wurde – nur die Pumpe der Waschküche steht noch heute –, lag ganz im Grünen, umgeben von Wiesen, Gebüsch und Ulmen. An der Rückseite hatte es einen üppigen Gemüse- und Blumengarten. Die zwei Stockwerke enthielten unten die Wohnräume der Familie und oben die zahlreichen Schlafzimmer. Für die beiden Töchter wurde oben zusätzlich ein kleines, an ihr gemeinsames Schlafzimmer angrenzendes »Ankleidezimmer« eingerichtet, wo sie viel Zeit mit Lesen und Handarbeiten verbrachten und wo Jane ihre frühen Manuskripte schrieb. Auch das Klavier – Jane musizierte, ihre Schwester malte in Aquarell – hatte hier seinen Platz.

Pumpe der Waschküche im alten Pfarrhaus von Steventon

Janes Vater, George Austen, entstammte einer bürgerlichen Familie aus Kent und war schon mit sechs Jahren Waise. Glücklicherweise fand sich ein Onkel Francis Austen, ein reicher Rechtsanwalt, bereit, seine Erziehung zu finanzieren. George durchlief seine Universitätsausbildung in Oxford, wo er 1761 als Geistlicher ordiniert wurde. Ein anderer reicher Verwandter, Thomas Knight auf Godmersham in Kent, übertrug ihm die Pfarre von Steventon. Die Kirche, nur einen kurzen Fußweg vom Pfarrhaus entfernt, hat noch ganz das Aussehen von Jane Austens Zeit. 1773 kaufte ihm Onkel Francis die Pfarre von Deane ganz in der Nähe dazu, um sein Einkommen aufzubessern. George hatte nur eine Schwester, deren einzige Tochter, Eliza Hancock, mit der Familie in Steventon eng verbunden war.

Janes Mutter, Cassandra Leigh, war eine resolute und humorvolle Frau, die aber mit zunehmendem Alter hypochondrische Züge bekam. Ihre schwache Gesundheit ist ein

Jane Austens Vater,
Rev. George Austen

Silhouette von Jane Austens
Mutter Cassandra geb. Leigh

ständiges Thema in der Korrespondenz ihrer Töchter. Trotzdem wurde sie 88 Jahre alt und überlebte ihre jüngere Tochter um zehn Jahre. Sie entstammte einer angesehenen Familie aus Gloucestershire, die wohlhabend war und hocharistokratische Verbindungen hatte. Ihr Vorname Cassandra wurde in Erinnerung an eine Vorfahrin, die Herzogin von Chandos, in der Familie tradiert. Ihr kinderloser Bruder James lebte mit seiner Frau als reicher Gentleman abwechselnd in Bath und auf seinem Gut Scarletts in Berkshire, nicht weit von Steventon. Ihre einzige Schwester lebte als Frau des Pastors Dr. Edward Cooper dicht bei Bath; mit deren beiden Kindern Jane und Edward waren die Austen-Kinder befreundet.

Das Pfarrerehepaar von Steventon wurde in den ersten fünfzehn Jahren seiner Ehe mit sechs Söhnen und zwei Töchtern gesegnet: James (1765), George (1766), Edward (1768), Henry (1771), Cassandra (1773), Francis (1774), Jane (1775) und Charles (1779). Da fast alle Geschwister in Jane Austens Leben eine wichtige Rolle spielen, empfiehlt es sich, sie gleich etwas genauer vorzustellen. Was ist aus ihnen geworden? Daß sie alle überlebt haben, ist in einer Zeit hoher Geburtensterblichkeit wie dem 18. Jahrhundert erstaunlich.

James wurde nach seinem Studium in Oxford Geistlicher und übernahm 1805 nach Vikarstellen in unmittelbarer Nähe die Nachfolge seines Vaters in Steventon, wo er 1819 starb. Er hatte von seiner ersten Frau eine Tochter (Anna, geb. 1793) und von seiner zweiten Frau einen Sohn (James Edward, geb. 1798) und eine Tochter (Caroline, geb. 1805). Alle drei Kinder haben wichtige Aufzeichnungen über ihre Tante Jane hinterlassen; James Edward war ihr schon erwähnter erster Biograph. Mit James' zweiter Frau, Mary Lloyd, verstanden sich die Austen-Schwestern, obwohl bereits lange mit ihr befreundet, nicht so gut (»Sie ist alles in allem keine sehr hochherzige Frau.«), und James ist der einzige Bruder, den Jane in ihren Briefen wiederholt kritisiert. Da er zehn Jahre älter und von ihren Brüdern der »akademischste« war, verdankte sie ihm nach Aussage seines Sohnes viel im Hinblick auf die Entwicklung ihrer Bildung und ihres literarischen Geschmacks.

George hatte als kleines Kind »Anfälle« (fits) und kehrte nach dem üblichen ersten Jahr, das alle Austen-Kinder bei einer Amme im Dorf verbrachten, nie mehr in sein Elternhaus zurück. Woran er litt, ist nicht bekannt, aber da auch ein Bruder von Mrs. Austen an einer ähnlichen Krankheit gelitten hat, scheint es sich um ein erbliches Leiden gehandelt zu haben. Er lebte bis 1838, wird aber von den Quellen nach dem vierten Lebensjahr nicht mehr erwähnt und in den Berichten über Jane Austen von den Nachkommen der Familie in typisch viktorianischer Manier einfach totgeschwiegen.

Edward, nicht gerade lernbegierig, aber liebenswürdig und kinderlieb, war das Glückskind der Familie. Er wurde von dem kinderlosen Sohn des schon erwähnten Thomas Knight adoptiert und erbte sein Vermögen und seine beiden Herrensitze Godmersham (Kent) und Chawton (Hampshire), hielt aber zeit seines Lebens weiterhin engsten Kontakt mit seiner Familie. Als künftiger wohlhabender Gentleman wurde er nicht zum Studieren nach Oxford, sondern auf eine europäische Bildungsreise, die »Grand Tour«, geschickt, um sich Weltkenntnis und gesellschaftlichen Schliff anzueignen. 1794 starb Mr. Knight, und da seine Witwe 1797 nach Canterbury zog, kam Edward in den Besitz seines reichen Erbes und lebte meist auf dem großzügigen Landsitz Godmersham, einem 1737 errichteten stattlichen Bau. Nach dem Tod seiner Adoptivmutter 1812 nahm er mit seiner unterdessen zahlreichen Familie den Namen Knight an. Er hatte 1791 die hübsche, reiche und liebenswürdige Elizabeth Bridges geheiratet, deren Eltern Jane und Cassandra öfter auf ihrem Landsitz Goodnestone (Kent) besuchten und dann auch abwechselnd einen Abstecher nach Godmersham machten. Elizabeth gebar in 17 Ehejahren elf Kinder und starb 1808 bei der Geburt des letzten. Vor allem Cassandra hielt sich nun noch öfter in seiner Familie auf, um ihrem Bruder und seinen Kindern behilflich zu sein. Auch ein Teil von Janes Briefen an Cassandra ist in Godmersham geschrieben. Edwards älteste Tochter Fanny (geb. 1793) war Janes Lieblingsnichte, »fast wie eine zweite Schwester«. Edward lebte bis 1852.

Henry, Janes Lieblingsbruder, dem sie angeblich am ähnlichsten sah, war der heiterste, aber auch unbeständigste der Brüder. Er ging nach seinem Studium – wie in der Familie Austen üblich in Oxford – als Offizier zur Militia, der Armee, die den Heimatdienst tat und aus der die reguläre Truppe im Kriegsfall verstärkt wurde. Er trat als Leutnant ein und brachte es bis zum Obersten. Ende 1797 heiratete er seine zehn Jahre ältere Cousine Eliza Hancock, die man wohl hinter seiner Entscheidung vermuten darf, den Soldatenberuf aufzugeben und sich in London niederzulassen, wo er mit einem Partner ein Bankhaus gründete, das 1807 durch einen dritten Partner vergrößert wurde und ihm in den nächsten Jahren zur Freude seiner gesellschaftlich versierten Frau ein elegantes Leben in London erlaubte. Jane war öfter bei ihm zu Besuch und genoß das kulturelle Leben in der Hauptstadt. Als sie sich 1811 bei ihm aufhielt, fand in seinem Haus gerade eine große Abendgesellschaft mit fast 70 Gästen statt, die sogar in der Gesellschaftsspalte der *Times* erwähnt wurde. Mit seinen geschäftlichen Erfahrungen war er Jane bei der Publikation ihrer Romane behilflich. 1813 wurde er auf den ehrenvollen Posten des Steuereinnehmers der Grafschaft Oxfordshire berufen. Aber dieses Leben auf großem Fuß hörte unvermittelt auf, als das Bankhaus ohne eigenes Verschulden bankrott ging und auch einige Familienmitglieder Geld verloren. Sie scheinen es mit Gleichmut getragen zu haben, denn Verstimmungen hat es darum anscheinend nicht gegeben. Henry heiratete nach dem Tod seiner Frau (1813) 1820 noch einmal, hatte jedoch keine Kinder. Er lebte bis 1850.

Cassandra war zeit ihres Lebens Janes Vertraute. Die Schwestern wuchsen zusammen auf und teilten bis zu Janes Tod ein Schlafzimmer. Daß Cassandras Briefe an Jane nicht erhalten sind, ist ein großer Verlust, denn Jane hielt ihre Schwester für eine glänzende, witzige Korrespondentin. Cassandra verlobte sich 1795 mit dem Geistlichen Thomas Fowle, der eine Pfarrstelle in Aussicht hatte und die Zeit bis zu ihrem Freiwerden dadurch überbrückte, daß er mit seinem Gönner Lord Craven als Kaplan in dessen Regiment nach St. Domingo in die Karibik segelte. Dort bekam er das gelbe Fieber und starb 1797. Cassandra hat nie geheiratet. Sie lebte weiter mit Mutter und Schwester und starb als letzte der drei 1845.

Francis machte von den Brüdern die steilste Karriere: Er starb hochbetagt 1865 als Flottenadmiral Sir Francis Austen. Wie damals bei der Ausbildung der Marineoffiziere üblich, ging er schon als Zwölfjähriger auf die Marineakademie in Portsmouth, diente als Vierzehnjähriger auf verschiedenen Schiffen im Orient und war mit Achtzehn Leutnant. Mit kurzen Unterbrechungen an Land war er während Janes Lebenszeit auf den Weltmeeren unterwegs – erst als Offizier und dann als Kapitän –, denn der Krieg gegen Napoleon erforderte den ständigen Einsatz der britischen Flotte im Mittelmeer, im Atlantik, im Indischen Ozean und in der Nord- und Ostsee. Nur knapp verpaßte Francis mit seinem Schiff 1805 die Seeschlacht von Trafalgar, nahm aber an der Seeschlacht von St. Domingo teil. 1806 heiratete er Mary Gibson, die eine von den Austen-Schwestern besonders geschätzte Schwägerin wurde, und mietete ein Haus in Southampton, das für Jane wichtig werden sollte. Francis hatte sieben Kinder, bevor seine erste Frau starb. Später heiratete er noch einmal, und zwar eine alte Freundin der Austen-Mädchen, Martha Lloyd, die sie ihm schon Jahrzehnte früher zugedacht hatten und deren Schwester Mary in zweiter Ehe mit James Austen verheiratet war. In der Marine war Francis bekannt als »der Offizier, der in der Kirche kniet«. Seine Genauigkeit, Ordnungsliebe und Ernsthaftigkeit sind durch allerlei Familienanekdoten belegt, so durch die folgende: Als Francis nach fünfjähriger Abwesenheit zum Uhrmacher ging, sah dieser sich seine Taschenuhr an und sagte: »Sie ist in ausgezeichne-

ter Verfassung. Sie geht anscheinend überhaupt noch nicht falsch.« »Doch«, antwortete Francis, »sie geht falsch – um zehn Sekunden.«
Obwohl das von den Schwestern besonders geliebte Nesthäkchen *Charles* mit seinem spontanen, lebhaften Naturell das Gegenteil seines Bruders war, folgte er ihm in den Fußstapfen. Auch er ging früh zur Marineakademie und wurde 1797 Leutnant. Er diente dann vor allem im Mittelmeer und vor der amerikanischen Küste. 1807 heiratete er die Tochter des Justizministers der Bermudainseln, mit der er drei Töchter hatte. Als sie 1814 starb, heiratete er ihre Schwester. Er starb 1852 als Konteradmiral im Dienst in Burma. Nach allen Berichten war er nicht nur in der Familie, sondern auch im Beruf ein außerordentlich fürsorglicher und beliebter Mann.

II

Die Austens waren eine ausgesprochen gutaussehende Familie. Der Vater wurde während seiner Universitätszeit »der schöne Proktor« genannt und galt noch im Alter mit seinem vollen grauen Haarschopf als anziehende Erscheinung. Die Mutter war besonders stolz auf ihre »aristokratische Nase«. Die Bilder der erwachsenen Kinder zeigen mit dem kleinen Mund, der schmalen, leicht gebogenen Nase, den braunen Augen und dem gelockten Haar eine auffällige Familienähnlichkeit. Obwohl es von Jane nur einen Schattenriß und das von ihrer Schwester gemalte Aquarell gibt, kann man von ihrem genaueren Aussehen durchaus einen Eindruck gewinnen, wenn man die Bilder ihrer Brüder betrachtet. Von Cassandra gibt es leider nur zwei Schattenrisse. Vor allem Henry und Charles galten als ausgesprochen attraktiv. Die beiden Mädchen waren schlank und von überdurchschnittlich großer eleganter Erscheinung. Die wenigen überlieferten Urteile über das äußere Bild und den Charakter des Mädchens Jane lassen keine eindeutige Vorstellung zu; sie sind spontane oder spätere Eindrücke, die mehr über die Augenzeugen als über die Beurteilte aussagen. 1788 schrieb die Cousine Philadelphia Walters an die Cousine Eliza Hancock nach ihrer ersten Begegnung mit den Austen-Schwestern, die damals 16 und 13 waren, sie habe Cassandra lieber. Jane sei »durchaus nicht hübsch, aber geziert, gar nicht wie ein Mädchen von zwölf«; sie sei »launisch und affektiert«. Der heutige Leser spürt aus dieser Charakterisierung das Befremden, welches das geistig frühreife und offenbar befangene Mädchen hervorrief, das gerade angefangen hatte, literarische Parodien zu schreiben, und daher ihre Umwelt distanziert und kritisch betrachtete. Die angeschriebene Eliza berichtete ihrerseits drei Jahre später Philadelphia, was sie aus Steventon gehört hatte: Cassandra und Jane, nun 19 und 16, seien »vollkommene Schönheiten und erobern Herzen dutzendweise«; sie seien »zwei der hübschesten Mädchen in ganz England«. Bei diesem Urteil nun wieder ist die übersprudelnde Persönlichkeit Elizas zu berücksichtigen. Der Wahrheit näher kommt wohl die abgewogene spätere Erinnerung des Schriftstellers Sir Egerton Brydges, der von 1788 bis 1790 in der Nähe von Steventon wohnte und mit den Austens viel umging:

> Als ich Jane Austen kannte, hatte ich keine Ahnung, daß sie schriftstellerisch tätig war, aber meine Augen sagten mir, daß sie ansprechend und hübsch, schmal und elegant war, aber etwas zu volle Wangen hatte.

Dieser letzte Zug, ein Erbteil ihres Vaters, wie dessen einziges existierendes Altersbildnis deutlich erkennen läßt, wird durch Cassandras Aquarell von Jane bestätigt. Eliza äußerte sich 1792 noch einmal brieflich über ihre Cousinen:

> Cassandra und Jane sind beide sehr gewachsen (die letztere ist nun größer als ich) und haben sich in ihren Umgangsformen und ihrer Erscheinung sehr herausgemacht [...]. Sie sind beide, glaube ich, gleich zartfühlend und beide in einem Grad, wie ich es selten erlebt habe, aber ich ziehe im

Herzen Jane vor, deren freundliche Zuneigung zu mir ebenso erwidert zu werden verdient.

Beide Mädchen zeichneten sich durch ihr ausgeglichenes Temperament aus. Aber ihre Mutter machte einen Unterschied. Sie sagte, Cassandra habe »das *Verdienst*, ihr Temperament immer unter Kontrolle zu haben, aber Jane habe das *Glück*, daß sie ihr Temperament nie unter Kontrolle zu haben brauche«. Aber trotz diesem mütterlichen Urteil war Cassandra offenbar die kühlere, weniger emotionale der Schwestern.

Bei den Jungen nahm der Vater die schulische Erziehung ganz in die eigene Hand; die Mädchen schickte er auf eine private Schule, vielleicht vor allem deshalb, damit er im Haus mehr Platz für seine zusätzlichen Schüler hatte. Als Cassandra und die Cousine Jane Cooper 1783 zu Mrs. Crawleys Pensionat in Oxford geschickt wurden, durfte Jane, obwohl sie eigentlich noch zu klein war, auch mitgehen, da sie von ihrer Schwester unzertrennlich war. Wenn Cassandra sich hätte enthaupten lassen, sagte Mrs. Austen, hätte Jane darauf bestanden, ihr Schicksal zu teilen. Die Schule siedelte bald nach Southampton über, und mit ihr die drei Mädchen; aber als dort die Diphtherie ausbrach, holten ihre Mütter sie unverzüglich nach Hause. Die tragische Folge dieser Episode war, daß Mrs. Cooper sich ansteckte und starb. Trotzdem wurde ein zweiter Versuch gemacht, und zwar mit Mrs. Latournelles Pensionat in Reading. Das Haus war malerisch in den Resten eines alten Klosters gelegen, und die Leiterin hatte interessanterweise ein künstliches Bein aus Kork, aber sehr akademisch scheint es dort nicht zugegangen zu sein. Bei beiden Institutionen handelte es sich zweifellos nicht um Schulen im heutigen Sinn, die man für Mädchen ja gar nicht für nötig oder auch nur empfehlenswert hielt, sondern um den Typ von harmlosem Pensionat, in das Harriet Smith in *Emma* geht und das die Autorin dort so beschreibt:

> Mrs. Goddard war die Leiterin einer Schule – nicht etwa eines Seminars oder einer Anstalt, die sich in langen Sätzen voller gebildetem Unsinn dazu bekannte, reichliche Erkenntnisse mit einer gediegenen Moral auf der Basis neuer Prinzipien und neuer Systeme zu vereinigen, und in der den jungen Damen für enorme Summen Gesundheit ausgetrieben und Eitelkeit eingebleut wird – sondern es handelte sich um ein richtiges, solides, altmodisches Pensionat, wo eine angemessene Menge von Fertigkeiten für einen angemessenen Preis erworben wird und wohin man Mädchen schicken kann, damit sie aus dem Weg sind und sich ein bißchen Bildung zusammenkratzen können, ohne Gefahr zu laufen, als Genie zurückzukommen. (S. 21.)

Höchstens aus einigen Schilderungen in den Romanen kann man auf Jane Austens Kindheit schließen, da das biographische Material so dürftig ist. Nimmt man Catherine Morlands Kindheit in *Kloster Northanger* als eine Art Selbstporträt, dann war Jane ein heiteres und wildes Kind:

> Sie liebte alle Jungenspiele und zog Cricket bei weitem nicht nur Puppen, sondern auch den Kindheitsvergnügungen vor, mit denen sich Romanheldinnen im allgemeinen die Zeit vertreiben, wie der Pflege einer kleinen Hausmaus, dem Füttern eines Kanarienvogels oder dem Gießen eines Rosenstrauchs. Ohnehin hatte sie mit Gärten nichts im Sinn, und wenn sie überhaupt Blumen pflückte, dann hauptsächlich aus Schabernack – jedenfalls mußte man das daraus schließen, daß sie immer gerade die aussuchte, die sie auf keinen Fall nehmen sollte. [...] Schreiben und Rechnen lernte sie von ihrem Vater, Französisch von ihrer Mutter, aber in keinem waren ihre Kenntnisse überwältigend, und sie schwänzte die Stunden, wann immer sie konnte. Was für ein sonderbarer, unergründlicher Charakter! Denn trotz all dieser Anzeichen von Verworfenheit im zarten Alter von zehn Jahren hatte sie weder ein schlechtes Herz noch einen schlechten Charakter, war selten bockig,

> fast nie unverträglich [...]; obendrein war sie laut und wild, haßte Stubenarrest und Sauberkeit und liebte es über alle Maßen, den grünen Abhang hinter dem Haus hinunterzurollen. (S. 3–5.)

Wie es mit der Erziehung der Mädchen, die sicher nicht sehr systematisch war, im Haus Austen im allgemeinen stand, davon gibt vielleicht die Unterhaltung in *Stolz und Vorurteil* einen Eindruck, bei der die snobistische Lady Catherine de Bourgh sich über die Ausbildung Elizabeth Bennets und ihrer vier Schwestern ohne Gouvernante mokiert:

> »Und wer hat Sie denn nun unterrichtet? Wer hat auf Sie aufgepaßt? Ohne Gouvernante! Sie müssen vernachlässigt worden sein.«
>
> »Im Vergleich mit anderen Familien war das sicher der Fall. Aber wer etwas lernen wollte, hatte immer Gelegenheit dazu. Wir wurden immer zum Lesen angehalten und hatten durch gute Bilder auch zum Malen Anregung genug. Aber wer nicht wollte, wurde nicht gezwungen.« (S. 180.)

Daß Jane Austen *wollte*, ist keine Frage, und bei Eltern, die früh die Intelligenz ihrer Tochter bemerkten und förderten, und fünf Brüdern lebte sie in einer geistig intensiven häuslichen Atmosphäre, die sicher auch das politische Gespräch einschloß, denn die Austens waren »Tories« und kultivierten Stuart-Sympathien. Maria Stuart war Janes Lieblingsmonarchin. Ihr viel späteres Eingeständnis gegenüber dem Bibliothekar des Prinzregenten (vgl. S. 371), sie spreche nur ihre Muttersprache, habe auch in ihr nur wenig gelesen und könne sich rühmen, die ungebildetste und unwissendste Frau zu sein, die es je gewagt habe, Schriftstellerin zu werden, ist eine bewußte, spitzbübische Irreführung, um Mr. Clarke davon zu überzeugen, daß sie nicht die Romane schreiben könne, die er ihr auf penetrante Art vorschlug. Jane Austen lernte Französisch und etwas Italienisch und hatte eine solide Grundlage auch auf anderen Wissensgebieten. Für die Historie wird das durch die komische *Geschichte Englands*, die sie als Sechzehnjährige schrieb, eindeutig belegt. Zudem lernte sie schon als Kind Klavier spielen und hatte außer zwischen 1801 und 1809 immer ein Instrument zur Verfügung, auf dem sie bis kurz vor ihrem Tod beinahe täglich übte. Vor allem aber war sie von früh auf eine leidenschaftliche Leserin, der der tolerante Vater auch Werke in die Hand gab – wie etwa Henry Fieldings *Tom Jones* –, die man jungen Mädchen zu jener Zeit sonst lieber vorenthielt. Der Vater war selbst ein eifriger und vielseitiger Leser – auch von Romanen, auf die viele seiner Zeitgenossen mit Verachtung hinabsahen. 1798 erfahren wir aus einem Brief Janes, daß er gerade damit beschäftigt ist, *The Midnight Bell (Die Mitternachtsglocke)* zu lesen, das er aus der Leihbücherei entliehen hat. Das Buch war ein gerade erschienener Schauerroman, den Jane Austen auch in *Kloster Northanger* erwähnt, was ein Anhaltspunkt für die Entstehungszeit des Romans sein könnte. Nicht nur gegen solche, sondern überhaupt gegen alle Romane gab es in dieser Periode noch starke Vorurteile, gegen die Jane Austen in ihren Romanen immer wieder zu Felde zieht. Der Leser kann sicher sein, daß eine Gestalt in ihren Büchern, die Romane verachtet, engstirnig und dumm ist. Im Jahr 1800 veröffentlichte die Zeitung der religiösen Sekte der »Evangelicals« ein »geistliches Barometer«, auf dem von +70 bis −70 die geistigen Tätigkeiten des Menschen bewertet werden. Darauf rangiert die »Liebe zu Romanen« noch hinter der fürs Theater (−30), lockeren Parties (−20) und Alkoholgenuß (−30) bei −40. Im Hause Austen wurden viele Abende mit Vorlesen verbracht, und wenn im Sommer und zu Weihnachten die Schüler George Austens in den Ferien nach Hause fuhren, ging man noch einen Schritt weiter. Dann führte man in der Scheune Theaterstücke auf, bei denen Cousine Eliza begeistert mittat. Auch die großartigen Theaterszenen in *Mansfield Park* verdanken den häuslichen Erlebnissen der Autorin wohl allerlei.

Jane Austens Briefe sprechen immer wieder von Lektüreeindrücken und spielen mit literarischen Gestalten und Zitaten. 1795 findet man den Namen der Zwanzigjährigen unter den Subskribenten von Fanny Burneys neuem Roman *Camilla*. Der Teenager Fanny Price in *Mansfield Park* verdankt den Stolz, zum erstenmal Abonnentin einer Leihbücherei zu sein, sicher den Erfahrungen ihrer Autorin. Aus einem Brief an Cassandra vom 18. Dezember 1798 kann man entnehmen, daß eine Mrs. Martin 1798 in Steventon oder Umgebung eine Leihbücherei eröffnete:

> Ich habe eine sehr höfliche Einladung von Mrs. Martin erhalten, mich als Abonnentin ihrer Leihbücherei einzuschreiben, die am 14. Januar aufmacht, und habe dem entsprechend mein, oder vielmehr Dein, Einverständnis gegeben. Meine Mutter will das Geld dafür auftreiben. [. . .] Als Anreiz zu abonnieren schreibt Mrs. Martin uns, daß ihre Sammlung nicht nur aus Romanen besteht, sondern aus jeder Art Literatur usw. usw. Diesen Anspruch hätte sie sich bei *unserer* Familie, die aus begeisterten Romanlesern besteht und sich dessen nicht schämt, sparen können. Aber ich nehme an, aus Rücksicht auf die Selbsteinschätzung der Hälfte ihrer Abonnenten war das nötig.

Aber auch diese Rücksichtnahme scheint nichts gefruchtet zu haben, denn in einem Brief vom Oktober 1800 heißt es dann:

> Unsere ganze Nachbarschaft ist im Moment vollauf damit beschäftigt, die arme Mrs. Martin zu beklagen, die mit ihrem Geschäft ganz und gar gescheitert ist und deren Haus vor kurzem gepfändet wurde.

Immerhin sind diese Briefstellen ein Beleg dafür, wie gegen Ende des 18. Jahrhunderts die Leihbüchereien auch das flache Land zu erobern versuchten.

Das Familienleben im Pfarrhaus in Steventon war, wie bei sieben Kindern nicht anders zu erwarten, lebhaft und nicht üppig. George Austen hatte zwar durch seine beiden Pfarren ein bequemes Auskommen, welches er noch dadurch aufbesserte, daß er Schüler ins Haus nahm, die er zusammen mit seinen eigenen Söhnen unterrichtete. Auch die Vettern und Cousinen vergrößerten die Familie durch ihre längeren und kürzeren Besuche noch weiter. Das Austensche Haus war mit seiner harmonischen Atmosphäre und Gastlichkeit für Teile der Verwandtschaft eine Art Refugium, besonders in Krisenzeiten.

Jane Austens Cousine Eliza als spätere Comtesse de Feuillide

Unter den vorübergehenden Ergänzungen zur Familie darf die schon mehrmals erwähnte Cousine Eliza Hancock nicht übergangen werden. Ihr fast romanhaftes Schicksal erregte die Fantasie der Austen-Kinder: Sie war in Indien geboren, mit einem französischen Grafen, Comte de Feuillide, verheiratet, der dann 1794 unter der Guillotine starb, lebte mehrere Jahre in Frankreich und sprach fließend Französisch. Mit ihrer kapriziösen Art trug sie wesentlich zur Stimmung und Unterhaltung im Haus bei, heiratete schließlich in zweiter Ehe ihren Vetter Henry und hat wohl mit einigen Zügen zu bestimmten Gestalten in Jane Austens Romanen Patin gestanden, vor allem zu Mary Crawford in *Mansfield Park*. Als elegante Schwägerin war sie später öfter Janes Londoner Gastgeberin und Gefährtin.

Es ist verführerisch, aus dem Familienleben vergangener Jahrhunderte eine Idylle zu machen, aber im Falle der Austens entsprach dieses Bild wohl weitgehend der Wirklichkeit. Es wurde von einem Beobachter mit der Natürlichkeit »der wohlhabenden Familien in den reizvollen Tälern der Schweiz« verglichen. Nur darf das nicht zu völlig unangebrachten Vorstellungen von einer engstirnig-frömmelnden Atmosphäre in diesem Pfarrhaus führen. Die Eltern erzogen ihre Kinder verständnisvoll und liberal und förderten ihre Interessen. Zeit ihres Lebens scheint das Verhältnis zwischen allen Geschwistern weitgehend ungetrübt und herzlich gewesen zu sein. Das Lob auf die geschwisterliche Vertrautheit, das Jane Austen in *Mansfield Park* gesungen hat, beruht bestimmt auf eigenen Empfindungen.

> Kindern derselben Familie, desselben Blutes mit denselben frühen Erlebnissen und Gewohnheiten ist eine Möglichkeit gegeben, sich gemeinsam zu freuen, wie keine spätere Verbindung im Leben sie herstellen kann; und es gehört schon eine lange und unnatürliche Entfremdung, eine Trennung dazu, die keine spätere Verbindung rechtfertigen kann, um diese kostbaren Reste früherer Zuneigung ganz auszulöschen. (S. 262 f.)

Noch 1814 schrieb Jane in einem Brief an ihre Nichte Anna:

> Ich möchte, daß Vettern und Cousinen sich wie Vettern und Cousinen benehmen und sich füreinander interessieren. Schließlich sind sie nur einen Verwandtschaftsgrad weiter voneinander entfernt als Geschwister.

Das Vorlesen und Theaterspielen aber, das bei den Geschwistern häusliche Unterhaltung blieb, setzte sich bei Jane in künstlerische Impulse um und bildete die stärkste Anregung dafür, daß sie zu schreiben begann, denn sie benutzte die Lektüre und die Theaterstücke, um Parodien der zeitgenössischen Literatur zu schreiben, die sie dann ihrerseits offenbar mit großem Erfolg im Kreis der Familie vorlas.

III

Während die Brüder nun nach und nach das Haus verließen, um sich ihrem Studium oder ihrem Beruf zu widmen, und zum Teil auch heirateten, knüpften die beiden Mädchen engere Beziehungen in der Nachbarschaft an. Auch mit den Familien der Umgebung von den Grundbesitzern bis zu den Kollegen des Vaters standen die Austens auf bestem Fuß. Vor allem mit drei Häusern gingen Cassandra und Jane freundschaftlich um.

(1) Auf dem Landsitz Manydown auf dem Weg nach Basingstoke lebten die Biggs, die drei Töchter und einen Sohn hatten. Hier blieben die Austenschen Mädchen öfter über Nacht, wenn in Basingstoke Veranstaltungen stattfanden, die man gemeinsam besuchte. Der Sohn sollte, wie sich zeigen wird, 1801 eine kurze, aber wichtige Rolle in Jane Austens Leben spielen.

(2) In Ashe, gut eine Meile nördlich von Steventon, war Mr. Lefroy Pastor, dessen gebildete, gesellschaftlich gewandte Frau für Jane eine enge mütterliche Freundin war, die offenbar als frauliches Vorbild großen Einfluß auf sie ausübte. Ihr plötzlicher Tod durch einen Sturz vom Pferd 1804 ging Jane sehr nahe, obwohl sie zu dieser Zeit gar nicht mehr in Steventon wohnte. Der Unfall fand ausgerechnet an ihrem Geburtstag statt. Ihre Bestürzung läßt sich noch an dem Gedicht ablesen, daß sie vier Jahre später über das tragische Ereignis schrieb. Der jüngste Sohn der Lefroys heiratete 1814 Janes älteste Nichte Anna.

1796 war Tom Lefroy aus Irland bei seiner Tante zu Besuch und verliebte sich in Jane Austen, die seine Gefühle erwi-

Ashe House

derte. Aber da der junge Mann noch kein Einkommen hatte und vielleicht auch weil die Austen-Töchter mit einer größeren Mitgift nicht rechnen konnten, wurde die Verbindung von den Lefroys nicht ermutigt. Auch gab es ein Gerücht, daß Tom schon vergeben sei. In ihren ersten überlieferten Briefen berichtet Jane ihrer Schwester in halb ironischen, halb ernsten Worten von dem Abschied von Tom:

> Du schimpfst mich in Deinem schönen langen Brief [...] so sehr aus, daß ich gar nicht zu erzählen wage, wie mein irischer Freund und ich uns benommen haben. Stell Dir alles Mögliche vor, was Du Dir an verworfenem und Aufsehen erregendem Tanzen und Zusammensitzen denken kannst. Ich *kann* mich allerdings nur noch *einmal* so skandalös benehmen, denn er reist bald nach Freitag ab [...]. (9. Januar 1796.)

> Freitag. – Nun ist der Tag gekommen, an dem ich zum letztenmal mit Tom Lefroy flirten werde, und wenn Du diesen Brief erhältst, ist alles vorbei. Meine Tränen fließen bei diesem traurigen Gedanken, während ich schreibe. (14. Januar 1796.)

> Mrs. Lefroy kam letzten Mittwoch [...]. Sie erwähnte mir gegenüber den Namen [ihres Neffen] nicht ein einziges Mal, und ich war zu stolz, nach ihm zu fragen; aber als mein Vater später fragte, wo er sei, erfuhr ich, daß er auf dem Weg nach Irland, wo er nun Rechtsanwalt wird und den Beruf auch ausüben will, zunächst zurück nach London gefahren ist. (17. November 1798.)

Der junge Mann wurde schließlich oberster Richter Irlands und erinnerte sich im Alter: Ja, er sei einmal in die große Jane Austen verliebt gewesen, aber es habe sich um die Liebe eines Jungen gehandelt.
Noch eine zweite Liebelei, wenn nicht Liebe Jane Austens scheint sich bald darauf durch das Haus Lefroy angebahnt zu haben, wo ein »Freund« zu Gast war, der ohne Namensnennung ebenfalls in dem zuletzt zitierten Brief ausführlich bedacht wird. Mrs. Lefroy zeigte Jane bei ihrem Besuch, bei dem sie ihren Neffen totschwieg, einen Brief von ihrem Freund, in dem dieser schrieb:

> Ich höre mit Bedauern von Mrs. Austens Krankheit. Es wäre mir eine große Freude, eine Gelegenheit zu haben, mit dieser Familie näher bekannt zu werden, um in eine engere Verbindung mit ihr zu treten. Aber vorläufig kann ich solche Absichten nicht verfolgen.

Solche Formulierungen bedeuteten im Sinn der Zeit, daß der Herr Jane Austen ganz gern geheiratet hätte, aber für eine Ehe noch keine finanzielle Basis hatte und daher von dem Plan wieder Abstand nahm. Jane war sich auch darüber im klaren, daß ihr Verehrer in solchen Worten »weniger Liebe und mehr Verstand zeigt, als er vorher manchmal zu zeigen schien«, und hatte sich auf ihre typisch ironische Art schon mit der Trennung abgefunden:

> Es wird auf sehr vernünftige Weise langsam abklingen. Es ist nicht anzunehmen, daß er über Weihnachten nach Hampshire kommt und daher nur zu wahrscheinlich, daß unsere Gleichgültigkeit bald wechselseitig ist; es sei denn, daß seine Zuneigung, die anscheinend zustande kam, weil er nichts von mir wußte, sich nun davon nährt, daß er mich nie sieht.

Die Autoren von *Jane Austen. Her Life and Letters* haben 1913 diesen zögernden Ehekandidaten als den Geistlichen Samuel Blackall identifiziert, der erst gut fünfzehn Jahre später heiratete. Jane las die Anzeige in der Zeitung und schrieb an ihren Bruder Francis, der mit seiner Fregatte »Elephant« in der Ostsee kreuzte (sie erwähnte das Schiff dann mit seiner Erlaubnis in *Mansfield Park*):

> Er hat in Clifton eine Miss Lewis geheiratet, deren verstorbener Vater aus Antigua stammt. Ich wüßte gern, was sie für eine Frau ist. Er war ein Bündel Vollkommenheit, geräuschvolle Vollkommenheit, an das ich mich mit Herzlichkeit erinnere. [...] Ich wünschte, Miss Lewis wäre eher schweigsam veranlagt und ziemlich unbedarft, aber von natürlicher Intelligenz und mit dem Bedürfnis sich zu bilden; – sie müßte kalte Kalbspasteten, grünen Tee am Nachmittag und nachts grüne Jalousien gern haben.
>
> (3. Juli 1813.)

Es hat wenig Sinn, aus diesen Liebeserlebnissen Jane Austens – zwei weitere werden wir im übernächsten Kapitel kennenlernen – zur Erbauung des Lesers romantische Episoden zu spinnen, da wir außer diesen wenigen Andeutungen nichts wissen. Weder sind uns genügend Tatsachen überliefert, noch kennen wir über ihre eigenen knappen Bemerkungen hinaus Janes Gefühle. Nach den Konventionen der Zeit war es undenkbar, daß ein junger Mann und eine junge Frau länger miteinander flirteten, ohne daß ihre Umgebung auf ernste Absichten des Verehrers und seine Ermutigung durch die Dame schloß. Auch war es undenkbar, daß beide miteinander korrespondierten, ohne verlobt zu sein oder als verlobt betrachtet zu werden – daher ist es so skandalös, daß Marianne in *Verstand und Gefühl* an Willoughby schreibt. Solche Beziehungen endeten, falls der junge Mann sich nicht unmöglich machen und das Mädchen ihren Ruf nicht schwerwiegend schädigen wollte, unweigerlich in der Ehe, wenn der Kontakt nicht schnellstens abgebrochen wurde. Darum schickte Mrs. Lefroy ihren Neffen nach Irland zurück und zeigte Jane den ausweichenden Brief von Mr. Blackall.

Aber so wenig sinnvoll es ist, diese »Affären« auszumalen, so nützlich ist es, von ihnen zu wissen, weil aus ihnen hervorgeht, daß Jane Austens Schriftstellertum nicht etwa Kompensation für einen Mangel an weiblichen Reizen war. Sie war keineswegs eine »geborene alte Jungfer«, sondern lebte wie die meisten Teenager und jungen Frauen in der Erwartung, eines Tages zu heiraten. An der Charakterisierung, Jane sei »der hübscheste, albernste, affektierteste Backfisch auf der Jagd nach einem Mann gewesen«, ist vielleicht durchaus etwas daran, obwohl ihre viktorianischen Nachkommen, die diese Kennzeichnung nicht gerade als Kompliment werteten, nachzuweisen versucht haben, daß die Mutter der Schriftstellerin Mary Russell Mitford, die die Bemerkung gemacht hat, nicht glaubwürdig sei, weil sie in der Nähe Steventons nur gelebt habe, bis Jane zehn Jahre alt war. Ob Jane Austen nicht schließlich doch geheiratet hätte, wenn die Aussichten ihrer Schwester nicht durch den Tod ihres Verlobten plötzlich zunichte geworden wären und sie allein im Haus der Eltern zurückgeblieben wäre, und ob eine Heirat und Kinder – nahezu ständige Schwangerschaften waren damals bei dem Stand der Geburtenkontrolle eher die Regel – ihre literarischen Ambitionen nicht gehindert oder gar zerstört hätten, sind offene Fragen. Sicher ist, daß sie zunächst ledig blieb, weil eine Ehe trotz einiger aussichtsreicher Bewerber nicht zustande kam. Daß sie aber wohl nicht ohne Liebe geheiratet hätte, muß man ihren Romanen entnehmen, in denen die Heirat ohne echte Bindung der Partner immer wieder als eine schreckliche Aussicht dargestellt wird. Auch ihrer Nichte Fanny Knight, die ihre Tante in Liebesangelegenheiten um Rat fragte, gestand sie, daß nichts dem Elend gleiche, ohne Zuneigung an einen Mann gebunden zu sein (30. November 1814). Gerade aber weil es sich hier um einen Punkt handelt, an dem das Literarische und das Biographische in engster Beziehung zueinander stehen, ist es schade, daß der Mangel an sicheren Informationen uns nicht erlaubt, eine solche Verbindung weiter zu verfolgen und dadurch auch die Romane weiter zu erhellen. Es läßt sich aus Andeutungen in ihren Briefen entnehmen, daß Jane die Entscheidung, nicht geheiratet zu haben, später nicht bereut hat.

(3) Die engste Verbindung in der Nachbarschaft bestand zu den Töchtern des Pastors von Deane, Mr. Lloyd, der 1789 starb. Seine Witwe blieb noch einige Jahre im dortigen Pfarrhaus wohnen und zog dann mit ihren unverheirateten Töchtern Mary und Martha – Eliza war schon mit Fulwar Craven Fowle, dem Bruder von Cassandra Austens Verlobtem, verheiratet – nach Ibthrop, nur 18 Meilen von Steventon entfernt, so daß der freundschaftliche Verkehr aufrechterhalten werden konnte. Mrs. Lloyd war eine Tochter der schönen und berüchtigten Lady Craven, die bei ihrem eleganten Leben ihre Kinder auf skandalöse Weise vernachlässigt und mißhandelt hatte und die manche Forscher für das Vorbild von Jane Austens Lady Susan in dem gleichnamigen Romanfragment halten. Mary Lloyd heiratete 1797 den verwitweten James Austen, aber Martha blieb noch Jahrzehnte unverheiratet und zog 1805 nach dem Tod ihrer Mutter zu den Austens.

Zu den großen Vergnügungen der Mädchen gehörten vor allem die Bälle, die in den stattlichen Privathäusern der Umgebung oder monatlich einmal öffentlich in Basingstoke

Dean House

stattfanden. Sie nehmen in den frühen Briefen Jane Austens viel Raum ein. Ausführlich wird diskutiert, wer anwesend war, mit wem man getanzt und was man getragen habe, und für die Freundinnen boten diese Feste immer wieder Anlaß zu gegenseitigen Besuchen.

Der Bildungsgrad dieser gemischten ländlichen Gesellschaft war dabei wohl nicht durchweg so hoch wie im Haus Austen. Die Ungebildetheit des englischen »Country Squire« ist schließlich schon eine satirische Zielscheibe des Romans im 18. Jahrhundert. Einmal wurde Mr. Austen von einem Grundbesitzer gefragt, ob nun eigentlich Paris in Frankreich oder Frankreich in Paris liege, er habe sich mit seiner Frau darüber gestritten. Es läßt sich schon aus dieser einen kleinen Anekdote ablesen, welche Fundgrube für die kritisch ihre Umwelt taxierende Schriftstellerin Jane Austen, zu deren besonderem Talent die ironische Darstellung leicht grotesker Mitmenschen gehörte, solche Zusammenkünfte gewesen sein müssen. Irgendwo ist sie immer wieder einem betulichen Umstandskrämer wie Mr. Woodhouse, einer geschwätzig-naiven alten Jungfer wie Miss Bates, einer gewöhnlichen Neureichen wie Mrs. Cole oder einer sich hochvornehm gebenden Pfarrersfrau wie Mrs. Elton (alle aus *Emma*) begegnet und hat schmunzelnd oder bitter ihre charakteristischen Züge und vor allem ihre Art, sich auszudrücken, beobachtet, analysiert und in der literarischen Vorratskammer ihres Gedächtnisses gespeichert.

Zweites Kapitel
Jugendwerke

I

Aber bei vielen dieser Beobachtungen war ein langes Aufbewahren im Gedächtnis gar nicht nötig; sie konnten unmittelbar in die kleinen Werke eingehen, die während dieser Zeit schon entstanden, denn Jane Austen schrieb seit ihrem zwölften Lebensjahr kürzere literarische Texte, die zum Vorlesen in ihrer Familie gedacht waren. Die 27 erhaltenen Juvenilia erstrecken sich auf den Zeitraum von 1787 bis 1793 und sind in einigen Fällen sogar mit Daten versehen. Darüber hinaus beginnt der größte Teil mit einer pompösen Widmung an ein Familienmitglied, die bei mehreren Texten zusätzlich eine annähernde Datierung erlaubt. Da z. B. zwei kurze Erzählungen dem Bruder Francis, »Fähnrich auf Seiner Majestät Schiff ›Perseverance‹« gewidmet sind, können sie nur im Jahr von Francis' Dienst auf diesem Schiff, also 1791, geschrieben sein. Ob Jane Austen wohl an ihre jugendlichen Scherze zurückdachte, als sie gut zwanzig Jahre später bei der Veröffentlichung von *Emma* im vollsten Ernst eine solche aufwendige »höfische« Widmung an den Prinzregenten formulieren mußte?

Die jugendlichen Werke variieren in ihrer Länge von der halbseitigen Farce oder Kürzestgeschichte bis zum 50 Seiten langen Roman, wobei der größere Umfang als Zeichen größerer Reife und literarischer Beherrschung zu deuten ist. Bei vielen Stücken handelt es sich um Fragmente, die zu beenden wohl nie die Absicht bestand, weil ihre Komik sich im Charakterisieren eines bestimmten Zuges erschöpft und den Abschluß der Geschichte nicht erfordert. Die Texte zeigen eine für einen zwölf- bis fünfzehnjährigen Teenager ganz ungewöhnliche, wenn nicht einmalige satirisch-parodistische

Begabung, die ein scharfes Auge für die menschlichen Schwächen und Laster, ein empfindsames Ohr für die sprachlichen Mängel und Absurditäten ihrer Zeitgenossen und einen wachen Sinn für die literarischen Stereotypen ihrer Zeit voraussetzt. In dieser letzten Hinsicht sind Jane Austens Jugendwerke der eindeutigste Beleg für die lebendige geistige Atmosphäre und die Freizügigkeit ihres Elternhauses, wo man das Parodistische zu schätzen gewußt und das gesellschaftliche Leben recht ungehemmt diskutiert haben muß. Die Texte zeigen inhaltlich alles andere als das ängstliche Einhalten von Tabus oder enge moralische Maßstäbe; sie handeln von Bastarden und Morden, Trunk- und Spielsucht, unverantwortlichen Eltern und mißratenen Kindern und sind auch durchaus nicht prüde. Sie spielen auf übermütige, selbstsichere und respektlose Weise mit den Konventionen und Verirrungen der Zeit und ihrer durch und durch unglaubwürdigen Darstellung im populären Roman. Schon als junges Mädchen fand Jane Austen ihre Mitmenschen mit ihrer Impertinenz, Heuchelei, Geschwätzigkeit, Großmannssucht, Leichtgläubigkeit und Unmoral unendlich komisch. Von Anfang an erhob sie sich über die Unvollkommenheiten der menschlichen Welt, indem sie ihre besonders grotesken, aber auch bedrückenden Züge lächerlich machte: Komödie als Ventil, Therapie und kritische Waffe. Das Besondere an diesen frühen literarischen Versuchen aber ist, daß sie das Possenhafte zum Gutteil aus ihren parodistischen Elementen gewinnen, also zurückbezogen sind auf die zeitgenössische Literatur. Die Forschung hat auf alle möglichen Vorlagen selbst einzelner Szenen hingewiesen, die Jane Austens Vertrautheit nicht nur mit populären Romanen, sondern ebenso mit anspruchsvollen Autoren wie Richard Sheridan, Samuel Johnson, den sie besonders schätzte, und Oliver Goldsmith sowie mit Zeitschriften belegt. Auch die Kenntnis Shakespeares spricht schon aus diesen frühen Werken. Was Henry Crawford im 34. Kapitel von *Mansfield Park* über den größten englischen Dramatiker sagt, entsprach sicher Jane Austens eigener Anschauung:

> Aber Shakespeare lernt man kennen, ohne eigentlich zu wissen, wie. Er wird jedem Engländer zur zweiten Natur. Seine Gedanken und Schönheiten sind so verbreitet, daß man überall darauf stößt; man ist instinktiv mit ihnen vertraut. (S. 379.)

Jane Austen probierte verschiedene literarische Genres und versuchte sich unter anderem auch an zwei absurden Gesellschaftskomödien. In *Der Besuch* muß der Kreis der vornehmen Gesellschaft unter den unleidlichen Lebensumständen im Haus Lord Fitzgeralds leiden, dessen Großmutter in allem nur ihre eigenen Bedürfnisse berücksichtigt hat: die Betten sind zu kurz, und es gibt zu wenig Stühle, so daß manch einer jemanden auf den Schoß nehmen muß, Sophie Hampton den Gastgeber. In *Das Geheimnis* (vgl. S. 251) erfahren die Leser – oder bei der jungen Jane Austen immer besser: die Zuhörer – nie, wovon das Stück eigentlich handelt, weil sich die Mitwirkenden alles Wichtige nur ins Ohr flüstern. Mit der »parteilichen, voreingenommenen und ahnungslosen« *Geschichte Englands von der Herrschaft Heinrich IV. bis zum Tod Karls I.*, die Goldsmiths *Geschichte Englands in einer Reihe von Briefen eines Edelmannes an seinen Sohn* (1764, gekürzte Fassung) ins Komische entstellt und durch die aquarellierten Königsporträts von Janes Schwester noch einen weiteren karikaturistischen Reiz bekommt, ist auch ein nicht-literarisches Genre vertreten.

Vor allem aber beutet Jane Austen den sentimentalen Frauenroman der Zeit zu parodistischen Zwecken aus und macht sich ausgiebig in immer neuen Variationen über die unglaubwürdigen, überirdisch schönen und tugendhaften Heldinnen lustig. Für das frühe Stadium des Genres ist durch den Einfluß von Samuel Richardsons Romanen *Pamela* (1740), *Clarissa* (1748) und *Sir Charles Grandison* (1754) die Briefform charakteristisch, so daß auch ein Teil von Jane Austens Parodien aus Briefromanen besteht. Doch schon diese epistolare Form selbst wird bei ihr ad absurdum geführt, weil sie keinerlei Funktion hat, wenn es – wie in *Liebe und Freundschaft* (vgl. S. 215) – nur *eine* Briefschreiberin gibt, die ihre durch die Briefform willkürlich zerhackte, weit zurückliegende Jugendgeschichte erzählt; denn der Briefroman lebt von der Aktualität der Ereignisse, so daß sich die Handlung entwikkelt, während die Briefe selbst geschrieben werden, und nicht nur der Leser, sondern auch die Akteure selbst über die Ereignisse noch im dunkeln tappen.

Die Heldin dieses Romantyps ist die tugendhafte junge Frau von großer Empfindsamkeit, die dem moralisch bedenklichen, wenn nicht schlichtweg korrupten Liebhaber das Ideal des reinen Lebens entgegenhält und auch in der bedrohlichsten Lage ihre Unschuld selbst unter Einsatz ihres Lebens zu verteidigen bereit ist. Da der Frauenroman der Zeit, den Jane Austen vorfand und dessen Unglaubwürdigkeit sie in ihren jugendlichen Parodien bloßstellte und in ihren späteren reifen und so bewundernswert wirklichkeitsgetreuen Werken weit hinter und unter sich zurückließ, für sie so wichtig ist, wollen wir ein frühes und ein spätes Beispiel des Genres schon hier vorstellen. Sie enthalten eine Fülle typischer Elemente und machen Jane Austens parodistischen Ansatz deutlich. Die Autorin kannte beide Romane gut, und auffälligerweise gibt es in beiden Namen, die sie selbst dann auch in ihren Büchern verwendete. (Im zweiten Fall, einem heute recht obskuren Buch, ist das von der Austen-Forschung wohl noch nicht angemerkt worden. Der Einfluß dieser Namen ist allerdings zweifelhaft, da Donald J. Green 1953 wahrscheinlich gemacht hat, daß Jane Austen den Großteil ihrer Namen von lebenden oder ausgestorbenen Adelsgeschlechtern nahm.)

Fanny Burneys (1752–1840) Erstling *Evelina* (1774), der die Autorin schlagartig berühmt machte, ist die Geschichte des naiven siebzehnjährigen Provinzmädchens, das in der verführerischen Londoner Gesellschaft ihre Integrität wahren und sich gesellschaftlich schulen muß, bevor sie am Ende mit der

Hand des reiferen Lord Orville belohnt wird – eine Verbindung nicht hemmungsloser Leidenschaft, wie sie einst ihre Mutter durch unkluge Flucht erzwungen hatte, sondern langsam gewachsener Zuneigung. Orville ist wie ein Schutzgeist das ganze Buch hindurch immer zur Stelle, wenn Evelinas Tugend oder Ruf in Gefahr gerät, nicht weil sie schlecht ist, sondern weil sie in ihrer Arglosigkeit die Schlechtigkeit anderer nicht durchschaut oder sich anderen als Abhängige unterordnen muß. Vor allem Sir Clement Willoughbys (!) Nachstellungen muß sie sich immer wieder entziehen. Ihr geistlicher Vormund, Mr. Villars, gibt ihr die Ermahnung auf den Weg: »Nichts ist so verletzlich wie der Ruf einer Frau; er ist zugleich das schönste und das zerbrechlichste aller menschlichen Dinge.« Die abenteuerliche französisch-englische Herkunft der Heldin, die Wiederherstellung verwandtschaftlicher Verhältnisse durch das Auftauchen ihres gewissenlosen Vaters, Sir John Belmont, der sie, überwältigt von der Ähnlichkeit mit seiner verstorbenen Frau, anerkennt, und ihre Einsetzung in ihr rechtmäßiges Erbe, nachdem die falsche Tochter Sir Johns als Hochstaplerin entlarvt ist, lassen sich, zu Stereotypen verallgemeinert, leicht in *Liebe und Freundschaft* als Grundelemente von Jane Austens absurdem Spiel menschlicher Beziehungen wiederfinden: als exotisch-unglaubwürdige Herkunft, abenteuerliche Verwandtschaft, angemaßte Identität oder unmoralische Elternschaft.

Self-Control (1811, *Selbstbeherrschung*) ist der Erstling Mary Bruntons (1778–1818), die fast genau eine Zeitgenossin Jane Austens ist; sie hat diesen Romantyp so verinnerlicht und sentimentalisiert, daß ihr Buch bis kurz vor Ende nahezu keine Handlung hat. Auf Seite 6 macht Oberst Villiers Hargrave (!) Anstalten, die siebzehnjährige, fromm erzogene Schottin Laura Montreville, die ihn als männliches Ideal liebt, auf einem Spaziergang kurz nach dem Tod ihrer Mutter zu verführen oder auch nur zu küssen – die Vagheit der Szene macht es unmöglich, genaue Schlüsse zu ziehen –, was sie entsetzt zurückweist. Die nächsten 400 Seiten sind nun ihrem unentwegten seelischen Kampf gegen die Nachstellungen dieses Mannes, den aufzugeben ihr schwerfällt, gewidmet, bis sie begreifen muß, daß er ein leichtsinniger und skrupelloser Schurke ist. Mit unendlicher Geduld wirbt der liebenswerte Montague de Courcy, der einen Freund namens Wentworth (!) hat, um sie, ohne je ihre Skrupel besiegen zu können. Aber schließlich kommt auf den letzten 30 Seiten doch noch eine dramatische Handlung zustande: Hargrave verschleppt Laura nach Amerika, wo sie – zu Jane Austens Amüsement, die dies ironisch als die noch relativ realistischste Szene des Buches bezeichnete – allein in einem Boot einen Fluß hinuntertreibt, während Hargrave sich im Bewußtsein seiner Schuld erschießt. So kann sie nach ihrer Rückkehr nach England auf der letzten Seite doch noch de Courcy die Hand fürs Leben reichen. – Es besteht dabei kein Zweifel, daß Fanny Burney, die von Jane Austen hochgeschätzt wurde, als Schriftstellerin und Beobachterin der Sitten ihrer Zeit Mary Brunton weit überlegen ist.

Die übersensible, hochgradig idealisierte Heldin, die in *Selbstbeherrschung* ins Extrem gesteigert ist, bildet einen Hauptangriffspunkt in Jane Austens frühen Werken. Die ihr nachempfundenen Protagonistinnen ihrer Geschichten behalten einerseits die Charakteristika solch zartfühlender Lebenshaltung bei, indem sie etwa ständig in Ohnmacht fallen, und sprechen auch unentwegt über ihre zarten Empfindungen, aber ihr tatsächliches Handeln widerspricht diesen Attitüden völlig. Sie stehlen, lügen, handeln herzlos, sind grenzenlos eitel, egoistisch und geldgierig und lassen überhaupt jeden Anstand in ihrem Verhalten und ihrem menschlichen Umgang vermissen – und das alles mit dem hartnäckig verteidigten Anspruch, das Muster weiblicher Vollkommenheit zu sein. Zwei Prinzipien humoristischer Verzerrung liegen diesem Verfahren zugrunde: die Übersteigerung bestimmter Züge ins Karikaturistische, die das allgemein als Maßstab Akzeptierte durch scheinbar vehemente Bestätigung desavouiert (»Wir fielen abwechselnd auf dem Sofa in Ohnmacht«; *Liebe und Freundschaft*, 1790), und das selbstverständliche und gelassene Hinnehmen dessen, was dem allgemein Akzeptierten widerspricht, so daß die Welt auf dem Kopf zu stehen scheint (»Mr. Brudenell war ein einsichtiger Mann und hatte eine schöne Nichte, in die sich sogleich Sir William verliebte. Aber Miss Arundel war grausam; sie zog einen gewissen Mr. Stanhope vor. Sir William erschoß Mr. Stanhope; die Dame hatte nun keinen Grund mehr, ihn abzuweisen; sie nahm seinen Antrag an, und am 27. Oktober wurden sie getraut.«; *Sir William Montague*, vor 1790. Oder: »Das arme Mädchen! Sie betrauert seinen Tod noch immer mit unverminderter Treue, ungeachtet der Tatsache, daß er schon über sechs Wochen tot ist, aber manche Leute nehmen sich solche Dinge eben mehr zu Herzen als andere.«; *Burg Leslie*, 1792).

II

Auch in der Naturdarstellung lassen sich beide Verfahren beobachten. So wird in der folgenden Passage das sentimentale, ins Idyllisch-Ideale geschönte Landschaftsbild, das im Frauenroman immer wieder der Kummer oder Freude erlebenden Heldin als dekorativer Hintergrund dient, sprachlich und gegenständlich übertrieben:

> Bei ihrer Rückkehr nach Crankhumdunberry (in welch lieblichem Dörfchen ihr Vater Pastor war) wurde Charlotte mit überschwenglicher Freude von Frederic und Elfrieda empfangen, die sie abwechselnd an die Brust drückten und dann vorschlugen, einen Spaziergang durch den Pappelhain zu unternehmen, der vom Pfarrhaus zu einer frischen grünen Wiese führte, die von einer Fülle bunter Blumen reizend betupft dalag und von einem rieselnden, durch eine unterirdische Passage vom Tal von Tempé hergeleiteten Bach bewässert wurde.
>
> (*Frederic und Elfrieda*, vor 1790.)

Nach dem zweiten Verfahren wird ein solcher Landschaftshintergrund bei Jane Austen nicht mehr übertrieben poetisiert, sondern es wird eine Umgebung ausgewählt, die den Maßstäben des Landschaftlich-Schönen einfach ins Gesicht schlägt:

> Ein paar Tage nach ihrer Versöhnung machte Lady Williams Miss Johnson einen Besuch und schlug einen Spaziergang in den Pappelhain vor, der vom Schweinestall der gnädigen Frau zur Charles Adams' Pferdetränke führte.
> (*Jack und Alice*, vor 1790.)

In solchen Landschaftsbeschreibungen ist zugleich ein weiteres parodistisches Angriffsziel erkennbar: William Gilpins (1724–1804) Theorie des Pittoresken, die nach den biographischen Bemerkungen ihres Bruders Henry »schon sehr früh [. . .] großen Reiz auf sie aus[übte]« und auf die sie in den späteren Romanen, besonders in *Verstand und Gefühl*, bei dem in dieser Hinsicht deutlich die frühe Entstehung durchscheint, wiederholt anspielt. In *Liebe und Freundschaft* wird ja Augusta durch Gilpins Buch über Schottland veranlaßt, dorthin zu fahren. Der Geistliche und Hobbymaler Gilpin veröffentlichte in den beiden letzten Jahrzehnten des 18. Jahrhunderts eine Reihe von Reisebüchern und ästhetischen Essays, in denen er seinen Zeitgenossen ein Ideal des Landschaftlichen nahezubringen suchte, das er mit dem Begriff des »Pittoresken« bezeichnete. Dieses Ideal soll dem Bildarrangement beim Malen von Landschaften und der Ausbildung des Schönheitssinns beim Betrachten der Natur dienen. Sein entscheidender Gesichtspunkt ist die Abwechslung und Belebung, das Spiel kontrastierender Formen, das die Landschaft etwa durch Felspartien, bizarre Baumgruppen oder mittelalterliche Ruinen reizvoll macht. Als Element dieser ästhetisch gruppierten Formenvielfalt werden auch Mensch und Tier als statuarisches Bildingrediens eingeordnet. Wenn es bei Jane Austen in *Evelyn* (1792) etwa heißt:

> Ein Kiesweg lief durch diesen schönen Staudengarten, und da der Rest des Geländes weiter keine Bäume oder Sträucher aufwies, seine Oberfläche völlig glatt und eben war und vier Kühe in gleichmäßigem Abstand voneinander darauf weideten, nahm der Anblick der Grünfläche Mr. Gower beim Betreten der Wiese außerordentlich gefangen,

dann sind das Kriterien und Formulierungen, die Gilpin nachgebildet sind, aber durch das *Bildelement* der Kühe im gleichmäßigen Abstand, das hier in die Wirklichkeit übernommen wird, als hätte man die Kühe aus ästhetischen Gründen dort auf Dauer plaziert, grotesk wirkt und nicht nur Mr. Gower, sondern auch den eingeweihten Leser gefangennimmt.

In allen drei Beispielen der parodistischen Landschaftsbeschreibung wird zudem die Verbindung dieser ästhetischen Theorie mit der Landschaftsgärtnerei der Zeit deutlich. Der Pappelhain und die grüne Wiese von Crankhumdunberry sind bewußt übertriebene Beispiele für die pittoresk-romantische Naturgestaltung, deren Charme nach dem Urteil der Zeitgenossen in ihrer scheinbaren Natürlichkeit bestand, die aber das kunstvoll-künstliche Arrangement nur verbarg. Das Umgestalten der Haus-, Garten- und Parkanlagen, um sie den neuen Vorstellungen landschaftlicher Schönheit anzupassen, war im England dieser Zeit eine große Mode. Die Gartenarchitekten Lancelot Brown (1716–83) – Capability-Brown genannt, weil er zu allen Kunden sagte: »Ihr Grundstück bietet Möglichkeiten« – und Humphrey Repton (1752–1818) waren vielgefragt, und in Jane Austens Romanen, vor allem in *Mansfield Park*, bildet denn auch der Geschmack, den Garten- und Parkanlagen zeigen, ein Element für die Beurteilung ihrer Besitzer.

Jane Austens frühe karikierende Verfahren sind vielfältig. Sie verabsolutiert zum Beispiel immer wieder einzelne menschliche Züge und schafft so grotesk einseitige Charaktere oder läßt Gestalten völlig unangemessen, oft herzlos grausam auf eine Situation oder ein Ereignis reagieren. In der folgenden Szene aus *Burg Lesley* ist beides vereint. Dort gibt es eine junge Dame, die die Welt bis hinein in ihre sprachlichen Vergleiche nur unter dem Gesichtspunkt des Kochens sieht. Als die Hochzeit ihrer Schwester nicht zustande kommt, hat sie ihre eigenen Sorgen, wie sie ihrer Briefpartnerin berichtet:

> Du kannst Dir vorstellen, wie groß meine Enttäuschung ist, wenn Du bedenkst, daß ich nun, nachdem ich Tag und Nacht geschuftet habe, um das Hochzeitsessen rechtzeitig fertig zu bekommen, nachdem ich genug Rindfleisch gebraten, Hammel geschmort und Suppe gekocht habe, um das Brautpaar unbesorgt durch die Flitterwochen zu bekommen, den Schmerz erleben muß, das Fleisch und mich völlig umsonst gebraten, geschmort und gekocht zu haben. Ja, meine liebe Freundin, ich erinnere mich nicht, je so erschüttert gewesen zu sein wie letzten Montag, als meine Schwester mit einem Gesicht weiß wie Schlagsahne zu mir in die Vorratskammer gelaufen kam und sagte, daß Hervey vom Pferd gefallen sei, einen Schädelbruch erlitten habe und vom Arzt als lebensgefährlich verletzt bezeichnet worden sei. »Guter Gott«, rief ich, »was du nicht sagst! Was soll nun um Himmels willen aus den Lebensmitteln werden? Wir sind doch nicht imstande, sie aufzuessen, bevor sie schlecht werden. Aber wir können den Arzt bitten, uns zu helfen. Ich schaffe das Rindfleisch allein, meine Mutter nimmt sich die Suppe vor, und du und der Doktor, ihr müßt alles übrige aufessen.

Man kann es der armen Braut kaum verdenken, daß sie prompt in Ohnmacht fällt. Das Unwahrscheinliche wird in solchen Szenen immer wieder als das Selbstverständliche geschildert, so auch in den Geburts- und Gefängniserfahrungen Elizas in *Henry und Eliza* (vor 1790). Der »Roman« beginnt mit einem parodistischen Seitenhieb auf die beliebten Findlinge in sentimentalen Romanen:

> Als Sir George und Lady Harcourt das Heuen ihrer Arbeiter beaufsichtigten, wobei sie den Fleiß der einen belohnten durch ein zustimmendes Lächeln und die Faulheit der anderen bestraften – mit einem Knüppel, sahen sie gut verborgen unter einem Heuhaufen ein wunderschönes kleines Mädchen von höchstens drei Monaten liegen.

Der Findling ist das reizendste und tugendhafteste Mädchen der Welt, bis es mit Achtzehn 50 Pfund aus dem Schreibtisch des Adoptivvaters stiehlt und hinausgeworfen wird. Daraufhin singt sie in idyllischer Natur sentimentale Lieder, die ein beliebtes Ingrediens des Frauenromans waren. Später schnappt sie der Tochter einer neuen, diesmal herzoglichen Wohltäterin den Mann weg:

> In Frankreich blieben sie drei Jahre und wurden während der Zeit Eltern von zwei Jungen. Schließlich aber wurde Eliza Witwe und stand ohne jedes Auskommen für sich und ihre Kinder da. Sie hatten seit der Hochzeit jährlich 18000 Pfund ausgegeben; da Mr. Cecils Besitz aber nur ein Zwanzigstel davon einbrachte, hatten sie nur wenig sparen können; sie hatten ihr Einkommen aufs äußerste strapaziert.
>
> Eliza war sich ihrer verzweifelten Lage bewußt und segelte in einem Kriegsschiff mit 55 Kanonen, das sie sich während ihrer besseren Tage gebaut hatten, nach England. Aber kaum war sie in Dover mit einem Kind an jeder Hand an Land gegangen, da wurde sie von den Agenten der Herzogin verhaftet und in das hübsche kleine Gefängnis geführt, das ihre Hoheit zur Aufnahme ihrer persönlichen Gefangenen hatte errichten lassen. Kaum hatte Eliza ihren Kerker betreten, da dachte sie schon an nichts anderes, als wie sie ihn wieder verlassen könne. Sie ging zur Tür; aber die war verschlossen. Sie blickte zum Fenster; aber das war mit Eisenstäben vergittert. In ihren Erwartungen so bitter getäuscht, wollte sie schon daran verzweifeln, je ihre Flucht bewirken zu können, als sie glücklicherweise in einer Ecke

der Zelle eine kleine Säge und eine Strickleiter entdeckte. Mit der Säge ging sie sogleich zu Werk und hatte in ein paar Wochen alle Gitterstäbe beseitigt – bis auf einen, an dem sie die Leiter befestigte. Eine Schwierigkeit ergab sich zunächst, die sie nicht zu lösen wußte. Ihre Kinder waren zu klein, um allein die Leiter hinunterzuklettern, und *sie* konnte sie unmöglich auf den Arm nehmen, wenn sie selbst hinunterstieg. Schließlich beschloß sie, alle Kleidungsstükke (und sie hatte eine Fülle davon) hinunterzuwerfen, befahl dann den Kindern aufs strengste, sich nicht zu verletzen, und warf sie hinterher. Sie selbst stieg die Leiter ohne Schwierigkeiten hinunter und hatte unten die Freude, ihre kleinen Jungen vollkommen gesund und im tiefsten Schlaf anzutreffen.

Es versteht sich in einer solchen Parodie fast von selbst, daß sich Eliza zu guter Letzt als echte Tochter ihrer ursprünglichen Finder herausstellt. Ihr Schicksal war, wie ihre Mutter ihrem Vater erklärt, wahrhaft außerordentlich:

Vier Monate, nachdem du [nach Amerika] aufgebrochen warst, wurde ich von diesem Mädchen entbunden. Aber da ich fürchtete, daß du es ablehnen würdest, weil es nicht der gewünschte Junge war, brachte ich sie zu dem Heuhaufen und legte sie darunter. Ein paar Wochen später kamst du zurück und stelltest mir über das Thema glücklicherweise keine Fragen. Über das Wohlergehen meines Kindes beruhigt, vergaß ich bald, daß ich eines hatte, so daß ich, als wir sie in dem Heuhaufen fanden, wohin ich sie gelegt hatte, ebensowenig wie du wußte, daß es mein eigenes war.

III

Der Übergang von der komischen zur ernsten Literatur verlief bei Jane Austen gleitend. Es gibt unter ihren Jugendwerken keines, das nicht um humoristischer Wirkungen willen die dargestellte Wirklichkeit bewußt ins Groteske entstellte, aber das bloße Spiel mit den gesellschaftlichen und literarischen Traditionen tritt schon 1792 in dem Fragment *Catherine*, dem längsten der frühen Werke, zurück, so daß sich hier zum erstenmal unter der Oberfläche des Absurden eine richtige Geschichte entwickelt, in deren Zentrum die erste Liebeserfahrung eines jungen Mädchens steht. Wohl beginnt der Roman noch mit parodistischen Anklängen. Catherine ist noch die typische früh verwaiste Heldin, die bei ihrer Tante aufwächst, die dann – je nach dem Romantyp – rührend naiv oder verworfen ist (in diesem Fall ist sie so prüde, daß sie ihre Nichte schon vor dem Anblick jedes männlichen Wesens schützen zu müssen glaubt), und ihre Jugend wird noch auf dem Hintergrund literarischer Anspielungen dargestellt (z. B. Catherine fand »das Vorfahren einer vierspännigen Kutsche ein interessanteres Geräusch als die Musik einer italienischen Oper, die für die meisten Heldinnen den Gipfel des Vergnügens bildet«); wohl gibt es auch noch die absurden Dialogfetzen und die grotesk-monomanischen Charaktere. Aber die Szenen – darunter eine Ballszene, wie sie später in jedem von Jane Austens Romanen vorkommt – werden nun auf realistische Weise ausgesponnen, statt im rasanten komischen Erzählfluß aufs äußerste reduziert zu werden. Über die bloße Wiedergabe einer Handlung hinaus kommt es nun also langsam zu deren Ausgestaltung; und der Gefühlswelt des jungen Mädchens wird nun eine ernstere Aufmerksamkeit geschenkt, so daß das Werk hierin schon auf einen Schwerpunkt in Jane Austens späterem Schaffen hinweist. In den früheren Texten dagegen stehen zwar weitgehend auch junge Mädchen im Mittelpunkt, aber Liebe und Ehe, um die sich ihre Welt – wie in *Die drei Schwestern* – dreht, sind in ihnen nichts als komisch.

Eine solche Mischung von Scherz und Ernst, von Übertreibung und Realismus, von parodistischem Ursprung, der immer mehr von einem eigenen Gestaltungswillen überlagert wird und sich darüber hinausentwickelt, müssen auch die ersten Fassungen der drei frühen Romane Jane Austens dargestellt haben, die wir aber nicht kennen. Erhalten ist ein undatierter Zettel, auf dem Cassandra Austen nach dem Tod ihrer Schwester die Entstehungsdaten aller Werke Jane Austens festgehalten hat. Nur, wann geschah das und wie genau war ihre Erinnerung? Dort heißt es über die frühen Fassungen:

> *Erste Eindrücke [First Impressions]* begonnen Oktober 1796, abgeschlossen August 1797. Später mit Änderungen und Kürzungen unter dem Titel *Stolz und Vorurteil* veröffentlicht.
> *Verstand und Gefühl* begonnen November 1797. Ich bin sicher, daß ein Teil dieser Geschichte und ihrer Gestalten früher geschrieben wurde und *Elinor und Marianne* hieß.
> [...]
> *Kloster Northanger* [Cassandra schreibt *North-Hanger*] wurde etwa in den Jahren [17]98 und 99 geschrieben.

Wir wissen zu wenig über Jane Austens Leben aus diesen Jahren und daher auch fast nichts über die Entstehung der Erstfassungen dieser Romane. Ihre Manuskripte sind nicht erhalten. Für 1796 gibt es sieben Briefe Janes, zwei im Januar und fünf im August und September, für 1797 gar keine. Da dies das Jahr ist, in dem Cassandra ihren Verlobten verlor, hat sie sie bestimmt vernichtet. Die Romane werden in den Briefen nicht erwähnt. Erst 1799 lassen zwei Bemerkungen über *Erste Eindrücke* darauf schließen, daß sowohl Cassandra als auch die Freundin Martha Lloyd das Manuskript sehr gut kannten. Jane schreibt, wenn Martha es noch einmal lese, müsse sie es auswendig können. Man darf wohl vermuten, daß es längere Pausen in Jane Austens schriftstellerischer Tätigkeit seit den Jugendwerken nicht gegeben hat. Höchstens könnten durch die Todesfälle, die die Familie in diesen Jahren trafen (1794 starb Edwards Adoptivvater, wurde Eliza Hancocks Mann in Paris hingerichtet, 1795 starb James' erste

Frau, 1797 Cassandras Verlobter), die Arbeit und das Vorlesen vorübergehend unterbrochen worden sein. Es klingt nach Cassandras Datierung so, als ob die ursprüngliche Fassung von *Verstand und Gefühl* schon vor *Erste Eindrücke* geschrieben worden sei, also in die Zeit vor 1796 falle, was die Lücke zwischen den Jugendwerken von 1793 und *Erste Eindrücke* überbrücken würde. Mit Cassandras Erinnerung stimmt auch der Hinweis von Jane Austens Nichte überein, die 1896 schrieb:

> Das Gedächtnis kann sich täuschen, aber ich irre bestimmt nicht, wenn ich sage, daß *Verstand und Gefühl* zuerst in Briefen geschrieben und *so* ihrer Familie vorgelesen wurde.

Das würde der frühen Schreibart der Autorin entsprechen, auch wenn es schwerfällt, sich vorzustellen, wie die Korrespondenz eines Briefromans ausgesehen haben könnte, deren beide Heldinnen in der endgültigen Fassung nie getrennt sind. Daß das Abschlußdatum von *Erste Eindrücke* äußerst wahrscheinlich ist, ist 1836 durch das Bekanntwerden eines Briefes bestätigt worden. Im November 1797 schrieb Janes Vater an den angesehenen Londoner Verleger Thomas Cadell jun., er sei im Besitz eines Romanmanuskripts in drei Bänden, etwa von der Länge von Fanny Burneys *Evelina*, und an einer Veröffentlichung interessiert. Der Verleger zeigte kein Interesse, aber der Brief aus Mr. Cadells Nachlaß belegt, daß George Austen die Schriftstellerei seiner Tochter zu dieser Zeit schon ernst nahm und aktiv zu fördern suchte und daß diese gegen Ende 1797 im Besitz des druckreifen Manuskripts von *Erste Eindrücke* war.

Alle drei frühen Werke wurden vor ihrer endlichen Publikation über ein Jahrzehnt später gründlich umgearbeitet. Die deutlichsten Spuren der ursprünglichen Fassung zeigt *Kloster Northanger*, der späteste der frühen Romane, mit dem Jane Austen sich parodistisch ein neues Genre eroberte, nämlich den gotischen Schauerroman. Aber es ist auffällig, daß seine Verulkung nun nicht mehr zu Anfang, sondern erst in der zweiten Hälfte ausgespielt wird. Das deutet auf die Integration der Persiflage in den größeren Zusammenhang hin und repräsentiert damit am unverkennbarsten die zweite Stufe in der literarischen Entwicklung der Autorin.

Wie Jane Austen später über ihre jugendlich-ausgelassenen schriftstellerischen Versuche dachte, ist eindeutig nicht zu sagen. Einerseits hat sie noch 1809 Änderungen in ihnen angebracht, was auf ein anhaltendes Interesse an ihnen, wenn nicht gar auf den Gedanken an eine verspätete Publikation schließen läßt. Daß Cassandra und sie eine lebhafte Erinnerung an die Geschichten hatten, geht auch aus einem Brief Janes vom August 1814 hervor, wo sie auf die in *Liebe und Freundschaft* zwischen Edinburgh und Sterling hin- und herfahrende Postkutsche anspielt. Aber andererseits hat ihre Nichte Caroline, die bei Janes Tod zwölf Jahre alt war, später berichtet, ihre Tante habe ihr abgeraten, sich als Kind zu viel mit dem Schreiben von Vers und Prosa abzugeben. Sie wisse, daß es viel Spaß mache, aber bis zum 16. Lebensjahr solle man es lassen. Sie selbst habe oft gewünscht, vor diesem Alter mehr gelesen und weniger geschrieben zu haben.

In ihren frühen zwanziger Jahren wandelte sich Jane Austen von der parodistisch begabten Tochter eines gebildeten Landpastors, die ihre lesehungrige Familie mit literarischen Scherzen unterhielt, zur Schriftstellerin, die die Tiefe ihrer Begabung begriff und das Schreiben zur zentralen geistigen Tätigkeit ihres Lebens machte. Und doch dauerte es noch gut zehn Jahre, bis trotz verschiedener Buchmanuskripte, die mehr oder minder vollendet vorgelegen haben müssen, ihr erster Roman erschien und sie dann innerhalb von nur sieben Jahren mit sechs Werken auf dem Buchmarkt präsent war. Diese Verzögerung hängt mit äußeren Umständen, aber auch inneren Erfahrungen zusammen, die Jane Austens nächste Jahre beeinflußten. Der Vorteil dieser Verzögerung ist allerdings, daß schon das erste Buch uns eine reife, ihr Handwerk beherrschende Autorin zeigt. Aber bevor wir ihre Biographie – und von nun an chronologisch etwas genauer – weiterverfolgen, muß das Bild ihres Lebens durch eine Skizze Englands um 1800 grundiert werden, ohne die für den deutschen Leser viele Begebenheiten und Ereignisse in ihrem Dasein und ihren Romanen unverständlich bleiben würden.

Drittes Kapitel
Jane Austens England

I

Die folgende Skizze Englands um 1800 ist auf das Verständnis Jane Austens und ihrer Romane zugeschnitten. Nichts liegt ihr ferner – schon wegen der notwendigen Kürze und der vielen unumgänglichen Verallgemeinerungen – als der Anspruch einer »Sozialgeschichte Großbritanniens in der zweiten Hälfte des 18. Jahrhunderts«. Sie versucht lediglich, ein paar Grundzüge des Lebens bestimmter Schichten und ihrer Existenzvoraussetzungen in dieser Zeit hervorzuheben, auf denen sich dann das Profil der Schriftstellerin deutlicher abzeichnet. Man muß sich dabei darüber im klaren sein, daß ihre Welt nur ein Ausschnitt der damaligen Gesellschaft, nämlich deren angenehmere, ästhetisch schönere und sozial privilegiertere Seite repräsentiert. Die Leser dürfen sich daher nicht wundern, daß im folgenden von den Verbrechen und sexuellen Exzessen, von dem Elend und der Trunksucht im Sündenbabel London, von den Erhängungen zehnjähriger Kinder für minimale kriminelle Delikte und dem infektiösen Schmutz der städtischen Armenquartiere oder von dem sich herausbildenden industriellen Proletariat, dessen unerträgliche Lebens- und Arbeitsbedingungen Friedrich Engels dann 1845 in seinem bedeutendsten Werk *Die Lage der arbeitenden Klassen in England* eindrucksvoll beschrieben hat, nicht die Rede ist.

Nur einmal ist wohl Jane Austen im Lauf ihres Lebens ernsthaft und auf bedrohliche Weise mit den erschreckenden Aspekten der damaligen Gesellschaft in Berührung gekommen. Mrs. Leigh-Perrot, ihre reiche, in Bath wohnende Tante, kaufte im August 1799 in einem Kurzwarengeschäft ein Stück *schwarze* Litze und ging anschließend mit ihrem

Mann in der Stadt spazieren. Als das Ehepaar eine Viertelstunde später wieder an dem Laden vorbeiging, stürzte die Inhaberin heraus und beschuldigte Jane Austens Tante, zusätzlich ein Stück *weiße* Litze gestohlen zu haben, das sich denn auch prompt zusammen mit der schwarzen in dem Paket fand. Es besteht kaum ein Zweifel, daß es sich dabei um einen Versuch handelte, die Leigh-Perrots zu erpressen, von denen man wohl hoffte, sie würden jeden Skandal vermeiden wollen und lieber Schweigegeld zahlen. Aber das Paar leugnete standhaft, auch als die Inhaberin des Geschäfts Anklage erhob und die schwerfällige, aber höchst brutale juristische Maschinerie der Zeit sich in Bewegung setzte und der Fall durch die Presse ging. Die Sache war bedenklich genug: Auf Diebstahl stand Todesstrafe oder Verbannung nach Australien. Da der Prozeß erst für den folgenden März angesetzt wurde, stand Mrs. Leigh-Perrot eine Untersuchungshaft von gut einem halben Jahr bevor. Für eine Dame ihres Standes war das bei den damaligen verheerenden Haftbedingungen ohne Einzelhaft eine furchtbare Aussicht. In dieser Lage bewiesen die Austens eine bewundernswerte familiäre Verbundenheit. Mrs. Leigh-Perrots Mann, Mrs. Austens Bruder, entschloß sich, seine Frau ins Gefängnis zu begleiten, wo sich dann eine Unterkunft in der Wohnung des Wärters fand, so daß dem Ehepaar das Schlimmste erspart blieb. Und Mrs. Austen machte ihrem Bruder und ihrer Schwägerin das noble und selbstlose Angebot, ihre beiden Töchter als Hilfe und Gesellschaft im Gefängnis zu ihnen zu schicken. Aber Mrs. Leigh-Perrot lehnte den Vorschlag ab; es sei nicht zumutbar, zwei »vornehme junge Damen« den Bedingungen einer solchen Haft auszusetzen. Ob diese ungewohnte Lebenserfahrung, wäre sie Jane Austen beschieden gewesen, sich in einem ihrer Romane niedergeschlagen hätte? Vierzehn Jahre später besichtigte sie in Begleitung ihres Bruders Edward, der Friedensrichter war und daher Zugang zu solchen staatlichen Institutionen hatte, dann in Canterbury ein Gefängnis und »machte all die Gefühle durch, die sich einem notwendig aufdrängen, wenn man einen solchen Ort besucht« (Brief vom 3. November 1813). Die Sache ging schließlich glimpflich aus. Die Jury sprach die Angeklagte nach dem Anhören von Charakterzeugen frei. Mit Onkel und Tante sollte Jane bald darauf in eine nähere Beziehung treten.

England hatte seine politischen Grundpositionen in dem Jahrhundert zwischen etwa 1650 und 1750 so prinzipiell und eindeutig bestimmt, daß nach turbulenten Zeiten eine ruhige innere Entwicklung auf lange Sicht gewährleistet war. Nur außenpolitisch brach durch den Unabhängigkeitskrieg der nordamerikanischen Kolonien und das zwanzigjährige Ringen erst mit dem revolutionären, dann dem Napoleonischen Frankreich eine Epoche starker Erschütterungen herein.

Durch die »Glorreiche Revolution« von 1688 war der absolute Herrschaftsanspruch der Stuart-Könige abgewiesen und die staatstragende Rolle des Protestantismus und der konstitutionellen Monarchie erneut bestätigt worden. Die Wiedereroberungsversuche des Throns erst durch den Sohn und später durch den Enkel des letzten Stuart-Herrschers waren endgültig 1746 in der Schlacht von Culloden gescheitert, die dann den Mittelpunkt von Walter Scotts erstem historischen Roman *Waverley* (1814) bildete, den Jane Austen bewunderte und trotz seinem anonymen Erscheinen sofort als Werk des Schotten erkannte. Durch den »Act of Union« wurde 1707 Schottland nach der Aufgabe seines eigenen Parlaments vollständig in das Regierungssystem integriert und das eigentliche Großbritannien mit dem »Union Jack« als Flagge geschaffen.

Die Thronübernahme durch die Hannoversche Dynastie im Jahr 1714 – Georg I. war ein Urenkel Jakobs I. von England – vollzog sich nach dem Bürgerkrieg erstaunlich reibungslos, und damit war das parlamentarische System gesichert. Aber die Wahl der Abgeordneten war alles andere als demokratisch im heutigen Sinn. Der größere Teil der Wahlkreise war traditionell in der Hand bestimmter privilegierter Familien; eine immer größere Zahl wurde daher, je weiter das Jahrhundert voranschritt, gar nicht mehr unter zwei Kandidaten ausgefochten. Das Parlament war hoffnungslos unrepräsentativ. Jane Austen hat in *Verstand und Gefühl* in dem morosen Mr. Palmer, den es so unendliche Mühe kostet, wichtige Wähler einzuladen und nett zu ihnen zu sein, einen dieser völlig ungeeigneten, aber sozial privilegierten Parlamentskandidaten karikiert. Die innere Verwaltung blieb das ganze 18. Jahrhundert hindurch äußerst schwach. Ein Beamten- und Polizeiapparat war im Gegensatz etwa zu Preußen oder Österreich kaum vorhanden. Ein Friedensrichter, normalerweise – wie Lady de Bourgh in *Stolz und Vorurteil* – der Grundherr, nahm die Funktionen der örtlichen Administration wahr. Nachlässigkeit und Korruption waren an der Tagesordnung. Zu dieser losen staatlichen Organisation gehörte es auch, daß die Regierung keinerlei Autorität bei der Erziehung der Kinder beanspruchte, sondern diese ganz und gar den Eltern überließ. Ein staatliches Schulsystem gab es nicht. Aber gerade diese lockere Verwaltungsstruktur des Landes ermöglichte dann im Unterschied zum umständlich verwalteten Kontinent die schnelle Entwicklung der Industrie. Und trotz vielfältigem Mißbrauch des Systems, trotz erschreckender sozialer Ungerechtigkeiten und einer barbarischen Rechtsprechung waren die persönliche Freiheit und die rechtliche Existenzsicherung des einzelnen Bürgers im Vergleich zu den kontinentalen Staaten höchst fortschrittlich und aufgeklärt und gaben den Engländern das Überlegenheitsgefühl einer Nation freier Bürger. Auf das kontinentale Europa mit seinen absoluten Monarchien, seiner Rechtsunsicherheit, seiner Zensur und seinen Polizeiorganen sah man mit Verachtung oder spöttischem Lächeln hinab.

Das 18. Jahrhundert war das Georgische Zeitalter: vier Hannoversche Georgs hatten nacheinander zwischen 1714 und 1830 den britischen Thron inne. Die erste Hälfte des Jahrhunderts sah unausgesetzt Regierungen der »Whigs«, die die Ansprüche der Hannoveraner unterstützt hatten und dafür belohnt wurden. Aber in der zweiten Hälfte, als der Thron nicht mehr umstritten war, regierten fast ständig die konservativen »Tories«, die die Privilegien der oberen Schichten schützten und an Wandel nicht interessiert waren. Der König war bei dieser Konstellation die Schlüsselfigur, weil er nach eigenem Gutdünken den Premierminister bestimmte. Jane Austens Lebenszeit fällt ganz in die lange Herrschaft Georgs III. (1760–1820), der jedoch in den letzten Jahrzehnten zunehmend geistig umnachtet war, so daß sein Sohn Georg (IV.) 1810 die Regentschaft übernahm. Die letzten Lebensjahre Jane Austens, ihre Zeit als publizierende Schriftstellerin, fallen daher in die Regentschaft, das »Regency«, das durch den korpulenten, lebenslustigen, amoralischen und verschwenderischen Kronprinzen geprägt war. Dies waren die Jahre der prinzlichen Mätressen (es gab neben dem Kronzprinz-Regenten sieben königliche Prinzen, nahezu alle mit laxer Moral!) und der eleganten Empiremode; der Schlacht von Waterloo und des Triumphs über Napoleon; der Staatsbesuche des russischen Zaren Alexanders I. und des preußischen Königs Friedrich Wilhelms III., der General Blücher als ungeeigneten, aber begehrten Salonlöwen mitbrachte; der peinlichen öffentlichen Auseinandersetzungen zwischen dem Regenten und seiner Frau, der braunschweigischen Prinzessin Caroline; der romantischen Literatur und zugleich gesellschaftlichen Skandale Lord Byrons und Percy Shelleys; der Maschinenstürmer gegen die rapide Industrialisierung und der protestantischen »Evangelicals« zur Erneuerung des Christentums; der geschmacklich tonangebenden Rolle Beau Brummells und des Siegeszugs des Walzers; der ersten kühn impressionistischen, farbenprächtigen Bilder William Turners und der sozialen Reformversuche William Owens; der Ablösung Baths als modischen Kurorts durch das vom Regenten favorisierte Brighton und der klassizistischen baulichen Erneuerung Londons.

Dem Leichtsinn und der Unmoral der Zeit setzte Jane Austen in ihren Romanen ein festes Gefüge ethischen und gesellschaftlichen Verhaltens und Handelns und ein selbstbewußtes Verständnis der Frau im Rahmen der gegebenen sozialen Ordnung entgegen. Ihre Welt war noch stabil, ihr literarischer Geschmack und ihre Bildung waren noch eher vom »augusteischen Zeitalter« des 18. Jahrhunderts als von den neuen künstlerischen Entwicklungen der Romantik geprägt. Und doch schuf sie den realistischen englischen Roman des 19. Jahrhunderts.

II

Um das Leben zu verstehen, das Jane Austen in der englischen Provinz führte, müssen die Leser sich in eine Epoche zurückversetzen, die ihnen in den letzten Jahrzehnten des 20. Jahrhunderts denkbar fern liegt und die sie sich in ihrem Alltag nur noch schwer vorstellen können: die vorindustrielle Zeit mit ihren soliden handwerklichen Erzeugnissen, mit dem in vieler Hinsicht autarken Haushalt, in dem man den größeren Teil der Nahrung selbst schlachtete, schoß, erntete, braute, herstellte und haltbar machte, und mit einem Lebensrhythmus, der nicht blindlings an der benötigten Zeit, sondern an der sinnvollen Ausführung einer gestellten Aufgabe orientiert war.

Zwar war England das erste Land, in dem die technischen Fortschritte, die das Gesicht Europas im Lauf des 19. Jahrhunderts völlig veränderten, sich ab der Mitte des 18. Jahrhunderts abzeichneten. Jane Austens Lebenszeit umfaßt die Jahrzehnte, in denen die Dampfmaschine das Tier und das Segel als Zugkraft, das Gaslicht die Kerze als Beleuchtung, die Kohle das Holz als Heizkraft und das Eisen den Stein und das Holz als Baumaterial abzulösen begann; in denen die Produktionsmethoden der Textilindustrie revolutioniert wurden und die Geschichte des Schienentransports anfing. Aber obwohl wir durchaus annehmen können, daß Jane Austen in London eine von Gaslicht erhellte Lesehalle oder eine Dampfmaschine zu Gesicht bekam, waren all diese neuen Erfindungen und Entwicklungen nicht Teil ihrer Welt. Der landwirtschaftlich bestimmte Süden Englands bewahrte noch Jahrzehnte den Charakter friedlicher Stabilität; die Natur blieb noch lange unverschandelt von der Industrie; und die traditionelle Zusammensetzung und Rangordnung der Bevölkerung, aber auch ihr System privater Verantwortung für die Schwachen und Armen war in diesem Teil des Landes noch unangetastet. Der Gemeinde als Armutsfall zur Last zu fallen galt als letzte Stufe des Unglücks. Es gehörte zu den Verpflichtungen wohlhabender Mitbürger – Miss Bates in *Emma* weiß es nicht nur zu schätzen, sondern auch in endlosen Dankesfloskeln auszudrücken –, das Schicksal der Armen durch persönliche Hilfe und mit Takt – den Mrs. Elton so vermissen läßt – zu erleichtern, und die Wahrnehmung dieser Pflicht ist in Jane Austens Leben und Büchern ein Maßstab menschlichen Wertes. Wie sehr auch immer Emma in ihrer Menschenbehandlung fehlt; daß sie die Armen nie vernachlässigt und etwa den Bates schon das ganze Hinterteil des frisch geschlachteten Schweins hat zukommen lassen, als ihr Vater ihr vorschlägt, ihnen ein Bein zu schicken, ist ein Hinweis auf ihre intakte Menschlichkeit.

Jane Austen reiste noch langsam und von Pferden gezogen – im Sommer durch eine ungestört grünende und blühende Natur, im Winter jedoch auf nahezu unbefahrbaren, verschmutzten Wegen. Das Reisen war ohnehin ihr Leben lang ein Problem, weil junge Frauen aus Anstandsgründen nicht allein die engen und unbequemen Postkutschen benutzten und sie und ihre Schwester daher meist auf die Begleitung oder die Wagen ihrer Brüder angewiesen waren. Der Besitz und Unterhalt solcher Fahrzeuge war eine recht kostspielige Angelegenheit und gibt einen ersten Hinweis auf Jane Austens soziale Zugehörigkeit.

Die Austens gehörten der »Gentry« an, dem oberen Mittelstand, der nach der höheren Aristokratie den niederen Adel und das landbesitzende Bürgertum umfaßte. Da in England das Erbrecht des Erstgeborenen strikt gehandhabt wurde und

viele Besitztümer als Fideikommiß (»entail«) ungeteilt auch in der weiteren Verwandtschaft weitervererbt wurden, blieb die Zahl der durch ausgedehnten Landbesitz begüterten Familien – es waren zu dieser Zeit etwa 15000 bei einer Gesamtbevölkerung von 10 Millionen Einwohnern – ziemlich konstant. Da auf diese Weise jeweils nur der älteste Sohn oder *ein* Verwandter in den Genuß des Erbes kam, mußte für die jüngeren Kinder anderweitig gesorgt werden. Bei den Töchtern war das rein ökonomisch kein Problem, auch wenn es dabei menschlich höchst unbefriedigende Lösungen gab. Sie heirateten oder blieben im Haus der Eltern und nach deren Tod in dem eines Familienangehörigen, weiterer Verwandter oder einer befreundeten Familie, ohne je im bürgerlichen Sinn selbständig zu werden. Cassandra und Jane Austen betrachteten nach dem Tod ihres Vaters ihre Mutter als Familienvorstand und respektierten ihre Autorität. Hatte eine alleinstehende junge Frau keinerlei Zuhause, dann konnte sie sich nur als Gouvernante oder Gesellschafterin in einer fremden Familie verdingen – ein Schicksal, über das in Jane Austens Romanen nur mit Widerwillen gesprochen wird.
Die jüngeren Söhne dagegen waren meist darauf angewiesen, ihren Unterhalt selbst zu verdienen, und dafür kam nach den Vorstellungen der Zeit nur eine Reihe von Berufen in Frage, die nicht zu Handarbeit zwangen und in denen die Arbeitslast nicht zu groß war, ja, die ihnen womöglich Einnahmequellen sicherten, ohne daß sie auf regelmäßige Arbeit überhaupt angewiesen waren, und ihnen eines Tages ein gesichertes Leben von den Zinsen ihres Kapitals auf einem kleinen Landsitz oder in einem Stadthaus erlaubten, wofür natürlich auch eine Barerbschaft aus dem Familienbesitz in Frage kam. Die Palette dieser akzeptablen Berufe kann man in *Verstand und Gefühl* aus Edward Ferrars Erklärung seiner momentanen Lage erfahren, in der seine Anspruchslosigkeit mit der snobistischen und modisch gefärbten Sicht seiner Mutter kontrastiert wird:

> Wir konnten uns nie auf einen Beruf einigen. Ich habe immer der Kirche den Vorzug gegeben und tue es immer noch, aber das war meiner Familie nicht fein genug. Sie schlugen die Armee vor; das war mir viel zu fein. Jura genügte ihren Ansprüchen. Viele junge Männer, die eine Rechtsanwaltspraxis hatten, machten in den besten Kreisen eine glänzende Figur und fuhren in eleganten Einspännern in London herum. Aber ich hatte nichts für die Rechtswissenschaft übrig, nicht einmal für diese weniger arbeitsaufwendigen Seiten des Berufs, die die Billigung meiner Familie fanden. Was die Marine angeht, so galt sie zwar als schick, aber ich war bereits zu alt dafür, als zum erstenmal die Rede davon war. Und schließlich, da ja keinerlei Notwendigkeit für mich bestand, einen Beruf zu ergreifen, da ich ohne einen roten Rock am Leibe [das englische Militär war rot gekleidet] ebenso schneidig und aufwendig auftreten konnte wie mit, bot sich für mich alles in allem Müßiggang als das Vorteilhafteste und Ehrenvollste an, und ein junger Mann von achtzehn ist im allgemeinen nicht so ernsthaft entschlossen, sich nützlich zu machen, daß er dem Zureden seiner Freunde, nichts zu tun, widersteht. Ich wurde deshalb auf der Universität in Oxford eingeschrieben und habe mich seitdem, wie es sich gehört, dem Müßiggang ergeben. (S. 109 f.)

Unter diesen Berufen bot sich der geistliche Stand deshalb besonders an, weil häufig die Verfügung über ein oder mehrere Pfarren, zu denen Ackerland (»glebe«) gehörte, das sich dann ganz oder teilweise verpachten ließ, Teil der grundherrlichen Rechte des Vaters oder älteren Bruders war. Da es als völlig normal galt, daß ein Pastor mehrere Pfarrstellen (»livings«) innehatte und an seinen Sohn gewissermaßen »vererbte«, bauten sich jüngere Familienzweige hier eine langfristige Lebensgrundlage auf. Wenn der Gönner (»patron«) die Pfarre nicht in der Familie behalten wollte, konnte er sie verkaufen. Wie so viele berufliche Positionen, etwa Offizierspatente, waren auch Pfarren käuflich. John Dashwood kann es denn in *Verstand und Gefühl* auch gar nicht fassen, daß der Grundherr Oberst Brandon die Pfarre seines Dorfes an Edward Ferrars gibt, wo doch Pfarrstellen »so gutes Geld bringen« (S. 311). Tatsächlich herrschte ein schwunghafter Handel mit solchen »livings«, deren materieller Wert von der Höhe der Kirchenabgaben der Bewohner (»tithes«) und der Größe des Ackerlandes abhing.

Henry Austen,
nach seiner Ordination

Um die Zwanglosigkeit zu verstehen, mit der solche kirchlichen Angelegenheiten gehandhabt wurden, muß sich der deutsche Leser die Situation des offiziellen englischen Protestantismus im 18. Jahrhundert vergegenwärtigen. Es war alles in allem eine Zeit des konventionellen Glaubens, die das religiöse Eifern verachtete. Die Hochkirche war verweltlicht, aber Impulse zur Reform der Gesellschaft gingen von ihr nicht aus, denn dafür war sie viel zu sehr mit der etablierten sozialen Ordnung verschmolzen. Ein Theologiestudium war nicht nötig, um Geistlicher zu werden, und der Ruf der Universitäten Oxford und Cambridge war ohnehin nicht der beste. Solides akademisches Studium stand im Leben der meisten Studenten nicht gerade obenan. Es ist zu fürchten, daß der Typ des Studenten, den John Thorpe in *Kloster Northanger* darstellt, im wirklichen Leben keineswegs selten war. Wenn die kirchliche Prüfungskommission – und hier wie überall spielten in dieser Zeit persönliche Beziehungen und familiäre Verbindungen eine große Rolle – die Befähigung eines Kandidaten zur Ausübung des Pfarramtes nach seinem Studium festgestellt hatte, wurde er ordiniert. Es scheint recht charakteristisch zu sein, daß der Bischof bei Henry Austens Ordination 1816 die Hand auf das griechische Neue Testament auf dem Tisch legte und sagte: »Und was dieses Buch angeht, Mr. Austen, so kann ich sicher sagen, es ist einige Zeit her, seit Sie oder ich hineingesehen haben.« Die Dörfer, in denen der größere Teil der Pastoren tätig war, waren meist so klein, daß die amtlichen Pflichten nicht sehr zeitraubend waren. Es lag deshalb in der Hand des Amtsinhabers selbst, ob er seine Tage mit Müßiggang, sinnvollen Studien oder gar sozialer Gemeindearbeit füllen wollte. Vielfach wohnte er ja ohnehin nicht am Ort, weil er mehrere Pfarren verwaltete. In *Mansfield Park* werden die Pflichten und Gefährdungen des Landpfarrers diskutiert. Der Geistliche war ein weltlicher Bürger wie alle anderen Menschen auch; Beschränkungen aus moralischen Gründen wurden ihm nicht auferlegt. Beiträge zur Theologie wurden von ihm nicht erwartet, obwohl das Veröffentlichen von Predigtsammlungen beliebt war. Er vermittelte die Lehren der Kirche und ließ ansonsten oft den lieben Gott einen guten Mann sein. Karten spielen und trinken konnte er ohne jedes schlechte Gewissen. Seinen ethischen Standard setzte er selbst. Jane Austen stellt mit dem moralisch korrupten und servilen Mr. Collins, dem irritierbaren Gourmet Dr. Grant, dem sozial ehrgeizigen Mr. Elton, dem einsichtigen Edmund Bertram, dem bescheidenen Edward Ferrars und dem geistreichen und gewissenhaften Henry Tilney eine ganze Skala verschiedener Typen von

Kapitän (später Admiral) Charles Austen als junger Mann

Landgeistlichen dar; und da sie selbst umgeben von Pfarrern war, konnte sie aus reichem Anschauungsmaterial schöpfen. Bertram und Tilney sind die typischen jüngeren Brüder, die Pfarrer geworden sind. Mr. Collins' Lebensumstände geben zudem nicht nur einen Einblick in die Abhängigkeit des Pastors von seiner Patronin, sondern auch in das Prinzip des Fideikommiß, nach dem er trotz Mr. Bennets fünf Töchtern dessen Familiensitz erbt.

Die Austensche Familie ist nahezu ein Modell dieser Verhältnisse. In den beiden Familien der Eltern und bei deren eigenen Kindern gab es die typischen in der Gentry angesehenen Berufe. Ein Bruder Janes war ein vermögender Grundbesitzer, einer war Pastor, einer war erst Offizier, dann Bankier, dann auch Pastor, und zwei machten in der Marine Karriere. Aus Janes Briefen kann man entnehmen, daß beide dabei durchaus die Förderung durch Verwandte und Freunde erfuhren. Charles war zum Beispiel eine Zeitlang Offizier unter Kapitän Thomas Williams, der mit seiner Cousine Jane Cooper verheiratet, also ein angeheirateter Vetter war und sein Vorwärtskommen förderte. Bei beiden Brüdern wandte sich der Vater zudem erfolgreich an einen Admiral. Jane bemerkt auf ihre gewohnt ironische Art, als George Austen nach der Protegierung von Francis auch noch um die für Charles nachsuchte:

> Mein Vater wird an Admiral Gambier schreiben, dem ja die Bekanntschaft und Förderung von Francis so viel Genugtuung bereitet haben wird, daß er bestimmt entzückt ist, wenn ihm ein weiteres Familienmitglied vorgestellt wird.
> (Brief vom 18. Dezember 1798.)

Admiral Sir Francis Austen

In Jane Austens Romanen stellt die dörfliche Gesellschaft von Highbury in *Emma* den sozialen Kosmos der Gentry im agrarischen Süden Englands am ungetrübtesten dar. Der ältere der Knightley-Brüder hat den alten, umfangreichen

Familienbesitz Donwell geerbt, der jüngere ist erfolgreicher Rechtsanwalt in London. Trotz dieser ungleichen Verteilung des väterlichen Erbes ist das Verhältnis zwischen beiden unter der kühlen Oberfläche ausgesprochen herzlich. Ein Teil des landwirtschaftlichen Nutzlandes bildet die Lebensbasis des Grundherrn, der einen Verwalter zur Wahrnehmung seiner Interessen hat, ein anderer Teil ist verpachtet. Die Abbey-Mill-Farm, die Robert Martin so gut in Schuß hat, ist ein solcher eigentlich zu Donwell gehörender Pachthof. Gerade dieses verbreitete System von Pachthöfen, die von selbständigen und freien Bauern verwaltet wurden, gab der englischen Landwirtschaft eine gesunde Grundlage, denn im Gegensatz zu den abhängigen und mit schweren Steuern belasteten Bauern auf dem Kontinent arbeiteten sie ja in eigenem Interesse und konnten durchaus zu einem gewissen Wohlstand kommen. *Emma* zeigt darüber hinaus auch, wie neue Familien in die Gentry hineinwachsen. Mr. Weston, ursprünglich Offizier in der Militia, hat nach einer erfolgreichen Karriere als Kaufmann den Landsitz Randalls gekauft und führt nun das behagliche Leben eines Gentlemans. Gesellschaftlich ist er lange akzeptiert und verkehrt auf gleichem Fuß mit den Knightleys und den Woodhouses, den beiden angesehensten Familien. Es läßt sich voraussehen, daß die aufstrebenden Coles mit ihren gutgehenden Geschäften in London, die ihnen einen anspruchsvollen Lebensstil ermöglichen, und trotz ihrer eher niedrigen Herkunft, der wackligen Grammatik und den unvollkommenen Lebensformen von Mrs. Cole die nächsten sein werden, die in den Kreis der landsässigen Familien vordringen. Schon läßt sich Emma Woodhouse herab, ihre Dinnereinladung anzunehmen. Solche Handelsleute, die Landbesitz und Herrenhaus erwarben und sich dann etablierten, gehörten zu den typischen Erscheinungen der gesellschaftlichen Umschichtung im 18. Jahrhundert. Im 19. Jahrhundert sind es dann die Industriellen, die sich auf diese Weise Ansehen und eine gesellschaftliche Position erkauften. Der Pfarrer von Highbury – wie er an die Pfarre gekommen ist, erfährt der Leser nicht – geht in den vornehmen Häusern aus und ein, auch wenn er nicht den gleichen Rang hat. Er heiratet eine reiche Frau aus einer aufsteigenden Kaufmannsfamilie. Sozial die Spitze bilden in dem Roman die hochvornehmen Churchills auf Enscombe, die die »Saison« in ihrem Haus in London verbringen und die Heirat der Schwester mit dem jungen Offizier Mr. Weston als Familienschande empfinden, aber den Sohn der »Mesalliance« als Erben adoptieren. Ohnehin stammt die hochmütige Mrs. Churchill aus einer weit weniger angesehenen Familie: Sie war »kaum die Tochter eines Gentleman [. . .] ein Emporkömmling« (S. 342).

III

Hier zeigt sich ein charakteristischer Zug der Gentry und ein anderer der englischen Gesellschaft überhaupt. Die Gentry beruhte auf dem Konzept des »Gentleman«. Es entwickelte sich im späten Mittelalter aus dem Recht gewisser nicht-adliger Bürger, Waffen tragen zu dürfen, bedeutet also einen sozialen Status, der näher an die Privilegien der Aristokratie heranführt. Dieser neue Stand war im 18. Jahrhundert schon lange durch die Existenz ohne das Angewiesensein auf Handarbeit definiert und hatte als zusätzliche Voraussetzung die gesellschaftliche Geschliffenheit seiner Mitglieder angenommen. Nur wer durch gepflegte Umgangsformen in die kultivierte Gesellschaft paßte, wurde auch als Gentleman akzeptiert. Die ungenaue Definition des sozialen Phänomens »Gentleman«, dem in Deutschland nichts zu vergleichen ist und dessen Vorzüge weder rechtlich noch sozial »einzuklagen« sind, weist auf eine Besonderheit der englischen Gesellschaft hin.

Das Aufsteigen – und auch Absteigen: Mrs. Bates in *Emma*, die Witwe des früheren Pfarrers von Highbury, ist durch ihre beschränkten Lebensumstände unter ihr vormaliges soziales

Niveau gesunken – und der durch Standesschranken regulierte, aber nicht verhinderte Umgang der Klassen miteinander zeichnete die soziale Struktur Englands damals insgesamt aus. Sie ist, anders als die deutsche Gesellschaft der Zeit, durchlässig und kennt nicht die grundsätzliche und so bedrückende Trennung von Adel und Bürgertum. Die sozialen Konflikte der deutschen Gesellschaft – etwa in Goethes *Werther*, wo die verächtliche Behandlung durch die Aristokratie den Titelhelden so erbittert – sind daher den Engländern um 1800 unverständlich. Nicht zufällig hat Elizabeth Inchbald in ihrer Übersetzung von Kotzebues Drama *Das Kind der Liebe*, das in *Mansfield Park* von den Kindern des Hauses und ihren Freunden aufgeführt werden soll, das Standesproblem abgeschwächt. Daß man allerdings auch in England eine sehr klare Vorstellung von der eigenen Position und dem eigenen Rang innerhalb der Gesellschaft hatte, beweist Emmas schließlich geheilte Arroganz nur zu deutlich. Aber alle Grenzen nach oben und unten sind weitaus fließender als in Deutschland.

Diese größere gesellschaftliche Harmonie hängt auch damit zusammen, daß sich alle Schichten im Alltag derselben Sprache bedienten, während sich ja der deutsche Adel durch die Verwendung des Französischen von den niederen Schichten entfremdete. Das Zusammenleben wurde aber auch dadurch erleichtert, daß es in England eine größere Balance zwischen Stadt und Land als auf dem Kontinent gab. Während im Frankreich des 18. Jahrhunderts das Land zugunsten des höfischen und städtischen Magnets Paris–Versailles entblößt und vernachlässigt wurde und in Deutschland dem provinziellen Land die Urbanität der städtischen Metropole als Gegengewicht fehlte, blieben die oberen Gesellschaftsschichten in England auf dem Land wohnen und verbrachten nur einen Teil des Jahres, normalerweise den Winter, in London. Sie überzogen die Landschaft im 18. Jahrhundert mit den schönen und zum Gutteil noch heute erhaltenen Herrensitzen und Landhäusern im gotischen, klassischen oder Palladio-Stil, die sie tatsächlich bewohnten; oder sie modernisierten die alten Tudorsitze oder säkularisierten Klöster – wie die Knightleys in *Emma* und die Tilneys in *Kloster Northanger* – zu stolzen Wohnsitzen, in denen elegantes und oft auch kultiviertes Leben herrschte. Daß dieser rege Austausch zwischen Metropole und flachem Land der Durchdringung des Landes mit Zivilisation insgesamt zugute kam, liegt auf der Hand.

Diese Verhältnisse zu betonen ist für das Verständnis von Jane Austens sozialer Stellung wichtig, denn sie war keineswegs, wie es dem deutschen Leser auf den ersten Blick erscheinen könnte, in unserem Sinn »eine arme Landpfarrers Tochter«. Im Gegenteil, die Zugehörigkeit zur Gentry sicherte ihr ein hohes gesellschaftliches Ansehen. Sie war keine reiche Erbin, aber sie war »a gentlewoman« und sich dessen durchaus bewußt. »Es ist angenehm«, schreibt sie 1808 aus dem Kreis von Edwards Verwandten in Canterbury, »unter Leuten zu sein, die die Familienbeziehungen, die man hat, kennen und zu schätzen wissen.« Daß Janes Schwester 1798 mit Prinz William von Gloucester speiste, daß Jane selbst in Bath Adligen Visiten machte, im Londoner Haus ihres Bruders mit der Emigrantenfamilie eines französischen Grafen umging, daß ihre Cousine Eliza einen französischen Grafen geheiratet hatte, deutet auf den Status ihrer Familie hin. Sie hätte sich leicht in Sir Thomas Bertrams Mansfield Park oder Mr. Woodhouses Hartfield eingelebt. Ihr Bruder besaß zwei solche für unsere Vorstellung riesigen Besitztümer, wo sie als Gast das elegante Leben der Oberschicht führte, und es lag, wie wir noch sehen werden, in ihrer Wahl, selbst Herrin eines kleinen Landsitzes zu werden. Auf dem schloßartig ausgedehnten Herrensitz Stoneleigh Abbey führte sie 1806, von einer zahlreichen Dienerschar umschwirrt, vorübergehend das üppige Dasein der Privilegierten und Verwöhnten, und der Besuch in Carlton House, der Londoner Residenz des Prinzregenten, im Jahr 1815 hat sie sicher nicht in die Ängste versetzt, die in *Stolz und Vor-*

urteil Sir Arthur Lucas überfielen, als er Lady de Bourghs hochvornehmes Rosings betrat. Die sozial bevorzugte Welt ihrer Romane war ihre Welt.

All dies sagt nicht, daß Jane reich war, aber es galt bei den Erbbedingungen der Zeit als selbstverständlich, daß die Finanzlage einzelner Familienmitglieder äußerst verschieden sein konnte. Edward Austen war ein herrschaftlich reicher Mann, James' Familie wurde durch die Erbschaft seines Onkels Leigh-Perrot wohlhabend und nahm daher den Namen Austen-Leigh an, Henry wurde nach guten Jahren ein eher armer Landpfarrer, umgekehrt erwarben sich die zunächst armen Marinebrüder ihr Vermögen durch Hingabe und Begabung im Beruf, und Cassandra und Jane mußten ihr Leben lang ihr weniges Geld zusammenhalten. »Die ganze Welt hat sich verschworen, den einen Teil unserer Familie auf Kosten des anderen zu bereichern«, klagte Jane 1801 Cassandra ihr Leid und charakterisierte damit die Lage in vielen Familien der Gentry. Auch bei der Publikation ihrer Romane war für sie die finanzielle Seite keineswegs uninteressant. »Ich bin dem, was Edward ›Kies‹ (pewter) nennt, durchaus auch nicht abgeneigt«, schrieb sie 1814 an ihre Nichte Fanny.

Auch ihre Romane spiegeln diese Breite des materiellen Wohlergehens innerhalb einzelner Familien. Die drei Miss Ward in *Mansfield Park* treten zu Beginn des Romans durch ihre Heiraten geradezu in verschiedene Welten ein. In *Verstand und Gefühl* wird schon am Anfang der Reichtum und Geiz John Dashwoods mit den relativ beschränkten Lebensverhältnissen (*nur* zwei weibliche und ein männlicher Diener!) seiner Stiefmutter kontrastiert, und am Ende findet sich von den Dashwood-Töchtern Marianne als Herrin von Oberst Brandons Herrensitz Delaford – ein Name übrigens, den es in Maria Edgeworths Roman *Belinda* (1801) gibt – wieder, während sich ihre ältere Schwester Elinor als Frau des dörflichen Pfarrers mit einem recht geringen Einkommen zufrieden geben muß. Man kann sicher sein, daß dabei bei aller Freundschaft zwischen den Schwestern und allem vertrauten Umgang zwischen ihren Familien die soziale Etikette durchaus gewahrt wird, denn dies ist ein weiteres charakteristisches Element der englischen Gesellschaft dieser Zeit. Der Verkehr der Gentry untereinander war hochgradig formalisiert und wirkt im Vergleich mit unserem heutigen, weitgehend formlosen Umgang fast steif und kühl. Jane Austens Briefwechsel mit dem Bibliothekar des Prinzregenten (vgl. S. 368) gibt einen Eindruck von der Floskelhaftigkeit des sprachlichen Austauschs bei solchen Gelegenheiten. Aber auch innerhalb des engsten Familien- und Freundeskreises wurden die Formen immer gewahrt. Ehepaare redeten sich fast nie mit dem Vornamen an, wie diese überhaupt über den Geschwisterkreis hinaus kaum verwendet wurden. Freunde nannten sich meist einfach beim Nachnamen. Kinder titulierten ihre Eltern als »Sir« und »Madam«, angeheiratete Verwandte blieben bei »Mr.«, »Mrs.« oder »Miss« – das englische »Miss« hat noch heute nicht das leicht Diskriminierende des deutschen »Fräuleins« –, und Titel wurden, ohne daß damit wie so häufig im Deutschen ein besonderes Prestige, das Unterwürfigkeit herausfordert, verbunden wäre, ganz selbstverständlich gebraucht. Der Pastor in *Mansfield Park* bleibt für die Geschwister seiner Frau, sogar als sie eine Zeitlang bei ihm wohnen, immer »Dr. Grant«. Sir Thomas Bertram geht bei seiner Schwägerin, die er nahezu täglich sieht (vielleicht auch als Schutz gegen ihre Aufdringlichkeit), nie über das formelle »Mrs. Norris« hinaus, und sogar seine eigene Frau nennt ihn nur »Sir Thomas«. Mrs. Eltons Vulgarität in *Emma* wird gerade dadurch enthüllt, daß sie sich, wenn sie Miss Fairfax mit »Jane« und Mr. Knightley mit »Knightley« anredet, Vertraulichkeiten anmaßt, die ihr nicht zukommen. Daraus, daß Willoughby ihre Schwester mit dem Vornamen anredet, schließt Elinor in *Verstand und Gefühl* geradezu, daß beide heimlich verlobt sind. Auch in ihren Briefen an ihre doch so vertraute Schwester wahrt Jane Austen selbst diese Zurückhaltung beim Titulieren der Familie und Freunde. Sie schreibt »mein Bruder« und »meine

Mutter«, denn sowohl »unsere Mutter«, »Mama« oder »unser Bruder« widersprachen dem kultivierten Gebrauch und hätten auf einen Mangel an gesellschaftlichen Umgangsformen schließen lassen, der auf weitere und gewichtigere menschliche Mängel hingewiesen hätte. Das Benehmen galt als Teil der menschlichen Gesamtpersönlichkeit.

Zu Jane Austens Dasein gehörte entsprechend ihrer Stellung das Leben mit dienstbaren Geistern, die die tägliche Arbeit erledigten. Aber in damaliger Zeit galt das auch schon von geringeren Familien. Sogar Mrs. Bates in *Emma*, die für ihren Lebensunterhalt auf die Güte ihrer Nachbarn angewiesen ist, hat schließlich eine Magd. Wohl hatten die Austen-Mädchen Verpflichtungen im Haus, zu denen die Beaufsichtigung des Personals gehörte. Handarbeiten etwa – Janes Briefe geben uns Auskunft, daß die Schwestern die Hemden ihrer Marine-Brüder nähten und auch Kleidung für die Armen des Dorfes herstellten – gehörten auch für weitaus wohlhabendere junge Damen zum täglichen Leben. Aber im großen und ganzen verfügten die Austen-Damen, wie es sich für die Gentry gehörte, über ihre Zeit. Man machte Spaziergänge, besuchte sich gegenseitig, verbrachte die Abende mit Spiel, Musik und Lesen und widmete der immer größer werdenden Schar der Nichten und Neffen viel Liebe und Zeit. Die hochentwickelte Gefühlskultur im Frauenroman dieser Zeit wäre ohne die Zeit für die ausgiebige Reflexion des Innenlebens gar nicht möglich gewesen, und auch in Jane Austens Romanen gibt es ganze Kapitel, die ausschließlich dem Nachdenken über die eigenen Gefühle gewidmet sind. Aber nicht nur dem *inneren Befinden*, sondern auch dem *äußeren Verhalten* wurden, wie immer in solchen Schichten mit viel Freizeit und geselligem Umgang, große Aufmerksamkeit und Bedeutung zugeschrieben. Jane Austens Romane sind »novels of manners«, Romane der guten Gesellschaft. Sie spiegeln in dem Gewicht, das darin den Lebens- und Umgangsformen für das reibungslose Funktionieren des häufigen Miteinanderumgehens, aber auch für die menschliche Bewertung der Familienmitglieder,

Freunde, Nachbarn und Bekannten zukommt, die Welt der Gentry und damit Jane Austens eigene soziale Welt und ihre eigenen moralischen Maßstäbe.

Dieses Ideal der gesellschaftlich geformten Persönlichkeit, das in der französischen und englischen Literatur eine so viel stärkere Rolle spielt als in der deutschen, umfaßte auf eine für uns heute nur noch schwer vorstellbare Weise das ganze körperliche und geistig-seelische Wesen des Menschen. Gang, Gestik, Haltung, Eleganz, geschmackvolle und der Situation angemessene Kleidung, Gesichts- und Augenausdruck, sprachliche Gewandtheit und die Fähigkeit, sich in jeder Gesellschaft je nach dem erforderlichen Verhalten leutselig, zwanglos oder respektvoll zu bewegen, machten zusammen mit geistiger Lebhaftigkeit, höflichem Umgangston, menschlichem Empfinden, künstlerischem Interesse und Gespür, seelischem Feingefühl die Gesamtheit der »manners« aus. Dieses anspruchsvolle Ideal wurde von kaum jemandem ganz erfüllt, aber die einzelnen Elemente, die es konstituierten, wurden kritisch beobachtet und beurteilt. Der Leser findet in Jane Austens Romanen immer wieder die ausführliche Betrachtung dieser Züge der Gestalten. Schon eine laute Stimme, eine indiskret wiederholte Frage, ein undelikates Gesprächsthema, eine brutale Wahrheit gegenüber einem wehrlosen Menschen (Emma Woodhouse gegenüber Miss Bates!) können einen bedauerlichen Mangel an gesellschaftlicher Vollkommenheit bedeuten. Die Gefahr der falschen Einschätzung des Menschen besteht dabei in dem Übersehen der möglichen Diskrepanz zwischen Innerem und Äußerem. In dieser Hinsicht sind etwa Edward Ferrars und John Willoughby in *Verstand und Gefühl* Gegentypen. Edwards Schüchternheit und Ungelenkheit verbergen seine wertvollen menschlichen Qualitäten, während umgekehrt Willoughbys äußerer Charme gerade seine menschlichen Fehler überdeckt. Die Erscheinung, die ein Mensch in der Öffentlichkeit machte, unterlag in einem Maße in allen Einzelheiten der Bewertung durch seine Mitmenschen, das für uns in einer

Zeit weitestgehender Benehmens-, Kleidungs- und Erscheinungsfreiheit kaum nachvollziehbar ist. Wer aber Jane Austen liest, muß auf diese Aspekte der Persönlichkeitsbeschreibung und -diskussion achten, weil sie den Schlüssel zur Persönlichkeits*bewertung* enthalten. Anders als heute, wo jeder in seiner gesellschaftlichen Rolle seine eigenen Wünsche und Bedürfnisse befriedigt sehen will, galt zu Jane Austens Zeit in ihren Gesellschaftskreisen als Ideal des gesellschaftlichen Verhaltens die aufmerksame Einstellung auf die Wünsche und Bedürfnisse der anderen, denen man jede Verlegenheit, Unzufriedenheit und Enttäuschung, jeden Ärger und Grund zur Klage zu ersparen suchte. Egoistische Regungen mußte man überwinden. Jane und ihre Schwester praktizierten dieses Ideal mit unermüdlicher Liebe und Geduld, aber sie gönnten sich in ihrem Briefwechsel die Entspannung des gemeinsamen Lästerns und gossen über den ungeliebten, verachteten oder absurden Teil ihrer Mitmenschen ihr ironisches Lachen aus. Jane Austens Romane lassen spüren, welche Frustrationen diese gesellschaftlichen und menschlichen Verpflichtungen mit sich brachten. Was man um der Wahrung höflicher Formen willen über sich ergehen lassen mußte, wenn man nicht selbst die Etikette der guten Gesellschaft verletzen wollte, ist am Leben ihrer meisten Heldinnen, am ausgeprägtesten bei Elinor Dashwood und Anne Elliot, leicht abzulesen. Solchen Schilderungen liegen auch bittere Erfahrungen der Autorin selbst zugrunde.

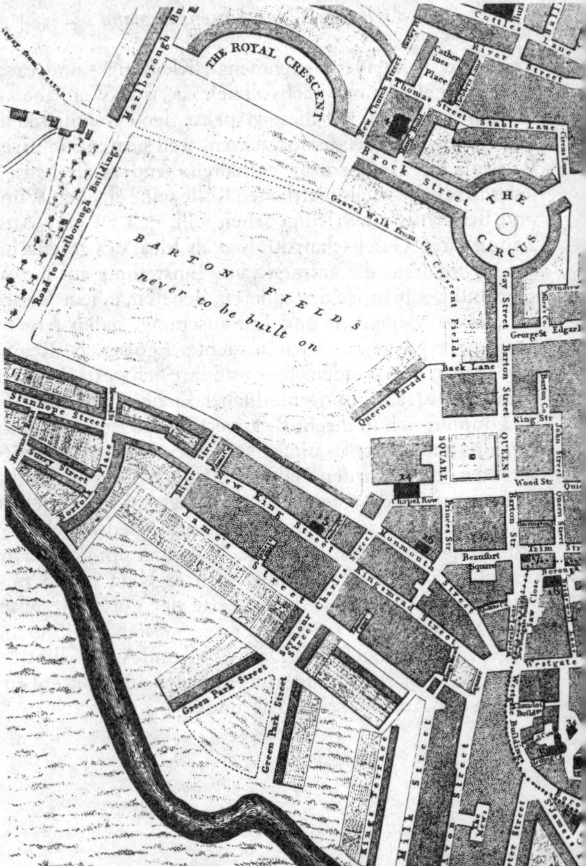
THE ROYAL CRESCENT
Marlborough Buildings
Road to Marlborough Buildings
BARTON FIELDS
never to be built on
Gravel Walk from the Crescent Fields
Brock Street
THE CIRCUS
New Church Street
Thomas Street
Catherines Place
River Street
Cottles Lane
Stable Lane
Circus Lane
Gay Street
George St
Edgar
Barton Street
Back Lane
Queens Parade
QUEENS SQUARE
King Str
John Street
Wood Str
Queen Street
Chapel Row
Princes Str
Barton Str
Beaufort Square
Trim Str
Saw Close
Westgate
Stanhope Street
Surry Street
Norfolk Place
River Street
New King Street
James's Street
Charles Street
Monmouth Street
Kingsmead Street
Seymour Street
Green Park Street
Kings Terrace
Milk Street
Peter Street
Corn Street
The KEY
Bristol Road
The New Road

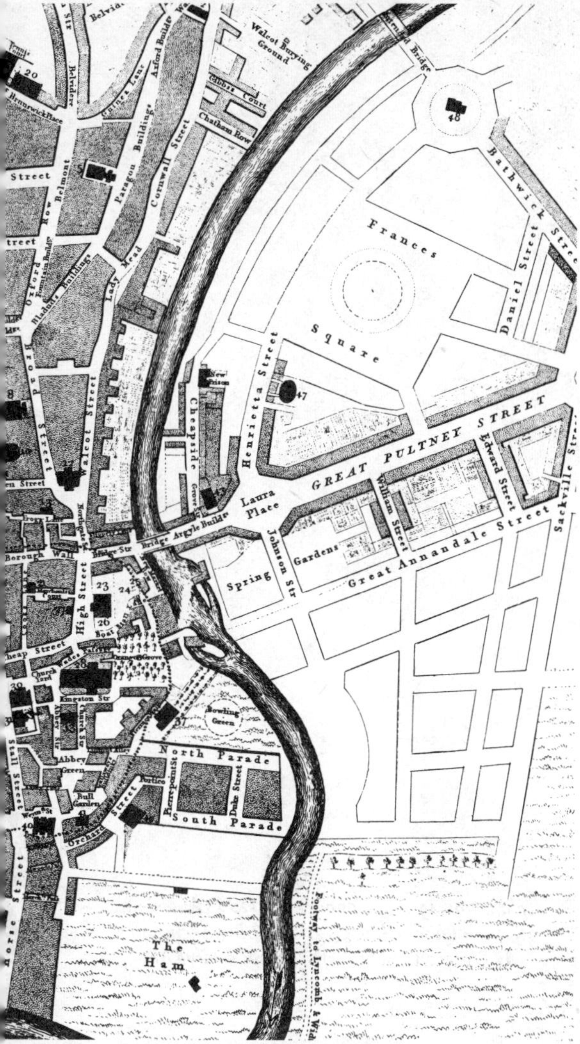

Walcot Burying Ground
Gibbs Court
Chatham Row
Belvidere
Brunswick Place
Paragon Buildings
Cornwall Street
Ladymead
Walcot Street
Broad Street
Frances Square
Bathwick Street
Daniel Street
Henrietta Street
New Prison
Cheapside
Laura Place
GREAT PULTNEY STREET
Edward Street
William Street
Sackville Street
Great Annandale Street
Johnson Str
Spring Gardens
Argyle Buildings
Bridge Str
Borough Wall
High Street
Cheap Street
Kingston Str
Bowling Green
North Parade
South Parade
Duke Street
Pierrepoint St
Orchard Street
Abbey Green
Bull Garden
Stall Street
The Ham
Footway to Lyncomb & Widcombe

Stadtplan von Bath aus dem Jahre 1799 (Ausschnitt). – 6 Obere Gesellschaftsräume; 30 Brunnenhalle; 37 Untere Gesellschaftsräume; 42 Theater

Viertes Kapitel

Bath – Southampton 1801–1809

I

Mitte November 1800 stattete Jane Austen den Lloyds in Ibthrop einen Besuch ab, von dem sie im Dezember ihre Freundin Martha Lloyd mit nach Steventon brachte. Ihre Mutter empfing die beiden nach der Familienüberlieferung mit den Worten: »Also, ihr Mädchen, es ist alles abgemacht; wir haben uns entschlossen, Steventon in der und der Woche zu verlassen und nach Bath zu ziehen.« Bei dieser völlig unerwarteten Nachricht fiel Jane in Ohnmacht. Obwohl wir auch in dieser zweiten Phase von Jane Austens Leben viel zu wenig über sie wissen, geben uns einige dramatische Ereignisse der nächsten Jahre doch eine lebendigere Vorstellung von ihrer Persönlichkeit. Cassandra hielt sich zur Zeit dieser plötzlichen Umzugspläne bei Edward in Godmersham auf, aber trotzdem sind zwischen dem 30. November 1800 und dem 3. Januar 1801 keine Briefe Janes erhalten. Da sich die Schwestern mindestens einmal in der Woche schrieben, wenn sie getrennt waren, liegt der Verdacht nur zu nahe, daß Cassandra ihre Briefe, in denen sehr persönliche Dinge gestanden haben müssen, vernichtet hat. Wenn diese schon mehrfach geäußerte Vermutung richtig ist, ist das nur ein weiteres Indiz für Janes Erschütterung. Warum ihr aber die Aussicht, Steventon zu verlassen, so bestürzend erschien, dafür gibt es keine Anhaltspunkte in den Dokumenten über ihr Leben. Als wir ihre Stimme im Januar 1801 wieder hören, schreibt sie:

> Ich versöhne mich immer mehr mit dem Gedanken unseres Umzugs. Wir haben lange genug in dieser Gegend gelebt, die Bälle in Basingstoke werden immer schlechter, die Un-

> ruhe des Aufbruchs hat etwas Aufregendes, und die Aussicht, den Sommer künftig an der See oder in Wales zu verbringen, etwas sehr Reizvolles.

Diese Bemerkungen, die der letzte englischsprachige Biograph Jane Austens, John Halperin (1984), allerdings für den reinsten Hohn hält, sprechen von einem Sinneswandel, der die früheren Vorbehalte gegen den Umzug bestätigt. Was war geschehen? George Austen hatte im Alter von 70 Jahren beschlossen, seinem Sohn James, der zu dieser Zeit die Pfarre in Deane verwaltete, die nun verkauft werden sollte, das Pfarramt in Steventon zu übergeben und sich aufs Altenteil nach Bath zurückzuziehen. James übernahm die Pfarre als Stellvertreter, und Mr. Austen behielt sich den Erlös des verpachteten Pfarrlandes vor, so daß er mit einem jährlichen Einkommen von etwa 600 Pfund rechnen konnte. Das reichte für ein standesgemäßes, aber nicht üppiges Auskommen. Warum die Entscheidung so plötzlich fiel, ist nicht bekannt, aber es könnten Gesundheitsrücksichten gewesen sein. Weder Mr. noch Mrs. Austen ging es besonders gut; Bath mit seiner Mineralquelle und seinen heißen Bädern war zur allgemeinen körperlichen Wiederherstellung zweifellos der geeignete Ort. Was die Vermutungen der Leigh-Perrots angeht, die Austens wollten Steventon so schnell wie möglich verlassen, um eine sich anbahnende Beziehung zwischen Jane und einem der Söhne der Digweeds, die das Herrenhaus von Steventon bewohnten, zu verhindern, so ist nicht auszumachen, inwieweit sie stimmen. Warum aber sollten Janes Eltern etwas gegen eine so vorteilhafte Verbindung gehabt haben? Jane selbst neckt Cassandra in einem Brief damit, daß James Digweed in sie verliebt sei.

> James Digweed hat heute Hampshire verlassen. Ich entnehme aus seinem dringenden Wunsch nach Deiner Teilnahme an dem Ball in Faversham und auch daraus, daß er vermutete, die beiden Ulmen [die ein heftiger Sturm umgeweht hatte] seien aus Schmerz über Deine Abwesenheit

> umgefallen, daß er in Dich verliebt ist. War das nicht eine galante Vermutung? (20. November 1800.)

Wieviel an solchen Bemerkungen reiner Spaß und wieviel ernst gemeint ist, ist bei Jane Austen häufig schwer zu sagen. Die Namen der Digweed-Söhne tauchen in dieser Zeit öfter in den Briefen auf, der Umgang mit ihnen scheint also recht intensiv gewesen zu sein. Vielleicht aber zogen die Austens auch gerade deshalb nach Bath, weil sich in Steventon *keine* Heiratsaussichten für ihre Töchter anbahnten und sie die Chancen in dem Kurort für günstiger hielten, was Jane ganz sicher schrecklich gefunden hätte. Cassandra war zu dieser Zeit schon 28, Jane 26 Jahre alt; es wurde nach den gesellschaftlichen Konventionen also höchste Zeit.

Die Gefühle, die Jane bei dem Umzug nach Bath bewegten, klingen anderthalb Jahrzehnte später in *Überredung* in Anne Elliots Unglück nach, als ihr Vater sich entschließt, nach Bath umzuziehen, statt sich »ein kleines Haus in ihrer alten Nachbarschaft« zu suchen. Anne »mochte Bath nicht und konnte sich nicht vorstellen, daß sie sich dort wohlfühlen werde – und ausgerechnet Bath sollte ihr Zuhause werden« (S. 15). Zwar ist das Wetter beim ersten Betreten des neuen Wohnorts durch die Romanheldin ganz anders als das bei Janes eigener Ankunft, aber die Distanzierung wirkt bewußt und kann das in beiden Fällen gleich ausgeprägte Mißbehagen, das durch die Atmosphäre hervorgerufen wird, nicht verdecken. Jane schreibt an Cassandra:

> Der erste Anblick von Bath bei schönem Wetter entspricht nicht meinen Erwartungen; ich glaube, ich sehe deutlicher durch Regen. Die Sonne lag hinter allem, und der Eindruck des Ortes von der Kingsdown-Höhe war nichts als Dunst, Schatten, Rauch und Durcheinander. (5. Mai 1801.)

Anne Elliot fährt »an einem regnerischen Nachmittag« in der Kutsche Lady Russells in die geschäftige Stadt ein:

> Sie beharrte auf ihrer entschiedenen, wenn auch stummen Abneigung gegen Bath, empfing den ersten verschwommenen Eindruck der ausgedehnten Gebäude, die im Regen dampften, ohne den leisesten Wunsch, sie deutlicher wahrzunehmen, und empfand die Fahrt durch die Stadt bei aller Unannehmlichkeit trotzdem als zu schnell. (S. 150 f.)

Daß solche Landschaftsbeschreibungen bei Jane Austen eher das Atmosphärische als das Detail betonen und Caroline Austen berichtet hat, ihre Tante habe schwache Augen gehabt und manchmal nicht lange handarbeiten oder lesen können, hat manche Forscher dazu veranlaßt, bei ihr auf Kurzsichtigkeit zu schließen. Aber man darf auch nicht vergessen, daß die Beleuchtungsverhältnisse zu dieser Zeit noch sehr viel schlechter und für die Augen schädlicher waren als heute. Im übrigen sind Jane Austens Landschaftsschilderungen in ihren Romanen streng funktional auf die handelnden Personen bezogen und haben keinen Selbstzweck.

Bath, der Ort mit den einzigen heißen Quellen Englands, erlebte als Modebad des 18. Jahrhunderts gerade seine letzte Blüte und war wegen seiner Popularität schnell gewachsen. Es hatte um 1800 etwa 35000 Einwohner. Als lebendiger Kurort bot die hübsch am Ufer des Avon gelegene Stadt, die in den letzten hundert Jahren durch eine Fülle von großzügigen »modernen« Straßenzügen, Plätzen und Gebäuden ein stattliches Aussehen gewonnen hatte, viel Abwechslung und viel vornehme Gesellschaft. Die Austens kannten Bath durch ihre Besuche bei den Leigh-Perrots. Schon 1798 schreibt Jane, es sei sehr liebenswürdig von ihrer Tante, sie *wieder* einzuladen. Im Mai und Juni 1799 verbrachte sie mit ihrer Mutter und der Familie Edward Austens, der seine Gicht dort zu kurieren hoffte, wieder einige Zeit in Bath; und da dies die beiden Jahre waren, in denen die erste Fassung von *Kloster Northanger* entstand, verarbeitete Jane in dem Buch eigene Erfahrungen und Eindrücke in Bath.

Jane und ihre Mutter fuhren Anfang Mai 1801 als erste in den neuen Wohnort – Cassandra, bei den Lloyds zu Besuch, sollte mit ihrem Vater nachkommen – und wohnten zunächst in Paragon Buildings bei den Leigh-Perrots, die ihre Verwandten überreden wollten, sich ebenfalls hier im höher gelegenen und neuen nördlichen Teil der Stadt anzusiedeln. Aber man zog Sydney Place im Südosten vor, wo die erst kürzlich eröffneten Sydney Gardens einen reizvollen Anblick vom Fenster aus und hübsche Spaziergänge vor der Haustür boten. Da die häuslichen Pflichten im Mietshaus in der Stadt erheblich geringer waren, konnte man nun das behagliche Leben einer Familie führen, die weitgehend über ihre Zeit verfügt, und den Tag mit Spaziergängen, Besuchen, Stadtbummeln und abendlichen Veranstaltungen wie Bällen, Konzerten oder Theaterbesuchen füllen. Sicher schloß das den

Paragon Buildings, Bath

Sydney Gardens, Bath

regelmäßigen Gang zum Brunnenhaus ein, das nicht nur zum Trinken des Mineralwassers, sondern auch als Treffpunkt diente. *Kloster Northanger* gibt ein lebendiges Bild davon. Heute kann der Gast in dem liebevoll restaurierten Saal gepflegt speisen. Noch immer wird dazu das gesunde Brunnenwasser ausgeschenkt, das aber mit seinen konstanten 46° C wenig erfrischend schmeckt. Überhaupt hat die Stadt noch heute ganz den Charakter des 18. Jahrhunderts bewahrt und macht es mit seinen eleganten Straßenzügen, seinem großartigen Crescent, seiner alten Kathedrale neben der mit kleinen Läden besetzten Pulteney-Brücke über den Avon nur schwer verständlich, warum sich Jane Austen hier so unwohl gefühlt hat. Man möchte vermuten, daß ihr nicht die Stadt selbst, sondern ihr Charakter als oberflächliches und snobistisches Gesellschaftszentrum zuwider war. Noch heute gilt Bath als Wohnort reicher Pensionäre. Es sind nur wenige Briefe Janes aus den Jahren in Bath überliefert, aber vor einer langen Pause bis 1804 glücklicherweise vier vom Mai 1801, also aus dem ersten Monat in der neuen Heimat. Sie geben einen guten Eindruck von den verschiedenen persönlichen Begegnungen und gesellschaftlichen Ereignissen. Jane machte schnell neue Bekanntschaften und besuchte einen Ball, auf dem sie, was sie stolz vermerkte, eine »Ehebrecherin« auf Anhieb in der Menge erkannte:

> Dann konnte ich mich mit Mr. Evelyn unterhalten und Miss Twistleton betrachten; und ich sage voller Stolz, daß ich einen guten Blick für Ehebrecherinnen habe, denn obwohl man mir wiederholt versichert hatte, daß eine andere in derselben Gruppe es sei, erriet ich von Anfang an die richtige. Eine Ähnlichkeit mit Mrs. Leigh half mir dabei. Sie ist nicht so hübsch, wie ich erwartete; ihr Gesicht leidet unter derselben Leere wie das ihrer Schwester, und sie hat nicht so schöne Züge; sie war stark geschminkt und sah am ehesten auf ruhige und zufriedene Art einfältig aus.
>
> (12. Mai 1801.)

Es ist bezeichnend, daß Jane Austens Großneffe Lord Brabourne, als er diesen Brief 1884 zuerst veröffentlichte, das Wort »Ehebrecherin« strich. Mit dem mutmaßlichen Liebhaber der Dame, einem Bekannten von Edward Austen, unternahm sie dann sogar eine Ausfahrt in seinem imponierenden Vierspänner. All diese Ereignisse werden amüsiert, ironisch und bissig, aber nicht bösartig an Cassandra berichtet. Man hat den Eindruck, daß sie der Leere dieser gesellschaftlichen Routine, auf die sie sich ja ohnehin nicht gefreut hatte, bald überdrüssig wurde. Eine wirkliche Freude jedoch machte Charles seinen Schwestern gerade in diesem Monat, so daß es möglich ist, ein autobiographisches Detail in *Mansfield Park* zu entschlüsseln: Der Bruder wurde als Offizier nach der Kaperung eines französischen Schiffes an der Prise beteiligt und kaufte jeder Schwester eine goldene Kette mit einem Topaskreuz, wie Fanny Price es von ihrem Marinebruder William geschenkt bekommt. Nur die Kette fehlt ihr zum Tragen des Kreuzes beim Ball im Haus Sir Thomas Bertrams und bereitet ihr viel Kopfzerbrechen.

Aber wenigstens erfüllte sich die Erwartung, daß man nun Sommerreisen unternehmen würde. Schon 1801, noch bevor man in das Haus am Sydney Place Nr. 4 eingezogen war, gönnte man sich einen Urlaub in Sydmouth an der Südküste, östlich von Exeter, und hier geschah die recht geheimnisvolle Begegnung Janes mit einem jungen Mann, der offenbar ernste Absichten hatte, sie zu heiraten. Es gibt dafür nur eine Quelle, und zwar Cassandra Austen, die lange nach dem Tod ihrer Schwester ihrer Nichte Caroline Austen-Leigh folgendes erzählte:

> Alles, was ich [Caroline] weiß, ist dies. In Newtown hielt sich Tante Cassandra bei uns auf, als wir die Bekanntschaft eines gewissen Mr. H. E. vom Ingenieurcorps machten. Er war sehr angenehm im Umgang und sah sehr gut aus. Meine Tante war von ihm außerordentlich angetan, und ich wiederum war außerordentlich überrascht von ihrem Lob; sie bewunderte doch sonst kaum je Fremde. Später, ein andermal – ich erinnere mich nicht genau, wann – sprach sie von ihm in so hohen Tönen als einem mit persönlichen Vorzügen bemerkenswert gesegneten Mann und sagte, er erinnere sie stark an einen Gentleman, den sie eines Sommers getroffen hatten, als sie – ich glaube, sie sagte in Devonshire – an der See waren. Ich glaube nicht, daß sie den Namen des Ortes genannt hat, und bin sicher, daß es nicht Lyme war, denn daran würde ich mich erinnern. Er habe sich außerordentlich zu meiner Tante Jane hingezogen gefühlt – ich nehme an, es handelte sich um einen Umgang von einigen Wochen –, und als sie sich dann getrennt hätten (ich vermute, er war auch nur Feriengast dort, aber vielleicht lebte seine Familie in der Nähe), habe er sie gedrängt,

> ihm zu sagen, wo sie den nächsten Sommer verbringen würden, und habe damit vermutlich gemeint oder es sogar gesagt, daß er auch dort sein werde, wo immer es auch sei. Ich kann nur sagen, daß Tante Cassandra den Eindruck hatte, er sei in ihre Schwester verliebt gewesen und habe es ganz ernst gemeint. Bald darauf hörten sie von seinem Tod. Mr. H. E. starb auch, kurz nachdem wir ihn in Newtown getroffen hatten, an einer plötzlichen Krankheit, und ich nehme an, der Zufall des frühen Todes beider veranlaßte meine Tante, von ihm, dem Unbekannten, überhaupt zu sprechen. Ich bin nach der Art, wie sie die Erinnerungen an ihn heraufbeschwor, und auch deshalb, weil sie nicht daran zweifelte, daß seine Bewerbung erfolgreich gewesen wäre, sicher, sie hielt ihn ihrer Schwester für würdig.

Die Ergänzungen anderer Familienmitglieder kurz vor oder kurz nach der Veröffentlichung von James Edward Austen-Leighs *Memoir* schaffen eher Verwirrung als Klarheit. Nach einem dieser Berichte ist es möglich, daß die Ähnlichkeit zwischen dem Bewerber Janes und dem Fremden von Newtown auf Verwandtschaft beruhte. Trotz all dieser Bemühungen bleibt das Ereignis nebelhaft.

Jane war damals 26 Jahre alt. Gut ein Jahr später erhielt sie tatsächlich einen Heiratsantrag und – lehnte ihn ab. Wieder geht unser Wissen auf Caroline zurück, aber diesmal gab es mehrere Zeugen, die jedenfalls einen Teil der Ereignisse gekannt haben müssen, und offenbar waren Carolines Eltern ihre Informationsquelle. Im November 1802 besuchten Cassandra und Jane Steventon und wohnten bei ihrem Bruder im Pfarrhaus. Ein paar Tage wollten sie zwischendurch auch bei den Biggs in Manydown bleiben, aber zur Überraschung von Mrs. James Austen fuhr vorzeitig am 3. Dezember die Kutsche der Biggs vor der Pfarre von Steventon vor, aus der die Austen-Schwestern ausstiegen und unter Tränen Abschied von ihren Gastgebern nahmen, die sie herübergefahren hatten. Cassandra und Jane bestanden darauf, sofort am nächsten Tag nach Bath zurückzukehren, was unangenehm für James war, da es sich um einen Sonnabend handelte und er auf diese Weise seine Predigerpflichten vernachlässigen mußte. Das seltsame Verhalten der Schwestern, die ihrem Bruder ganz gewiß nicht ohne triftige Gründe Ungelegenheiten gemacht hätten, erklärte sich folgendermaßen: Der einundzwanzigjährige Sohn des Hauses Bigg hatte Jane einen Heiratsantrag gemacht, den sie angenommen hatte. Aber über Nacht änderte sie ihre Meinung und teilte ihm diese Entscheidung am nächsten Morgen mit. Daraufhin wurden Cassandra und sie auf eigenen Wunsch zurück nach Steventon gebracht. James Edward Austen-Leigh berichtet in *Memoir*, der Bewerber sei ein nobler Charakter gewesen und habe eine denkbar wünschenswerte soziale Stellung gehabt, nur eines habe ihm gefehlt: die zartfühlende Fähigkeit, Janes Herz zu rühren. Harrison Bigg-Whither war sechs Jahre jünger als Jane Austen. Was hatte ihn bewogen, ihr einen Heiratsantrag zu machen, nachdem die Austens schon über ein Jahr nicht mehr in der Nachbarschaft wohnten? Hatte er warten müssen, bis er die Zustimmung seiner Eltern erhielt oder nicht mehr brauchte? Oder hatte er sich spontan in Jane verliebt? Und was hat sie veranlaßt, seinen Antrag erst anzunehmen und dann ihre Zusage zu widerrufen? Wir wissen es nicht. Briefe aus dieser Zeit sind nicht vorhanden; und wenn es sie gegeben hätte, hätte Cassandra sie zweifellos beseitigt. Diese Heirat wäre Janes einzige Möglichkeit gewesen, dem ungeliebten Bath zu entkommen und in die alte Heimat zurückzukehren. Blieb sie ihrer Überzeugung treu, daß es ein schreckliches Schicksal sei, an einen ungeliebten Mann gebunden zu sein? Welche Rolle spielte Cassandra, die vermutlich im selben Schlafzimmer die entscheidende Nacht verbrachte? Ihre Rolle im Leben der jüngeren Schwester ist überhaupt kaum angemessen einzuschätzen, da kein einziger Brief von ihr überliefert ist. Ist es berechtigt anzunehmen, daß diese Absage die endgültige Entscheidung Janes gegen die Ehe überhaupt war? Nach einem Brief von Francis Austens Tochter Catherine aus dem Jahr 1870 über die geheimnisvolle Liebesepisode in Sydmouth, hat Tante Jane »immer gesagt, ihre Bücher seien ihre Kinder, und in dem Interesse an ihnen bestehe ihr Glück; und einige Briefe, in denen sie sich triumphierend über die verheirateten Frauen ihrer Bekanntschaft erhaben fühlt und sich über ihre eigene Freiheit freut, sind höchst amüsant«. Aber in den erhaltenen Briefen sind solche Bemerkungen nicht zu finden. Ist dies ein Hinweis darauf, *was* Cassandra unter anderem vernichtet hat? Kann man diese Aussage überhaupt unbefragt hinnehmen? Und galt dieses Glück des Schreibens, das das Liebesglück zu ersetzen vermochte, auch schon für die hier in Frage kommende Zeit *vor* der Veröffentlichung ihres ersten Romans, als eine literarische Karriere noch gar nicht in Aussicht stand? Wie immer stößt der Jane-Austen-Interessent auf ungelöste und wohl auch unlösbare Fragen, sobald er die fragmentarisch überlieferten Tatsachen genauer untersuchen möchte.

II

Die Austens scheinen eine Vorliebe für den Urlaub an der See gehabt zu haben, die vielleicht besonders auf Jane zutraf und die Wahl des Handlungsortes in ihrem letzten Roman *Sanditon* erklären würde. Jedenfalls will Sir Egerton Brydges Jane Austen 1803 in Ramsgate, östlich von London, begegnet sein. 1802 und 1804 war wieder die Küste von Devonshire das Reiseziel. In einem Brief vom August 1814 schreibt Jane an ihre Nichte Anna, die Leihbücherei in Dawlish sei »vor zwölf Jahren« in einem beklagenswerten Zustand gewesen. 1802 war man also südlich von Exeter. Daß sich Jane mit ihren Eltern im September 1804 in Lyme Regis aufhielt, geht aus einem erhaltenen Brief an Cassandra hervor, die während dieser Zeit bei den Lloyds zu Besuch war, nachdem sie mit Henry und seiner Frau vor ihren Eltern und ihrer Schwester den Ferienort verlassen hatte. Der Brief, in dem ein Bekannter namens Mr. Crawford (!) erwähnt wird, klingt heiter. Jane badete mit großem Vergnügen, wobei sie sicher aus einem der Badekarren, die man direkt ins flache Wasser schob, in die Fluten stieg. Ein abendlicher Ball, an dem sie teilnahm, war gut besucht:

> [...] und wäre ich länger geblieben, hätte ich vielleicht mit Mr. Granville, Mr. Granvilles Sohn, den meine gute Freundin Miss Armstrong sich bereit erklärt hatte mir vorzustellen, oder mit einem neuen, merkwürdig aussehenden Mann getanzt, der mich schon einige Zeit beäugt hatte und mich schließlich ohne jede Einführung fragte, ob ich noch einmal tanzen wolle.

Jane Austen hat, wie *Überredung* beweist, die Eindrücke in Lyme Regis mit wachen Sinnen und einem vielleicht schon literarisch tätigen Geist in sich aufgenommen. Die angeblichen Schauplätze aus *Überredung* sind heute noch vorhanden. Im Hotel »Royal Lion«, wo die Gesellschaft der jungen Leute wohnte, kann der Gast noch immer übernachten, und in dem engen Haus der Harvilles kann man heute Kaffee trinken. Es steht direkt am Wasser und gegenüber dem Jane-Austen-Park, wo 1917 zum 100. Todestag der Autorin eine unterdessen verwitterte Büste aufgestellt wurde.

Als die Austens aus Lyme Regis nach Bath zurückkehrten, erfuhr Janes Leben bald durch unerwartete und zum Teil traurige Ereignisse schwerwiegende Veränderungen. Zunächst zog man in den westlichen Teil der Stadt um. Warum, wissen wir nicht, aber es ist vermutet worden, daß Mr. Austen wegen seiner schwächer werdenden körperlichen Konstitution näher am Stadtzentrum und vor allem am Brunnenhaus wohnen wollte. Im Dezember 1804 geschah dann der schon erwähnte Unfall, bei dem Janes Freundin Mrs. Lefroy durch einen Sturz vom Pferd getötet wurde, was sie vier Jahre später zu dem einzigen ernsten Gedicht anregte, das sie je geschrieben hat. Der erste Brief, den wir nach

Lyme Regis, The Cobb, von dem Louisa in »Überredung« herunterstürzt

dem Urlaub besitzen, übermittelt eine Nachricht, die sie noch unmittelbarer berührte. Sie teilte am 21. Januar 1805 ihrem Bruder Francis, an Bord seiner Majestät Schiff »Leopard«, mit, daß ihr Vater nach kurzer Krankheit gestorben sei:

> Unser Vater [dies ist das einzige Mal, daß sie nicht »mein Vater« sagt] hat sein tugendhaftes und glückliches Leben durch einen Tod beendet, der fast so schmerzlos war, wie seine Kinder es sich nur hätten wünschen können.

Daß Jane Austen an ihrem Vater mehr hing als an ihrer Mutter, ist aus ihren Briefen deutlich zu entnehmen. Da sie unmittelbar nach Absenden des Briefes erfuhr, daß Francis' Schiff nicht unter der angegebenen Adresse zu erreichen war, schrieb sie gleich am nächsten Tag noch einmal einen ähnlichen Brief. Beide Briefe sind erhalten, doch die Hoffnung, etwas über Jane Austens religiöse Gefühle zu erfahren, erfüllt sich nicht, obwohl der Tod des Vaters, der nach allem, was wir von ihm wissen und was seine Tochter von ihm schreibt, in seinem familiären und beruflichen Leben ein verantwortungsbewußter, geliebter und verehrter Mann war, allen Familienmitgliedern äußerst nahegegangen sein dürfte. Jane Austen war wie in so vielem, so auch im Religiösen ein sehr diskreter Mensch. Sie spricht in ihrem ersten Brief nur davon, daß George Austen sich schon seit langem auf »eine andere Welt« vorbereitet habe, und im zweiten nur von den »inbrünstigen Gebeten«, die die Familie in den letzten Stunden vor seinem Tod gesprochen habe. Im Vergleich mit den viel gefühlvolleren, fast überschwenglichen religiösen Bemerkungen, die Cassandra später über Janes Tod zu ihrer Nichte Fanny macht (vgl. S. 376), erscheint dieses bloße Streifen des Überweltlichen beim Tod des Vaters zurückhaltend. Dabei muß man aber berücksichtigen, daß Cassandra an eine 24jährige Frau, Jane an einen 31jährigen Mann und Soldaten schrieb und ihre offizielle Mitteilung – Fanny wußte ja schon von dem Tod ihrer Tante, als Cassandra ihr schrieb – eher der Konvention der Zeit gehorchte, die auch bei solchen sehr persönlichen Anlässen bestimmte Formen vorschrieb. Und doch scheint hier ein Bedürfnis zu bestehen, jeden religiösen Enthusiasmus zu vermeiden, was den mit Sympathie dargestellten Figuren in ihren Romanen sehr gut entsprechen würde. Wir haben nach allem, was wir von Jane Austen wissen, keinerlei Anlaß, daran zu zweifeln, daß sie als überzeugte anglikanische Christin gelebt hat und gestorben ist. Aber ging diese Einstellung über ein von Kindheit an praktiziertes konventionelles Christentum hinaus? Ihre Bücher, die man um Antwort fragen möchte, geben uns ebensowenig eine Antwort wie ihre Briefe. In ihren Romanen sind zwar religiöse Zeremonien Teil der Handlung, aber weder äußern die

Geistlichen je theologische Ansichten, noch beruhen die lebensbestimmenden Entscheidungen der Heldinnen und Helden je auf religiösen Überlegungen. Wie Jane im allgemeinen keine Autorin war, die Menschen nach ihren vorgetragenen Überzeugungen oder Behauptungen beurteilt sehen wollte, so machte sie offenbar auch im Religiösen das *Handeln* zum Maßstab der Ernsthaftigkeit menschlicher Haltungen. Im Falle des bigotten Pastors Collins in *Stolz und Vorurteil* ist der Widerspruch zwischen Theorie und Praxis der Lächerlichkeit preisgegeben. Ihr Urteil über den »traurigen Fall« einer Bekannten, die ihrem Mann mit einem Lord davongelaufen war, ist typisch für ihre Sensitivität bei jeder Diskrepanz zwischen Haltung und Handlung, denn sie schreibt:

> Ich hätte ihr so etwas nicht zugetraut. Ich erinnere mich, daß sie zum Abendmahl blieb, als Du und ich es das letzte Mal auch taten. (20. Juni 1808.)

So kann man wohl sagen, daß es für Jane Austen kein Christentum ohne christliches Handeln gab; aber man kann nicht umgekehrt schließen, daß christliches Handeln auf einem theoretischen Verständnis des Christentums beruhte. Die innersten religiösen Gefühle und Gedanken ihrer selbst und ihrer Romangestalten sind uns verborgen.

Mrs. Austen trug den Verlust ihres Mannes nach Janes Meinung bemerkenswert gelassen, weil sie innerlich darauf vorbereitet war. Als George Austen in der Walcot-Kirche in Bath begraben war, mußten die drei Austen-Damen sich über ihre neue Lage klarwerden, die unter anderem finanzielle Konsequenzen hatte. Mit Mr. Austens Tod reduzierte sich das Einkommen seiner Witwe erheblich, aber der Familiensinn der Kinder bewährte sich in dieser Krise glänzend. Ihre Söhne einigten sich, die Finanzlage der Mutter aufzubessern. James und Henry gaben jährlich 50, Edward als der reichste 100 Pfund. Der gewissenhafte Francis bot ebenfalls 100 Pfund an, aber seine Mutter akzeptierte von ihm nur 50.

Die Damen scheinen gute Wirtschafterinnen gewesen zu sein. Jane informiert Cassandra im Januar 1807, daß »meine Mutter [...] 1806 mit einem Überschuß von 68 Pfund begonnen hat und 1807 mit einem von 99 Pfund beginnt, und das nach Anschaffungen im Wert von 32 Pfund«. Auch die wohlhabenden Leigh-Perrots steuerten, wie erst 1983 bekannt geworden ist, 50 Pfund pro Jahr bei. Der Umgang mit ihnen war nicht ganz reibungslos; sie waren offenbar empfindlich und nicht sehr großzügig und ließen die Austens, wie auch Bemerkungen Janes zu entnehmen ist, wohl gelegentlich den Unterschied zwischen ihrem Lebensstil spüren. Aber Jane weiß wie immer, daß es zu den Tugenden des kultivierten Menschen gehört, auch bei persönlichen Empfindlichkeiten das angemessene Verhalten zu wahren:

> Mein Onkel und meine Tante haben gestern abend Tee bei uns getrunken, und trotz meines gegenteiligen Entschlusses konnte ich nicht umhin, sie für heute abend wieder einzuladen. Ich hielt es für äußerst wichtig, alles zu vermeiden, was wie Vernachlässigung ausgesehen hätte.

Aber Jane Austen wäre nicht Jane Austen, wenn sie nicht an ihre Schwester den Satz hinzufügte:

> Ich bin froh, wenn es vorbei ist, und hoffe, nie wieder in die Verlegenheit zu kommen, so viele liebe Freunde zugleich empfangen zu müssen.

Bald nach Mr. Austens Tod, wahrscheinlich Anfang April, zogen die drei Damen, sicher aus finanziellen Gründen, in ein kleineres Haus um. Ob es auch mit den Leigh-Perrots zusammenhing, daß sie dabei Gay Street wählten, eine steile Straße zwischen der Stadtmitte und dem Circus, einem stattlichen, rundangelegten Platz im höher gelegenen Norden, wo man Paragon Buildings wesentlich näher war? Cassandra reiste kurz nach dem Umzug zu den Lloyds. Jane blieb bei ihrer Mutter, und sie führten, nach den beiden Briefen von Bath nach Ibthrop vom 8. und 21. April 1805 zu urteilen – das Zitat

Godmersham, Kent, wo Janes Bruder Edward lebte

über die Tante stammt aus dem zweiten –, ein recht lebhaftes gesellschaftliches Leben. Aber in der Zeit zwischen diesen beiden Briefen starb während Cassandras Besuch Mrs. Lloyd, was das häusliche Arrangement zum Vorteil aller veränderte. Die einzige unverheiratete Tochter von Mrs. Lloyd nahm das Angebot der Austens an, künftig mit ihnen zusammenzuleben, und zog im August nach Bath um. Diese Lösung, die alle Beteiligten sicher nie bereut haben, ersparte es Martha, sich ein Zuhause zu suchen, wo sie womöglich weniger willkommen gewesen wäre, und erlaubte es Cassandra und Jane, nun gelegentlich gemeinsam auf Reisen zu gehen, weil Martha solange bei ihrer Mutter bleiben konnte.

Sie machten auch gleich von dieser Möglichkeit Gebrauch, denn schon im August finden wir sie zusammen in Kent. Daß trotzdem Briefe von Jane an ihre Schwester von dieser Reise vorliegen, verdanken wir der Tatsache, daß sie sich am Ziel trennten. Während die eine bei Edwards Familie auf Godmersham blieb, besuchte die andere Edwards Schwiegermutter, Lady Bridges, auf Goodnestone; dann tauschten sie die Plätze. Die Wohnung in der Gay Street muß die Familie nach spätestens einem Jahr wieder aufgegeben haben, denn es existiert ein Brief von Mrs. Austen vom April 1806, den sie überschrieb: »Trim Street – noch immer.«

III

Wieder, wie so häufig, sind uns bei dem nächsten wichtigen Ereignis die Gründe und Hintergründe verborgen: Die Austens verließen Bath Anfang Juli 1806 für immer. Wann wurde dieser Entschluß gefaßt, und auf wen ging er zurück? Daß sich Jane und vermutlich auch ihre Schwester in der Stadt nie zu Hause fühlten, geht aus einer Bemerkung hervor, die Jane 1808 in einem Brief an Cassandra machte, die sie daran erinnerte, mit welch »glücklichen Gefühlen des Entkommens« sie vor zwei Jahren Bath verlassen hätten. Die drei Damen fuhren zunächst nach Clifton, aber ob sie vorhatten, sich dort niederzulassen, ist nicht bekannt. Ohnehin statteten sie schon Ende Juli einem Vetter von Mrs. Austen einen Besuch ab. Es handelte sich um Pastor Thomas Leigh in Adlestrop, dessen Leben gerade in dieser Zeit eine dramatische Wende nahm, die die Austens mitberührte. Die Familie war in zwei Zweige gespalten, und der letzte Nachkomme des einen Zweiges, Lord Leigh, hatte ein Testament hinterlassen, das »den ältesten und nächsten männlichen Verwandten seines Bluts und Namens« zum Erben seines riesigen Besitztums in Warwickshire einsetzte. Obwohl das Erbe normalerweise dem Neffen des Pastors zugefallen wäre, weil er ein Nachkomme von dessen älterem Bruder war, kam nun Thomas Leigh selbst als die Person, auf die die Testamentsbestimmung zutraf, in den Besitz. Um jedem Anspruch der Verwandtschaft durch vollendete Tatsachen zuvorzukommen, empfahl Mr. Leighs Rechtsanwalt seinem Klienten, das Erbe unverzüglich in Besitz zu nehmen. Am 5. August zogen deshalb Mr. Leigh mit seiner Schwester, seiner Cousine und ihren beiden Töchtern nach Stoneleigh Abbey um. Das Schloß, das an ein altes Kloster am Ufer des Avon angebaut war, war ein majestätisches Besitztum von riesigen Ausmaßen; und obwohl die Austens in vornehmen und auch geräumigen Landhäusern ein und aus zu gehen gewohnt waren, überstieg der hier gepflegte Lebensstil denn doch ihre bisherigen Erfahrungen. Glücklicherweise ist ein Brief von Mrs. Austen erhalten, in dem sie ihrer neuen Schwiegertochter Mary, mit der Francis im Juni 1806 getraut worden war, den Aufenthalt im Schloß beschreibt. Der lebendige Brief gibt nicht nur einen Eindruck von dem aristokratischen Leben, das Jane Austen hier vorübergehend führte, sondern wirft auch ein Schlaglicht auf ihr Verhältnis zu ihrer Mutter:

> [...] und so fanden wir uns denn Dienstag [...] in einem großen und vornehmen, rundherum mit Familienporträts behängten Salon und aßen Fisch, Wild und alle möglichen guten Sachen. Das Haus ist größer, als ich angenommen hatte. Wir können uns darin gar nicht zurechtfinden – ich meine, in dem neuen bewohnten Teil. Was die Verwaltungsräume angeht, die das frühere Kloster einnehmen, so verzweifelt Mr. Leigh fast daran, sich in ihnen zurechtzufinden. Ich habe ihm vorgeschlagen, Wegweiser an den Ecken anzubringen. Ich hatte zwar erwartet, alles hier hochvornehm usw. zu finden, aber ich hatte keine Ahnung, wie großartig es wirklich ist. Ich hatte mir lange Gänge, dunkle Krähenkolonien und düstere Eiben vorgestellt, aber solche düsteren Dinge gibt es hier gar nicht. Der Avon fließt dicht am Schloß vorbei mitten durch grüne

Wiesen, umgeben von ausgedehnten und schönen Wäldern voller entzückender Wege zum Spazierengehen.
Morgens um neun sprechen wir unser Gebet in der prachtvollen Kapelle, deren Kanzel usw. augenblicklich schwarz verhängt ist. Dann folgt das Frühstück, das aus Schokolade, Kaffee und Tee, Pflaumen- und Sandkuchen, warmen Brötchen, kalten Brötchen, Brot und Butter und trockenem Toast für mich besteht. [...]
Wir gehen viel spazieren, denn die Wälder sind an einem Augusttag sogar mittags undurchdringlich für die Sonne. Ich versäume nie, jeden Tag eine Weile im Küchengarten zu verbringen, wo die Fülle von Beeren alles übersteigt, was Du Dir vorstellen kannst. Auch mit Hilfe der vielen Amseln und Drosseln kann die große Familie nicht verhindern, daß sie an den Büschen verrotten. Der Garten umfaßt 4 ½ Morgen. Die Teiche versorgen uns mit ausgezeichnetem Fisch, der Park mit ausgezeichnetem Wild; es gibt große Mengen Kaninchen, Tauben und alle Arten Geflügel. Dann ist da eine entzückende Molkerei, wo Butter, guter Warwickshire Käse und dito Weichkäse hergestellt werden. Ein Diener wird Bäcker genannt, und er tut auch nichts anderes als Brauen und Backen. Die Zahl der Fässer im Starkbierkeller ist unvorstellbar, die im Leichtbierkeller halten keinen Vergleich aus, obwohl man das Bier, nebenbei bemerkt, völlig zu Recht Ale nennen könnte. [...]
Nun möchte ich Dir einen Eindruck von dem Inneren dieses riesigen Hauses geben und schicke voraus, daß es an der Vorderseite, die ganz gerade ist und ein flaches Dach hat, 45 Fenster gibt, 15 in jeder Reihe. Man geht zum Eingang eine erhebliche Anzahl von Stufen hinauf, denn einige Verwaltungsräume sind im Keller, und tritt in eine große Halle. Rechts ist das Eßzimmer und dahinter das Frühstückszimmer, wo wir im allgemeinen sitzen; und das aus gutem Grund, denn es ist außer der Kapelle das einzige Zimmer, das eine Aussicht hat. Links ist der beste Salon und dahinter ein kleinerer. Diese Räume sind mit ihrer braunen Täfe-

lung und ihrem dunkelroten Mobiliar ziemlich düster, so daß wir sie nur benutzen, wenn wir sie zur alten Bildergalerie durchqueren. Hinter dem kleineren Salon ist das Galaschlafzimmer, mit seinem hohen, dunkelroten Samtbett ein furchterregendes Gemach, gerade richtig für eine Romanheldin. Die alte Galerie führt darauf zu. Am Ende der Halle sind eine Passage in ganzer Breite des Hauses, drei Treppenhäuser und zwei kleine Wohnzimmer. Im neuen Teil des Hauses gibt es 22 Schlafzimmer und außerdem viele, und zwar einige sehr gute, in dem alten. Dann gibt es noch eine zweite Galerie, ausgestattet mit modernen Drucken auf Ledertapeten, und ein großes Billardzimmer. Alle Teile des Hauses und die Verwaltungsräume werden so sauber gehalten, daß man kein Spinngewebe fände, um es als Verband zu benutzen, wenn man sich in den Finger schnitte. [...]

Unser Besuch war höchst angenehm. Wir sind alle in bester Laune, bereit, uns unterhalten zu lassen, und bemüht, zur Unterhaltung beizutragen – und ich hoffe, es ist uns gelungen. Die arme Lady Saye und Sele ist natürlich eine rechte Qual, obwohl manchmal ganz amüsant, sie gibt Jane viel Anlaß zum Lachen, aber mir geht sie alles in allem ziemlich auf die Nerven. Morgen reisen wir ab. [...]

Der ältere Teil des Schlosses und das Galaschlafzimmer mochten Jane denkbar gutes Anschauungsmaterial für die »gotische« Welt im zweiten Teil von *Kloster Northanger* bieten; aber zu dieser Zeit lag das Manuskript, wie wir im nächsten Kapitel sehen werden, schon beim Verleger zur erhofften Publikation. Doch nicht nur das Gebäude, sondern offenbar auch seine Bewohner waren für literarische Studien bestens geeignet. Lady Saye und Sele, eine Verwandte von Mrs. Austen, hat vielleicht Modell gestanden für eine Romangestalt oder mindestens für bestimmte Züge einer Figur. Die Art, wie Mrs. Austen über sie und Janes Reaktion spricht, deutet darauf hin, daß sie mit ihrer Tochter im Bunde war und deren Talent, das Komische an Menschen und an gesellschaftlichen Situationen wahrzunehmen, in der Familie allgemein geschätzt wurde. »Morgen reisen wir ab.« Aber wohin? Zunächst ging es nach Hamstall-Ridware, einem winzigen Ort in Staffordshire, wo Mrs. Austens Neffe Edward Cooper Pastor war. Blieb man hier bis zum Jahresende oder gab es noch andere Stationen, von denen wir nichts wissen? Als Jane sich in ihren Briefen nach einer Pause von anderthalb Jahren im Januar 1807 wieder meldet, wohnen die Austens schon in Southampton. Warum man die Hafenstadt als neuen Wohnort wählte, ist klar. Der jungverheiratete Francis Austen, der zu dieser Zeit kein Schiffskommando hatte und daher auf halben Sold gesetzt war, zog mit seiner Frau dorthin. Es lag im Interesse beider Parteien, gemeinsam ein Haus zu mieten.

Jane scheint gegen Southampton nichts eingewendet zu haben; jedenfalls schreibt sie am 7. Januar 1807, daß sie nicht so gern nach Canterbury gezogen wäre, das man anscheinend wegen der Nähe zu Edwards Familie und als Wohnort seiner Adoptivmutter auch in Betracht gezogen hatte. In Southampton war man mit Francis' Familie – schon im April 1807 wurde seine älteste Tochter geboren – zusammen, und die Stadt war nicht wie Bath Treffpunkt einer modischen Welt von eitlen Damen, Müßiggängern, Salonlöwen, Kranken und Scheinkranken, wo gesellschaftlicher Snobismus spürbar war und man die relative Armut und das Unverheiratetsein als Endzwanzigerin deutlicher empfand, sondern eine lebendige Hafen- und Marinestadt, wo Arbeitsleben herrschte und das soziale Spektrum breit gefächert war und größere Freiheit von den gesellschaftlichen Ritualen erlaubte. Hier muß sie sich wohler gefühlt haben. Zudem war Southampton so nahe bei Steventon, daß sich die Verbindung zur alten Heimat leichter aufrechterhalten ließ.

Im Januar und Februar wohnten Jane und ihre Mutter – Cassandra war wieder für längere Zeit in Godmersham – noch möbliert, bereiteten sich aber auf den Umzug vor. Der Garten des neuen Hauses wurde in Ordnung gebracht. Auf Janes besonderen Wunsch mußte der Gärtner auch Fliederbüsche pflanzen:

> Ohne Flieder könnte ich um Cowpers Zeile willen nicht auskommen. Auch Laburnum [Goldregen] ist im Gespräch.

Wir sind dankbar für diese Vignette, die uns eine sensible Jane Austen zeigt, für die sich Poesie und Wirklichkeit verbinden. William Cowper (1731–1800), der vorromantische Dichter, nach der biographischen Notiz von Henry Austen Janes Lieblingsdichter, hatte in seinem Versepos *Die Aufgabe* (*The Task*, 1784), das das Landleben in seiner idyllischen Natürlichkeit besingt, geschrieben:

> Laburnum reich,
> In gold'nem Strom, wie Elfenbein der Flieder.

Anfang März zogen die Austens in das geräumige altmodische Haus am Castle Square um, das nach den Kindheitserinnerungen von James Edward Austen-Leigh »einen hübschen Garten hatte, der an einer Seite an die alte Stadtmauer grenzte; die Oberseite dieser Mauer war breit genug für einen hübschen Spazierweg mit einer weiten Aussicht und durch Stufen auch für Damen leicht zu erreichen«. Die knapp drei Jahre in Southampton waren eine ruhige Zeit. Francis erhielt schon im April 1807 das Kommando der »St. Albans« und war daher nur noch gelegentlich zu Hause, zum erstenmal wieder nach einem ganzen Jahr. Durch ihn hatte man einige Bekanntschaften gemacht, aber die Familien der höheren Offiziere lebten in einem Stil, den die Austens sich nicht leisten konnten, und so hielt man sich zurück. Die familiären Bindungen blieben so eng wie immer. James und seine Frau vom nahen Steventon kamen zu Besuch, aber in ungewohnt offener Weise klagte Jane darüber, wie wenig Mühe sich die Gäste gaben, zu einer angenehmen Atmosphäre und zur geistigen Bereicherung beizutragen. In der ersten Jahreshälfte

1807 war Cassandra lange Monate in Godmersham und wurde von Jane vermißt; im Herbst besuchten alle drei Damen Edwards Besitz in Chawton; im nächsten Frühjahr wurde der Besuch von James erwidert. Im Juni 1808 schreibt Jane aus Godmersham. Im Oktober fuhr Cassandra wieder dorthin und schickte bald darauf die trostlose Nachricht, daß die liebenswerte Schwägerin Elizabeth im Kindbett gestorben sei. Janes einfühlende Antwort an die Schwester ist voller Verständnis und echtem Schmerz. Es war ein harter Schlag für Edward und seine nun elf Kinder im Alter von 15 Jahren bis 14 Tagen.

> Wir waren in Gedanken bei Euch, wir sind in Gedanken bei Euch – bei Euch allen, das brauche ich Dir nicht zu versichern, bei Dir, bei Fanny, bei Henry, bei Lady Bridges und bei dem lieben Edward, dessen Verlust und Schmerz den aller anderen unwichtig erscheinen läßt. Dem Himmel sei Dank, daß Du von ihm sagen kannst, was Du gesagt hast: daß sein religiöses Gemüt ihn aufrecht erhält und sein Naturell ihn langsam versöhnen wird. Meine liebe, liebe Fanny! Ich bin so froh, daß sie Dich bei sich hat. Du wirst ihr alles sein, Du wirst ihr allen Trost geben, den menschlicher Beistand geben kann. Möge der Allmächtige Euch alle stärken und Dich, meine liebe Cassandra, gesund erhalten [...]. (13. Oktober 1808.)

Fanny, Edwards älteste Tochter, stand nun vor der schweren Aufgabe, die Mutterstelle bei ihren Geschwistern zu übernehmen und in die Rolle der Herrin eines großen Hauses und Haushalts hineinzuwachsen. Ihren Tanten wuchs sie dabei immer mehr ans Herz. Es ist ein Kuriosum, daß gerade diese Lieblingsnichte, die spätere Lady Knatchbull, als alte Frau, mit den bigotten Maßstäben der Viktorianischen Zeit messend, offenbar nur noch mit Schaudern an die lockeren Sitten und den relativ großen Spielraum der Frauen im »Regency« zurückdenken konnte, von ihren Tanten sagte, sie seien bedauerlicherweise nicht so kultiviert gewesen, wie man das

heute sei. Fanny heiratete 1820 als Siebenundzwanzigjährige ihren zwölf Jahre älteren Vetter mütterlicherseits, Sir Edward Knatchbull, und es ist wahrlich ironisch, daß Jane Austen 1813 gerade über die Knatchbulls schreibt, sie seien zwar gutmütige Leute, aber nichts besonders Vornehmes. Die Maßstäbe dessen, was vornehm war, hatten sich offenbar in sechzig Jahren erheblich geändert; aber es könnte auch sein, daß Fanny vor allem den bewußten Verzicht der Tanten auf modische Aufmachung bei ihren abfälligen Worten im Sinn hatte.
Überhaupt begann in den Jahren in Southampton Cassandras und Janes Umgang mit den älteren Neffen und Nichten, die langsam heranwuchsen, persönlicher und lebhafter zu werden. James' Kinder Anna und Edward und auch die fünf ältesten Kinder Edwards waren 1808 zwischen 15 und zehn Jahren alt. Alle Kinder, die später Aufzeichnungen zur Geschichte ihrer berühmten Tante beigetragen haben, waren sich darüber einig, daß sie eine höchst unterhaltsame und liebevolle Tante war, die Spiele mit ihnen spielte, vorlas, Geschichten erzählte und überhaupt immer für sie Zeit hatte. Edward Austen-Leigh sagt von ihr, sie zu kennen, hieß, sie zu lieben, und seine Schwester Caroline erinnerte sich, ihr Charme für sie als Kinder habe in ihrer herzlich-liebevollen Art bestanden. Jane habe für ein Kind alles amüsant zu machen verstanden. Sie sei ihrer Tante gern auf den Schoß gekrochen und ihr überallhin gefolgt.
Was aber war in den Jahren in Bath und Southampton aus der *Schriftstellerin* Jane Austen geworden, die doch kurz vor der Jahrhundertwende schon drei fertige Romanmanuskripte in der Schublade liegen hatte?

Fünftes Kapitel

Literarische Krisenjahre

I

Jane Austens literarische Tätigkeit in den acht Jahren in Bath und Southampton muß sorgfältig betrachtet werden. Es war die Zeit von ihrem 26. bis zum 34. Lebensjahr. Sie war also auf der Höhe ihrer geistigen und körperlichen Kraft. Man sollte vermuten, daß auf die vielversprechenden Anfänge in ihrer Jugend nun die literarische Erfüllung gefolgt wäre. Aber statt dessen produzierte die Autorin in der ganzen fraglichen Zeit kein einziges abgeschlossenes Werk. Die frühere Forschung teilte daher ihre literarische Produktion in zwei Phasen, in die Juvenilia und die reifen Werke ab 1811, zwischen denen eine Durststrecke von zehn Jahren zu liegen schien. Aber dieses Stereotyp ist inzwischen in Frage gestellt worden. Es bleibt die Tatsache bestehen, daß die unerwünschten und ungeliebten Veränderungen in ihrem Leben, die stärkere Beanspruchung in der Familie und das viele Reisen ihren ruhigen Arbeitsrhythmus beeinträchtigten und vielleicht auch das Abbrechen des ursprünglichen häuslichen Vorlesekreises das Bedürfnis herabstimmten, schöpferisch tätig zu sein. Aber trotzdem kann von der früher behaupteten langen Schaffenspause, die durch das Fehlen vorzeigbarer Werke suggeriert wird, nicht die Rede sein.
Zunächst ist wichtig, daß Jane Austen ihre literarische Karriere auch in Bath weiterverfolgte, wobei wohl der Einfluß der Geschwister nicht zu unterschätzen ist. Trotz des 1797 gescheiterten ersten Versuchs, einen Verleger für einen ihrer Romane zu finden, unternahm Jane Austen im Frühjahr 1803 einen zweiten Versuch, der diesmal von Henry direkt gemacht wurde und ermutigender verlief. Jane besuchte zu dieser Zeit ihren Bruder in London, und ein Mr. Seymour,

Geschäftsfreund oder Angestellter Henrys, verkaufte in ihrem Auftrag ihr zweibändiges, *Susan* betiteltes Werk an den Verlag Crosby & Sons und erhielt dafür ein Honorar von zehn Pfund. Bedenkt man, daß Jane Austen normalerweise etwa 20 Pfund jährlich zu ihrer persönlichen Verfügung hatte, dann war das für sie eine erhebliche Summe. Es handelte sich bei diesem Manuskript, wie die spätere Geschichte des Verkaufs ergibt, um *Kloster Northanger*. In diesem Stadium hieß also die Heldin dieses Buches noch nicht Catherine; die Umbenennung wurde nötig, weil inzwischen 1809 ein anderer Roman mit demselben Titel erschienen war. Setzt man voraus, daß die spätere Fassung weitgehend schon dem 1803 verkauften Text entsprach und vor allem der Schluß des fünften Kapitels mit seinem Plädoyer fürs Romanelesen und für die notwendige wechselseitige Unterstützung der Autoren bei einer mit Vorurteilen belasteten Öffentlichkeit nicht mehr geändert wurde, dann wäre dies ein Beleg dafür, daß Jane Austen das ursprüngliche, von 1798/99 stammende Manuskript von *Kloster Northanger* während der ersten Zeit in Bath noch einmal bearbeitet hat.

Diese Annahme stützt sich auf folgende Überlegung. In dem erwähnten Kapitel werden drei zeitgenössische Frauenromane genannt: Fanny Burneys *Cecilia* und *Camilla* und Maria Edgeworths *Belinda*. Die ersten beiden erschienen 1782 und 1796, der letzte aber erst 1801. Er kann also nicht schon in der ursprünglichen Fassung erwähnt worden sein. Da kaum anzunehmen ist, daß Jane Austen in das Buch kurz vor seiner abschließenden Überarbeitung in ihrem letzten Lebensjahr ausgerechnet diese drei 15 bis 35 Jahre alten Romane als Beispiele eingefügt hat, wo doch unterdessen so viel modernere und dem Lesepublikum vertrautere Bücher erschienen waren, muß sie den Titel *Belinda* in Bath eingefügt haben. Die ersten beiden Jahre in Bath scheinen also der endgültigen Fertigstellung von *Kloster Northanger* für die Veröffentlichung gedient zu haben, die dann 1803 erreicht schien. Jane Austen gab dem Buch später ein »Avertissement« bei, das ebenfalls dieses Datum nennt: »Dieses kleine Werk wurde 1803 beendet und war zur unmittelbaren Publikation bestimmt.« Daß diese Hoffnung sich in eine Enttäuschung verwandeln sollte, war damals nicht vorauszusehen. Es ist aber interessant, sich zu fragen, wie die Karriere der Autorin verlaufen wäre, wenn der Roman tatsächlich ein Jahr später erschienen wäre. Hätte sie dann die Fragmente, von denen gleich die Rede sein wird, vollendet? Wie auch immer, die in Aussicht gestellte Veröffentlichung erfolgte aus nie geklärten Gründen nicht. Das Manuskript blieb trotz seiner Ankündigung unveröffentlicht im Verlag liegen, bis Jane Austen unter dem Decknamen »Mrs. Ashton Dennis« von Southampton aus am 5. April 1809 einen Brief an »Messrs. Crosby & Co« richtete, in dem sie unter anderem schrieb:

> Sechs Jahre sind [seit dem Verkauf des Manuskripts] vergangen, und das Werk, dessen Verfasserin ich bin, ist seitdem meines Wissens nicht im Druck erschienen, obwohl eine baldige Publikation vereinbart war.

Jane Austen erklärte sich bereit, ein zweites Exemplar des Manuskripts zu liefern, falls das erste verlorengegangen sei, und wies darauf hin, daß sie den Roman anderweitig veröffentlichen werde, sofern sie keine Antwort erhalte. Der Verlag antwortete umgehend, daß sich das Manuskript noch immer in seinem Besitz befinde und er sich jede anderweitige Publikation verbitte, solange es nicht zum selben Preis zurückgekauft sei, was der Autorin freistehe. Ein Angebot, das Buch nun herauszubringen, enthielt der Brief nicht. Wieder vergingen Jahre; erst 1816 machte Jane Austen von dem Rückkaufangebot Gebrauch.

Für die restlichen Jahre in Bath und Southampton gibt es keine Belege, daß Jane Austen an ihren alten Manuskripten arbeitete. Statt dessen wandte sie sich zwei neuen Projekten zu, die Fragmente blieben: *Die Watsons* und *Lady Susan*.

II

Die Watsons ist ein etwa fünfzigseitiges, nicht in Kapitel eingeteiltes Manuskriptfragment, dem James Edward Austen-Leigh diesen Titel gegeben hat, als er es 1871 zum erstenmal veröffentlichte. Es handelt sich dabei um einen ersten Entwurf, denn die Handschrift ist voller Korrekturen und Revisionen. Das Papier stammt dem Wasserzeichen nach aus dem Jahr 1803; und da Papier in damaliger Zeit zu teuer war, als daß man es jahrelang aufbewahrt hätte, neigt die Forschung dazu, dieses oder das folgende Jahr auch für das Entstehungsdatum des Textes zu halten. Jane Austens Großnichte Fanny Lefroy hat zudem 1883 berichtet, daß der Roman irgendwann 1804 begonnen, aber durch Mr. Austens Tod Anfang 1805 unterbrochen und dann nicht mehr beendet worden sei. Der geringe Zeitunterschied ist nicht wesentlich. Es scheint jedenfalls sicher, daß *Die Watsons* Jane Austens nächstes literarisches Projekt waren, nachdem sie *Kloster Northanger* an den Verlag Crosby verkauft hatte.

Der Romanentwurf, der nun nicht mehr von parodistischen Elementen ausgeht, ist die Geschichte Emma Watsons, die bei einer reichen verwitweten Tante aufgewachsen ist und nach vierzehnjähriger Abwesenheit in ihre mutterlose Familie zurückkehren muß, weil die Tante unerwartet noch einmal heiratet. In der bisherigen Erwartung getäuscht, eines Tages ihr Erbe antreten zu können, findet sie sich plötzlich ohne Aussicht auf eine eigene Versorgung wieder von ihrem alten, kranken Vater abhängig. Die häusliche Situation mit dem so viel niedrigeren Lebensstil und der geringeren Kultiviertheit, unter der sie leidet, ist für Emma nicht erfreulich. Sie hat drei unverheiratete Schwestern, die alle auf Männerjagd sind und den Charmeur und Herzensbrecher Tom Musgrove anhimmeln. Elizabeth, die älteste, ist die vernünftigste, die dem Haushalt mit unermüdlichem Einsatz vorsteht; enttäuscht von einem Verehrer, den ihre Schwester Penelope ihr entfremdet hat, wäre sie damit zufrieden, unverheiratet zu bleiben, wenn sie nicht finanziell völlig unversorgt dastände. Penelope, die der Leser in dem Fragment noch nicht kennenlernt, hält sich in der Hoffnung, einen älteren, wohlhabenden Geistlichen zu heiraten, bei Freunden auf. Marianne glaubt, ernste Aussichten zu haben, Musgrove zu binden. Von den beiden Brüdern ist der ältere Rechtsanwalt in dem nicht zu weit entfernten Croydon und mit einer reichen und hochmütigen Frau verheiratet. Das Ehepaar kommt gerade zu den Watsons zu Besuch, weil es Marianne von einem längeren Aufenthalt bei ihnen zurückbringt. Es macht Emma das Angebot, nun sie mitzunehmen, aber sie lehnt dankend ab. Der jüngere Bruder ist in die Tochter der befreundeten Edwards verliebt, die aber mit einem Offizier flirtet. Die Handlung beginnt mit Emmas erster Gesellschaft in der neuen Nachbarschaft. Sie fährt die drei Meilen nach D. . ., hält sich bei den Edwards auf und erlebt den Ball. Auf ihm erscheint auch die herrschaftliche Familie der Osbornes, die aus Lady Osborne, ihrem Sohn Lord Osborne und ihrer Tochter besteht. Emma wird durch die liebenswürdige Geste, mit dem zehnjährigen Sohn der verwitweten Schwester des Pastors der Osborneschen Gemeinde zu tanzen, mit dem Pastor selbst bekannt, dem gut dreißigjährigen Junggesellen Mr. Howard, und ist tief von ihm beeindruckt. Emmas Desinteresse an Lord Osborne und seinem liebedienerischen Kumpan Musgrove reizt beide, sich um sie zu bemühen. Sie statten dem Haus der Watsons nach dem Ball einen Besuch ab, der die soziale Unterlegenheit der Gastgeber auf peinliche Weise offenbar werden läßt. Bei einem späteren Besuch von Musgrove allein macht sich dieser durch seine gekünstelte Liebenswürdigkeit, auf die nur Emma nicht hereinfällt, beliebt. Hier endet das Fragment, das gerade an dem Punkt angekommen ist, an dem die Liebesverwirrungen und -frustrationen beginnen konnten. Cassandras Bericht, lange nach Janes Tod, wie der Roman sich entwickeln sollte, klingt außerordentlich glaubhaft. Der baldige Tod des alten Mr. Watson sollte Emma zwingen, bei ihrem älteren Bruder und

seiner unsympathischen Frau zu wohnen. Lord Osborne sollte ihr einen Heiratsantrag machen, den sie ablehnen würde. Daß Lady Osborne versuchen würde, Mr. Howard zu heiraten, sollte das endgültige Zusammenfinden des Pastors und Emmas hinauszögern. Man ist geneigt, darüber hinaus zu spekulieren, daß Tom Musgrove Marianne im weiteren Verlauf der Handlung entführen würde und der jüngere Watson-Bruder von einer Enttäuschung geheilt worden wäre, die vermutlich an die bitteren Erfahrungen von Catherine Morlands Bruder mit Isabella Thorpe in *Kloster Northanger* erinnert hätte.
Warum hat Jane Austen das Fragment nie beendet? Wenn sie daran tatsächlich bis zum Tod ihres Vaters geschrieben hat, ist dieses Ereignis vermutlich die Antwort auf die Frage, zumal sie ja in der Fortsetzung der Geschichte den Vater der Watsons sehr bald hätte sterben lassen müssen, was ihr sicher unbehaglich gewesen wäre und was sie wohl auch als Geschmacklosigkeit empfunden hätte. Wenn der Tod des Vaters nicht der Grund ist, müssen wir uns mit Edward Austen-Leighs Behauptung von 1871, die auf Zustimmung und Ablehnung gestoßen ist, auseinandersetzen, daß Jane Austen »sich bewußt geworden war, ihre Heldin sozial zu tief, in einer Position von Armut und Niedrigkeit angesiedelt zu haben, die zwar nicht notwendig mit Vulgarität verbunden ist, aber eine traurige Neigung hat, zu ihr hinabzusinken; und deshalb hat sie wie eine Sängerin, die auf einem zu tiefen Ton angefangen hat, die Melodie nicht weitergesungen«. Das klingt, wie manches bei den viktorianischen Nachkommen der Austens nach dem leichten Gruseln, das man in dieser Zeit der größten industriellen Ausbeutung vor der Armut empfand, die für die etablierte Gesellschaft immer bedrohlichere Züge annahm. Und trotzdem klingt Austen-Leighs Vermutung durchaus überzeugend – aber nicht, weil die (relative) Armut das Problem war, sondern weil die Atmosphäre im Haus Watson und die Anlage der Charaktere im Roman eine Stimmung von Mißgunst, Gereiztheit, Klein-

lichkeit und Zänkerei erzeugt hätte, die Jane Austen als Grundton des Buches nicht behagen konnte. Die Heldin Emma hätte sich in einer Umgebung befunden, in der dem Leser keine Entspannung gegönnt worden wäre. Anders als etwa in *Emma*, wo die Heldin sich ebenfalls in einer Familie von vorwiegend satirisch gesehenen Gestalten bewegt, die aber auf den Leser befreiend wirken, weil sie harmlos sind, hätte das Lachen hier bedrückend gewirkt – wenn es dem Leser denn gelungen wäre zu lachen. Denn dies genau ist das Problem des Fragments: Es ist Jane Austen offensichtlich in ihm nicht gelungen, den komischen Überschwang ihrer Jugendwerke so behutsam herabzustimmen, daß sie ihre Thematik ernsthaft ausgestalten konnte, ohne darüber die heitere Grundstimmung des Buches zu verlieren. *Die Watsons* zeigen daher Jane Austens Schwierigkeit, den richtigen Ton kritischer Heiterkeit zu finden, den sie dann später in ihren Romanen so vollkommen beherrscht. Sie droht in dem Fragment in eine zu trübe Atmosphäre zu geraten, die ihrer elementaren Begabung zur schwerelosen Darstellung der Gesellschaft bei gleichzeitiger präziser Porträtierung ihrer Probleme nicht gerecht wird. Darunter leidet auch die Heldin selbst, die noch nicht so unfehlbar sie selbst ist wie die späteren Protagonistinnen. Einen koketten Satz wie Emma Watsons »Na, wir werden ja sehen, wie unwiderstehlich Mr. Tom Musgrove und ich einander finden« hätte in *Emma* wohl nur noch Mrs. Elton sagen können.

Im Hinblick auf die Probleme selbst aber unterscheiden sich *Die Watsons* nicht von den späteren Romanen. Im Zentrum steht auch hier schon die »richtige« Ehe, die die Heldin – wie immer bei Jane Austen – am Schluß des Romans gefunden hätte und die kontrastiert wird mit anderen, weniger überzeugenden Beispielen ehelicher Partnerschaft. Im Gegensatz vor allem zu ihren jüngeren beiden Schwestern zeigt Emma die richtige Einstellung dazu schon im ersten Gespräch des Buches, wenn sie zu ihrer Schwester Elizabeth sagt, daß sie nicht verstehe, wie man bloß um der Ehe willen heiraten könne, wenn die Wahl des Mannes nicht gleichzeitig ein Lebensglück in Aussicht stelle; und da Emma auf diese Weise ihre seelische Reife schon zu Anfang des Buches beweist, könnte es sein, daß auch ihre geringe Entwicklungsmöglichkeit Jane Austen nicht zur Weiterführung der Handlung gereizt hat.

Der scharfe Ton, der in dem Buch herrscht, ist ihr aber womöglich auch zu wenig ein *eigener* Ton gewesen, denn ungleich allen ihren späteren Romanen ähneln *Die Watsons* darin dem Frauenroman der Zeit, der insgesamt viel weniger diskret, viel krasser und daher auch stereotyper in seiner Gesellschaftskritik ist als die Meisterwerke Jane Austens. Maria Edgeworths schon erwähnter, unmittelbar vor der Entstehung von *Die Watsons* erschienener Roman *Belinda* etwa, den Jane Austen ja in *Kloster Northanger* nennt, führt schon im ersten Kapitel Lord Delacourt, bei dessen Frau die auf dem Land aufgewachsene Heldin Belinda Portman in London wohnt, als völlig betrunkenes Wrack ein, das von seinen Dienern ins Haus geschleppt wird und sich am nächsten Vormittag beim Frühstück zu Belindas Entsetzen mit Lady Delacourt in einen gehässigen und jeder Etikette spottenden Zank einläßt. Man kann sich, wenn man *Die Watsons* und einen solchen fast gleichzeitigen Roman liest, des Verdachts nicht erwehren, daß Jane Austen die bedenkliche Nähe ihres Fragments zu ihm auch selbst wahrgenommen und mit großem Unbehagen beobachtet hat. Noch fehlte ihr der souveräne, diskrete und zugleich treffende Ton, der jeden Vergleich mit Romanen wie *Belinda* ausschließt.

Aber man darf über dieser Kritik nicht übersehen, daß der unvollendete Roman trotz seiner Unabgeschlossenheit schon die typische Austensche Präzision der Handlungsführung, die szenische Lebendigkeit und die Plastizität der Figuren hat. Robert Watsons arrogante Frau Jane etwa tritt in dem Fragment nur in zwei Szenen auf, ist aber durch ihre Redeweise so überzeugend charakterisiert, daß der Leser darin schon ein vollkommenes Bild von ihrer auf gesellschaftliche

Anpassung ausgerichteten Lebenseinstellung und ihrem Snobismus bekommt. Mrs. Elton in *Emma* wird diesen Typ dann später in vollkommener Ausprägung verkörpern.

III

Lady Susan wirft für die Forschung ungleich schwierigere Probleme auf und ist das umstrittenste Werk Jane Austens. Wieder stammt der Titel von dem Verfasser des *Memoir*, nicht von der Autorin selbst. Erhalten ist eine etwa achtzigseitige Reinschrift fast ohne Korrekturen, von der zwei Blätter das Wasserzeichen von 1805 aufweisen. Da es sich um eine Reinschrift, nicht um einen Entwurf handelt, sagt in diesem Fall die Datierung des Papiers nicht notwendig etwas über die eigentliche Entstehungszeit des Textes aus; sie kann auch nur bedeuten, daß Jane Austen ihn in diesem Jahr oder kurz danach abgeschrieben hat. Andererseits hat man sich gefragt, warum sie das Werk sauber abgeschrieben haben sollte, wenn sie es vor langer Zeit geschaffen hatte. Die Austenschen Nachkommen hielten es für ein »frühes Werk« (James Edward Austen-Leigh) und verlegten es in die Zeit von 1794–96 (*Jane Austen. Her Life and Letters*). Die spätere Forschung schwankt in der Zuweisung zwischen 1793/94 und 1805. Wir entscheiden uns gegen den gegenwärtigen Trend für das spätere Datum – wenn auch mit erheblichen Zweifeln, die ohne neues Quellenmaterial kaum zu beseitigen sind.

Um dieses Urteil zu verstehen, müssen wir zunächst *Lady Susan* kennenlernen. Das kurze Werk ist ein Briefroman, der aus 41 Briefen von sechs Korrespondenten besteht. Die Handlung ist am Schluß an einem Punkt angelangt, an dem sie zu Ende sein könnte, aber es folgt ein dreiseitiger »Abschluß« durch Autorenstimme, die die weitere Entwicklung berichtet. Die Nachschrift beginnt folgendermaßen:

> Dieser Briefwechsel konnte dadurch, daß ein Teil der Partner sich traf und ein anderer die Verbindung abbrach, zum erheblichen Schaden der Gebühren kassierenden Post nicht fortgesetzt werden.

Dieser Anfang der Nachschrift steht in auffälligem Widerspruch zu den Briefen selbst, denn dies ist das einzige Werk Jane Austens, das auf jede humoristische Weltsicht und Personengestaltung verzichtet. Es ist zugleich ihr einziges Werk mit einer verworfenen Heldin.

Die seit vier Monaten verwitwete Lady Susan Vernon schreibt an den Bruder ihres Mannes, daß sie sein Angebot, eine Zeitlang in seiner Familie zu leben, annehmen möchte. Schon der nächste Brief, der an ihre vertraute Freundin Mrs. Johnson in London gerichtet ist, enthüllt die Hintergründe dieser Bitte und die Amoralität der Schreiberin. Sie muß den Landsitz der Manwarings verlassen, weil sie der Tochter des Hauses den Bewerber abspenstig gemacht hat, damit er ihre eigene Tochter Frederica, »die mir zur Qual geboren wurde«, heiraten kann, und weil sie durch ihre intime Beziehung zum Hausherrn die Eifersucht seiner Frau entfacht hat. Ihre Tochter weigert sich, den dümmlichen Bewerber zu nehmen, und wird zur Strafe in ein Londoner Pensionat gesteckt. Die Handlung spielt nun im wesentlichen bei den Vernons, wo Lady Susan eingetroffen ist und den Bruder ihrer Schwägerin umgarnt, damit er sie heiratet. Unglücklicherweise durchschaut Mr. De Courcy diesen Anschlag im Gegensatz zu seiner Schwester nicht und verliebt sich hoffnungslos in die »lustige Witwe«. Selbst als Lady Susans Tochter, die versucht hat wegzulaufen, aus dem Pensionat verwiesen und zu den Vernons geholt worden ist, sich ihm anvertraut, weil ihr ungeliebter Bewerber unerwartet auch aufgetaucht ist, gelingt es ihrer Mutter, De Courcys beginnendes Mißtrauen zu zerstreuen. Warnungen seiner Eltern schlägt er in den Wind; seine Schwester fürchtet das Schlimmste. Lady Susan reist nach London, wo Mrs. Johnson ihr eine Wohnung gemietet hat; empfangen kann sie die Freundin nur in Abwesenheit ihres Mannes, der Lady Susan das Haus verboten hat. Daß Mr. Manwaring und Mr. De Courcy gleichzeitig in London auftauchen und Mrs. Manwaring den letzteren über Lady Susan aufklärt, befreit ihn von ihrem Zauber. Die Familien De Courcy und Vernon freuen sich darüber. Frederica wird den Vernons, wo sie aufzublühen begann, allerdings wieder von ihrer Mutter entzogen. Die durchweg komisch gehaltene Nachschrift bringt die Handlung zum endgültigen Abschluß. Lady Susan heiratet den Bewerber ihrer Tochter selbst; zum Glücklichwerden stehen ihr nur noch »ihr Mann und ihr Gewissen« im Weg. Frederica kehrt zu den Vernons zurück und heiratet nach einem Jahr Mr. De Courcy.

Die Thematik des Buches ist in Jane Austens Werk einmalig, denn seine zentrale Gestalt ist nicht die junge Frau, deren Enttäuschung und Ungewißheit, deren Standhaftigkeit oder Nachgiebigkeit gegenüber ihrer Umwelt oder deren Illusionen über sich oder die Welt als intensiver, manchmal qualvoller seelischer und sozialer Prozeß geschildert werden, sondern die abgefeimte Grande dame, die alles das vertritt, was Jane Austen sonst verabscheut; und sie zeigt bei der Anlage dieser Figur eine gestalterische Beherrschung, die entweder auf eine sonst unterdrückte Faszination vom Bösen hindeutet oder auf eine kühle literarische Studie schließen läßt, deren technische und psychologische Bewältigung die Autorin gereizt hat. Wenn die Geschichte eine Fortsetzung gefunden hätte, wäre mit Lady Susans Tochter das junge Mädchen vielleicht doch noch in den Mittelpunkt gerückt, aber das hätte einen erzählerischen Perspektivenwechsel erfordert, der schwer vorstellbar ist.

Was die zeitliche Einordnung des Werkes so schwierig macht, sind zwei in sich widersprüchliche Elemente seiner Konstruktion.

Zum einen ist das soziale Milieu höher angesetzt als in *Die Watsons* und überzeugend gestaltet. Die Beherrschung der Briefform ist bemerkenswert. Man merkt ihr an, daß die

Autorin die Romane vor allem Richardsons mit viel Verständnis für die literarische Technik des Genres gelesen hat. *Sir Charles Grandison* hat sie besonders geschätzt und möglicherweise sogar als Jugendliche als Drama bearbeitet. Ihr Neffe behauptet im *Memoir*, ihre Kenntnis Richardsons werde auch zu seiner Zeit von niemandem übertroffen. Aber – und das ist bezeichnend für ihren dramatischen Sinn – sie macht die Form des Briefromans schlanker, indem sie ihr das Weitschweifige nimmt und den Briefen eine Nervosität und seelische Intensität einhaucht, die Richardsons nicht haben. Der Höhepunkt und Zusammenbruch von Lady Susans doppeltem Spiel hat trotz der Distanzierung durch die bei der brieflichen Form unvermeidliche Erzählung *nach* dem Ereignis eine hohe Handlungsspannung. Während diese große Beherrschung der Gattung, die Stimmigkeit aller Figuren und die Zielsicherheit des Ablaufs es für uns undenkbar erscheinen lassen, das Werk in die Zeit der Juvenilia zu verlegen, spricht die Briefform selbst gegen die späte Zuweisung. Ist es möglich, daß Jane Austen zu der in den Jugendwerken so geschickt zu komischer Wirkung gehandhabten epistolaren Form über zehn Jahre später in vollem Ernst zurückgekehrt ist? Und das, nachdem sie inzwischen den ursprünglich in Briefform konzipierten Roman *Verstand und Gefühl* umgearbeitet und zwei weitere Romane und das Fragment *Die Watsons* in der dritten Person erzählt hatte? Und mußte sie nicht zu dieser Zeit schon wissen, daß sie einer sterbenden Gattung Leben einzuhauchen versuchte?

Zum anderen stehen auch Roman und Schluß in einem Widerspruch zueinander. Die eigentliche, in Briefen wiedergegebene Handlung erweckt den Eindruck einer ambitiösen literarischen Bemühung, den Wunsch, etwas Ernstzunehmendes zu schaffen. Man kann sich kaum vorstellen, daß der an scherzhafte bis überkandidelte Geschichten gewöhnte häusliche Zuhörerkreis *Lady Susan* kommentarlos hingenommen hätte. Ohnehin wirkt der Text wie zum Lesen, nicht wie zum Vorlesen geschaffen. Aber dieser Eindruck, der die späte Zuordnung nahelegt, wird durch den »angeklebten«, mit Autorenstimme erzählten und ins Komische gezogenen Schluß ins Wanken gebracht, denn er klingt, als sei er für ein zuhörendes Publikum geschrieben, und nimmt zwanglos den Ton der Jugendwerke auf. Auch von daher wird uns also die Entscheidung schwergemacht.

In dieser Notlage versuchen wir uns einen Gesamteindruck zu verschaffen. Sowohl *Die Watsons* als auch *Lady Susan* kommen uns wie Werke einer Neuorientierung vor, die auf das Bemühen hindeuten, eine breitere literarische Basis zu finden. Dieses Bedürfnis in die Zeit nach dem Verkauf von *Kloster Northanger* zu verlegen, scheint uns am sinnvollsten. Die Aussicht auf eine Karriere als publizierende Schriftstellerin könnte in Jane Austen den Wunsch geweckt haben, bald nach dem in Aussicht gestellten Erscheinen des verkauften Romans wieder, und zwar betont anders, an die Öffentlichkeit zu treten. Da *Die Watsons* sich eindeutig in diese Zeit einordnen lassen, ist die Versuchung groß, auch *Lady Susan* dort anzusiedeln. Beide Werke aber blieben bis über fünfzig Jahre nach dem Tod der Autorin unveröffentlicht, ja unabgeschlossen – offenbar, weil mit dem Tod ihres Vaters Jane Austens äußere Lebensumstände sich änderten, die Veröffentlichung von *Kloster Northanger* nicht erfolgte und sie merkte, daß die beiden Projekte sie auf falsche Bahnen gelenkt hatten. Die Neuorientierung war nicht geglückt. Stimmen diese Vermutungen, dann ist die Lücke von zehn Jahren auf die drei Jahre in Southampton zusammengeschrumpft. Aber zumindest gegen Schluß dieser Lebensphase muß Jane Austens Interesse an der Schriftstellerei wieder erwacht sein, denn der Brief an den Verlag Crosby stammt noch aus der Hafenstadt. Erst der Umzug und damit die Rückkehr zum ruhigen Landleben sowie die Aussicht auf langfristige Ungestörtheit aber brachten dann die verzögerte literarische Blüte hervor.

Sechstes Kapitel

Chawton – London 1809–1816

I

Der Tod seiner Frau weckte offenbar in Edward, der nun seine elf Kinder allein – wenn auch mit dem seinem Lebensstil angemessenen Stab von Bediensteten – aufziehen mußte, das Bedürfnis, seine Mutter und seine Schwestern näher bei sich zu haben. Er tat etwas, was er schon beim Tod seines Vaters hätte tun können oder vielleicht auch tat und was dann nicht auf Zustimmung gestoßen war: Er bot Mrs. Austen eines der Häuser an, die er besaß, und ließ sie dabei zwischen einem dicht bei Godmersham in Kent und einem anderen in Chawton, dem Ort seines zweiten Herrensitzes in Hampshire, wählen. Wenn dies nur die diskrete Verbrämung seines Wunsches war, Mutter und Schwestern bei sich in Kent zu sehen, wurde er enttäuscht. Mrs. Austen entschied sich für Chawton, weil sie Hampshire nicht verlassen wollte, und stieß dabei ganz sicher auf die Zustimmung ihrer Töchter und Martha Lloyds. Noch bevor sie nach Chawton umgezogen waren, berichtete Edwards Adoptivmutter der in Godmersham weilenden Cassandra, die es sogleich an ihre Schwester weitergab, daß es dort einen unverheirateten Pfarrer gebe, den Jane heiraten könne. Jane erwiderte darauf ironisch:

> [. . .] sie kann sich darauf verlassen, ich werde Mr. Papillon heiraten, wie gering auch seine – oder meine – Neigung dazu sein mag. (9. Dezember 1808.)

Sie amüsierte sich auch über die Reaktion der Leute auf ihren Umzug:

> [. . .] alle kennen Chawton und finden es ein bemerkenswert hübsches Dorf, und alle kennen das Haus, das wir beschreiben, und keiner trifft das richtige. (ebd.)

Die Austens verließen Southampton im April 1809, gingen aber zunächst auf eine längere Reise, deren letztes Ziel Edwards Godmersham war. Anfang Juli zogen sie dann in ihr neues Zuhause ein. Der erste Brief Janes – eine gereimte Gratulation zur Geburt von Francis' Sohn Francis William und für fast zwei Jahre ihr einziges überliefertes Lebenszeichen – stammt von Ende Juni 1809.
Chawton, dicht bei Alton, lag nur 30 Kilometer südöstlich von Steventon und hatte mit seinem alten »Great House« auf einer kleinen Anhöhe und seinem schönen Park einen eindrucksvollen Mittelpunkt. Das nur 500 Meter davon entfernte Haus der Austens, in dem Jane nun bis kurz vor ihrem Tod acht Jahre lang leben sollte – »alles in allem trotz der keineswegs üppigen Unterhaltsmittel ein bequemes und damenhaftes Etablissement«, wie Edward Austen-Leigh es in *Memoir* nennt – war ursprünglich als Gasthaus gebaut worden. Es stand daher in der Mitte des eigentlichen Dorfes an der Kreuzung der Landstraßen und so dicht am eigentlichen Fahrweg, daß im Oktober 1809 ein Bekannter Mrs. Knights ihr berichtete, er sei in einer Postkutsche an dem Haus vorübergefahren und habe die Damen gemütlich beim Frühstück sitzen sehen – ein Anblick, um den wir ihn beneiden! Obwohl Cassandra als ältere Tochter eigentlich den Haushalt unter sich hatte, dem die siebzigjährige Mrs. Austen nur noch offiziell vorstand, gehörte es zu Janes Pflichten, für das Frühstück zu sorgen (bei dem sie von außen beobachtet werden konnten). Edward hatte die »Cottage«, in der eine Zeitlang sein Verwalter gewohnt hatte, vor dem Einzug von Mutter und Schwestern herrichten lassen. Wie immer lag den Austens besonders an einem schönen Garten, nach dem sich Jane schon im Oktober 1808 erkundigt hatte. Vor allem Mrs. Austen verschaffte sich dann dadurch Betätigung, daß sie ihn pflegte. Die Eiche aus der Baumschule des »Great House«, die Jane der Überlieferung nach 1812 darin gepflanzt hat, ist 1986 (!) von der Dorfverwaltung zum Entsetzen der Jane-

Chawton Cottage

Austen-Gesellschaft gefällt worden – das letzte Stück Leben, das die Gegenwart noch direkt mit der Autorin verband. Das Haus war nicht groß, hatte aber recht viele Räume. Oben befanden sich sechs Schlafzimmer, so daß Besuch jederzeit willkommen war, ohne Ungelegenheiten zu machen. Unten gab es außer der Eingangshalle zwei Wohnzimmer. In einem davon überarbeitete und schrieb Jane Austen an einem kleinen Schreibtisch die sechs Werke, die ihr den Ruf der größten englischen Romanschriftstellerin ihrer Zeit eintragen sollten. Das liebevoll erhaltene Haus ist heute ein Jane-Austen-Museum und enthält den größten Teil der Memorabilia. Die Arbeitsbedingungen der fast Vierunddreißigjährigen waren keineswegs ideal. Da außer ihren engsten Verwandten vorläufig niemand von ihrer literarischen Arbeit wußte, mußte sie ihre Manuskriptseiten verbergen, sobald jemand das Zimmer betrat. Die quietschende Tür warnte sie rechtzeitig. Ihre

Chawton Cottage, Jane Austens Schreibtisch

Nichte Anna hat eine Beschreibung ihrer Tante in diesen Jahren hinterlassen:

> Von Gestalt groß und schlank, aber nicht gebeugt, und gut balanciert, wie ihr schneller Schritt bewies. Ihr Teint war von der seltenen Art, die nur helle brünette Frauen auszeichnet: eine ungleichmäßige Haut, aber klar und gesund. Das feine, natürlich gelockte Haar weder blond noch dunkel, das wache, haselbraune Auge dazu passend, und eine ziemlich kleine, aber wohlgeformte Nase.

Auch wenn die Zahl ihrer Briefe aus diesen Jahren nicht größer ist als bisher – bis April 1811 gibt es vorläufig gar keine –, so haben wir, wie diese Personenbeschreibung zeigt, von nun an doch anschauliche Berichte von Augenzeugen, weil die zu Besuch kommenden Neffen und Nichten alt genug waren, um ihre eigenen Beobachtungen zu machen und ihre Erinnerungen zu bewahren, bis der Ruhm ihrer Tante sie veranlaßte, sie niederzuschreiben oder zu erzählen. Die tägliche Routine war die gleiche wie in Bath oder Southampton, nur empfand Jane die ländliche Umgebung zweifellos als entschieden wohltuender. Sie versöhnte sie sicher mit den mangelnden menschlichen Kontakten, die hier über die eigene Familie kaum hinausgingen. Endlich hatte sie auch wieder ein Klavier, »ein so gutes, wie für 30 Guineen zu haben ist, und ich werde Kontertänze üben, damit wir für die Unterhaltung unserer Neffen und Nichten sorgen können, wenn wir das Vergnügen ihrer Gesellschaft haben« (27. Dezember 1808). Über ihren musikalischen Geschmack selbst wissen wir sehr wenig. Sie spricht in ihren Briefen und Büchern fast nie über Musik. In *Emma* schenkt Frank Churchill seiner Verlobten Noten, wobei der Komponist Johann Baptist Cramer genannt wird. Den Mangel an solchen Informationen in ihren Briefen zu beklagen, heißt den Sinn dieses familiären Austauschs zu verkennen. Die Schwestern kannten sich ja so gut, daß sie es nicht nötig hatten, in ihren Briefen ihre Weltanschauung oder ihre ästhetischen Vorlieben darzulegen.

Die jungen Verwandten bewahrten an Tante Jane die schönsten Erinnerungen, die uns ein liebenswertes Bild ihres Verständnisses für Kinder geben. Ob dieses Bild aber stimmt, ist bezweifelt worden. James Edward Austen-Leigh hat die Berichte zweier ihrer Nichten in seiner Biographie überliefert:

> Wenn ich mich mit zwei anderen Nichten in Chawton aufhielt, trug vor allem meine Tante [Jane] oft zu unserer Unterhaltung bei. An sie wandten wir uns immer um Hilfe. Sie versorgte uns mit allem, was wir von ihrer Garderobe brauchten, und dann spielte sie in unserem Fantasiehaus den unterhaltsamen Gast. Sie amüsierte uns auf die

verschiedenste Weise; einmal, erinnere ich mich, erfand sie eine Unterhaltung zwischen mir und meiner Cousine am Tag nach einem Ball, in der sie so tat, als wären wir erwachsen.

Wie gut kann man sich aus der Kenntnis ihrer Romane die Lebendigkeit dieses erfundenen Dialogs vorstellen!

Tante Jane war bei allen Kindern am beliebtesten; ihre Art, mit ihnen umzugehen, war so fantasievoll, ihre langen, detaillierten Geschichten waren so reizend. Von Zeit zu Zeit wurden sie fortgesetzt und bei jeder möglichen und unmöglichen Gelegenheit von uns erbeten. Sie wurden bei ihrem beglückenden Talent fürs Erfinden weitergesponnen, während sie sie erzählte. Ach, wenn doch nur eine von ihnen überlebt hätte! Und wieder empfinde ich, wie sehr sie mir fehlte, als ich älter wurde und der eigentliche Altersunterschied von 17 Jahren zu sieben oder zu nichts zusammenschrumpfte. Es war für mich eine solche Gewohnheit geworden, im Geiste etwas für sie beiseite zu legen und zu sagen, das bewahre ich für Tante Jane auf.

»Ich halte entschieden an der Wichtigkeit von Tanten fest und bin sicher, daß Du es auch gerade tust«, schrieb Jane Austen 1815 an ihre Schwester, die sich gerade einmal wieder um Edwards Kinder in Godmersham kümmerte. Edward Austen-Leigh erinnerte sich, daß mit Tante Janes Tod »der besondere Charme des Hauses in Chawton verschwunden war. Nicht nur war das eigentliche Licht des Hauses erloschen, sondern es war, als ob der Verlust einen Schatten über die Stimmung der Lebenden geworfen hätte«. Dieser Neffe hatte seinen besonderen Spaß an ihrem »ungewöhnlich spontanen Sinn fürs Lächerliche«, betont aber gleichzeitig, wie wir mit Skepsis notieren, daß sie sich niemals über jemanden lustig machte. Edwards noble Behauptung belegt wohl eher, wie sehr Jane Austen darum bemüht war, den Heranwachsenden kein schlechtes Beispiel zu geben und sie womöglich in das »Lästern« hineinzuziehen, dem sie nach Herzenslust frönte. Sie trennte die Rolle der Tante von der der nüchternen Gesellschaftskritikerin. Daß sie sich weidlich über ihre Mitmenschen lustig machte, zeigt die Fülle der unübertrefflichen komischen Romanfiguren, die uns heute entzücken; und daß sie eine spitze Zunge hatte, läßt sich aus den vielen aphoristisch zugespitzten satirischen und kritischen Bemerkungen über Bekannte ersehen, die ihre Briefe durchziehen. Diese Seite ihrer Persönlichkeit empfanden ihre viktorianischen Verwandten als eine Art Familienmakel. Vielleicht betonte Edward die Gutmütigkeit und Menschenfreundlichkeit seiner Tante auch deshalb so ausdrücklich. Wir können die Perlen aus Jane Austens spitzer Feder heute unbeschwerter genießen, weil uns die Psychologie gelehrt hat, nicht naiv aus stilistisch geformten Aperçus auf eine durch und durch zynische Lebenshaltung zu schließen. Wir wissen gerade die Scharfzüngigkeit Janes zu schätzen:

> Mrs. Hall aus Sherbourne kam gestern sechs Wochen vor der Zeit mit einer Todgeburt nieder, verursacht durch einen Schock. Ich vermute, sie hat aus Versehen ihren Mann angeguckt. (27. Oktober 1798.)

> [...] Miss Blachford hat geheiratet, aber ich habe nichts davon in der Zeitung gelesen. Wenn die Hochzeit nicht gedruckt erscheint, kann man ja ebensogut ledig bleiben. (Undatiert.)

> Mr. Walles ist also tot. Ich kann darüber nicht trauern, und seine Frau vermutlich auch nicht. (20. Juni 1808.)

> Mrs. Bertie wohnt im Polygon und war außer Haus, als wir ihren Besuch erwiderten, und darin bestehen auch schon ihre beiden Tugenden. (9. Dezember 1808.)

> Er lebt seit über zwanzig Jahren in dem Haus und ist, der arme Mann, so völlig taub, daß er angeblich nicht einmal eine Kanone hört, die neben ihm abgefeuert wird. Da ich keine Kanone zur Hand hatte, um das Experiment zu ma-

chen, zweifelte ich nicht daran und sprach ein bißchen mit den Fingern mit ihm, was komisch genug war.

(27. Dezember 1808.)

Ich gratuliere Dir zu unserem neuen Neffen, und wenn er eines Tages gehenkt wird, geschieht das hoffentlich erst, wenn wir zu alt sind, um uns noch etwas daraus zu machen.

(25. April 1811.)

Stell Dir vor, Mrs. Holder ist tot. Die arme Frau, sie hat das einzige auf der Welt getan, was sie überhaupt tun konnte, um einen daran zu hindern, über sie zu lästern.

(14. Oktober 1813.)

[. . .] ich werde Mrs. Harrison treffen, und wir werden über Benn und Anna [Lefroy, Janes Nichte und ihren Mann, zu dessen Verwandtschaft die Dame gehörte] sprechen. »Meine liebe Mrs. Harrison«, werde ich sagen, »ich fürchte, der Mann hat etwas von Ihrer Familienverrücktheit abbekommen, und obwohl es oft den Anschein hat, als ob auch Anna ein bißchen verrückt ist, hat sie den größeren Teil davon, glaube ich, eher von ihrer Familie mütterlicherseits als von unserer geerbt.« *Das* werde ich zu ihr sagen, und ich glaube, darauf wird ihr eine Antwort schwerfallen.

(3. November 1813.)

Die Eintönigkeit des dörflichen Lebens in Chawton wurde aber nicht nur durch die Neffen und Nichten unterbrochen. Edward vermietete das Herrenhaus nicht wieder und konnte sich nun mit seiner Familie länger dort aufhalten oder es auch Francis und dessen Familie überlassen, wenn eine längere Pause im Überseedienst des Marineoffiziers eintrat. Dann war der Umgang zwischen »Great House« und »Cottage« lebhaft, und häufig kam auch Besuch aus Edwards Verwandtschaft oder Bekanntschaft dazu, der die abendlichen Dinner geistig anregend und unterhaltsam machte. Aber man darf sich dieses Leben trotzdem nicht zu idyllisch ausmalen, denn das soziale Ansehen der unverheirateten Frau war bekanntlich bis weit ins 20. Jahrhundert hinein gering und stieß sie zu dieser Zeit durch die rigorose Formalität des gesellschaftlichen Lebens, nach der jede verheiratete Frau, welchen Alters auch immer, den Vorrang behauptete, immer wieder auf ihren »Mangel« hin. Erniedrigende Situationen waren unausbleiblich; Minderwertigkeitsgefühle wurden der »alten Jungfer« geradezu aufgezwungen.

Daß in dieser Lage eine alleinstehende Frau, die über möglichst ansehnliche eigene finanzielle Mittel verfügte, ungleich besser daran war, weiß die Titelheldin von *Emma* in ihrem Gespräch mit Harriet Smith über das Heiraten nur zu gut. Aber ihre Vorsätze, sich nicht zu verehelichen – »eine alleinstehende Frau mit Vermögen ist immer angesehen« (S. 94) –, brechen nur allzu schnell zusammen, als der Richtige kommt, der obendrein noch Herr eines riesigen Besitzes ist. Jane Austen selbst schrieb ganz ähnlich an ihre Nichte Fanny:

> Alleinstehende Frauen haben eine schreckliche Neigung, arm zu sein – was ein überzeugendes Argument fürs Heiraten ist. (13. März 1817.)

Die Austen-Schwestern akzeptierten nach dem Urteil ihrer Neffen und Nichten das Los der Ehelosigkeit früher als angemessen, indem sie darauf verzichteten, sich durch modische Kleidung ein jugendliches Aussehen zu bewahren. Caroline Austen berichtete:

> Ich glaube, daß meine Tanten nicht als sonderlich geschickt angezogen galten, und man fand, sie hätten unnötig früh die Kleidung der Frau in mittleren Jahren angenommen.

Vor allem die häuslich wirkenden Hauben, die auch von Cassandra und Jane in der Öffentlichkeit getragen wurden, waren in damaliger Zeit ein Zeichen dafür, daß eine unverheiratete Frau sich nicht mehr um einen Mann bemühte. Es ist keine Frage, daß Jane Austen im Begriff war, sich die Grundlage für die finanzielle Unabhängigkeit, die die Ehelosigkeit so viel respektabler und angenehmer gemacht hätte, durch ihre Bücher zu erwerben, als der Tod sie unerwartet früh traf. Ihre Briefe aus London zeigen deutlich, wie sie dort das Geldausgeben und Einkaufen und das wachsende Ansehen als Schriftstellerin genoß, die sich in den letzten sechs Jahren ihres Lebens fast 700 Pfund erschrieb.

II

Für Cassandra wurde nach dem Tod von Edwards Frau Godmersham immer mehr zu einer zweiten Heimat, wobei ihre Schwester ganz zurücktrat, die sich von 1809 bis zu ihrem Tod nur einmal, von September bis November 1813, dort aufhielt. Dagegen wurde die Verbindung Janes zu Henry in London immer enger. Für die Jahre 1809, 1810 und 1812 gibt es fast keine Unterlagen, weil nahezu alle Briefe fehlen, aber wir wissen, daß Jane sich im April 1811 und dann, nachdem im April 1813 Henrys Frau Eliza gestorben war, im Mai und September 1813, im März, August und November/Dezember 1814 und von Oktober bis Dezember 1815 bei ihrem Bruder in London aufhielt, der in dieser Zeit mehrmals umzog. Ende März 1816 kam es dann zu dem Bankrott, der sein Londoner Leben beendete, und später in diesem Jahr war Jane ohnehin schon zu schwach, um noch größere Reisen zu unternehmen.

So kann man mit Recht sagen, daß Jane Austen, solange es ihr möglich war, in den letzten Jahren ihres Lebens, und zwar ziemlich genau von dem Zeitpunkt an, als sie mit ihrem ersten Roman an die Öffentlichkeit trat, immer häufiger für eine gewisse Zeit das Landleben zugunsten des kulturell und gesellschaftlich so anregenden Lebens in der Metropole aufgab. Hier waren die Tage voller Abwechslung und Begegnungen mit allen möglichen Freunden und Bekannten. Sie kaufte Stoffe oder Geschirr, ging viel ins Theater, saß einmal sogar in einer Bühnenloge und sah die berühmten Schauspieler und Schauspielerinnen der Epoche wie Edmund Kean, Sarah Siddons und Eliza O'Neill. Immer wieder berichtet sie von Kunstausstellungen, die sie besuchte, auf denen sie aber, wie sie übertreibend schreibt, »ihr größeres Interesse an Menschen immer dazu verleitet, den Besuchern mehr Aufmerksamkeit zu schenken als den Ausstellungsstücken« (18. April 1811). Das stimmte denn doch nicht, denn bei einer Ausstellung im Mai 1813 sah sie ein Bild, das sie zu ihrer Freude an eine ihrer Gestalten aus ihrem eigenen, gerade erschienenen Roman *Stolz und Vorurteil* erinnerte,

> ein kleines, außerordentlich ähnliches Porträt von Mrs. Bingley. Ich ging in der Hoffnung hin, eines ihrer Schwester zu finden, aber von Mrs. Darcy gab es keines. Vielleicht finde ich sie allerdings in der »großen Ausstellung«, die wir sehen werden, wenn wir Zeit haben. Ich habe keine Chance, sie in der Sammlung von Sir Joshua Reynolds' Bildern zu finden, die augenblicklich in Pall Mall gezeigt wird und die wir auch sehen wollen. Mrs. Bingley ist genau getroffen, Größe, Gesichtsform, Ausdruck und Liebreiz; eine größere Ähnlichkeit hat es nie gegeben. Sie trägt ein weißes Kleid mit grünem Besatz, und das bestätigte meine Annahme, daß Grün ihre Lieblingsfarbe ist. Ich vermute, Mrs. Darcy trägt Gelb. (24. Mai 1813.)

Ihre eigenen literarischen Gestalten traten aus den Büchern in die Wirklichkeit, und wieder können wir nur bedauern, daß wir nicht wissen, um welches Bild es sich handelte. Ihre Befürchtung wurde einige Tage später bestätigt:

> Montagabend. Wir waren in der »großen Ausstellung« und auch in Sir Joshua Reynolds', und ich bin enttäuscht, denn in beiden war nichts, was Mrs. Darcy ähnlich ist. Ich kann mir nur vorstellen, daß Mr. Darcy alle Bilder von ihr zu sehr schätzt, um sie dem öffentlichen Auge auszusetzen. Ich kann mir vorstellen, daß er solche Gefühle hat – eine solche Mischung aus Liebe, Stolz und Zartgefühl.
> (24. Mai 1813.)

Es hing sicher mit ihrem Selbstbewußtsein und Hochgefühl als gedruckter Autorin zusammen, daß ihr auch die elegante Seite des Lebens im Haus ihres gesundheitlich recht anfälligen, aber immer gutgelaunten Bankier-Bruders, der sich nach Janes Urteil vom Tod seiner Frau sehr schnell erholte, durchaus gefiel. Dann hören wir etwa, daß sie »sich allein im vorderen Salon sehr behaglich fühl[t] und keine Gesellschaft außer Deiner [Cassandras] mit ›Danke schön‹ begrüßen würde« (20. Mai 1815) oder daß sie in Henrys vornehmem viersitzigen Landauer mit offenem Verdeck allein durch London fuhr:

> Ich genoß meine einsame Eleganz außerordentlich und war geneigt, die ganze Zeit zu lachen, daß ich war, wo ich war. (24. Mai 1813.)

Bei der schon erwähnten großen Party ihrer Schwägerin im April 1811 amüsierte sie sich glänzend. Es waren 66 Gäste da, die von fünf Musikanten und drei Sängern unterhalten wurden. Man begann im kleinen Kreis um halb sechs mit einem Dinner für die beiden Ehrengäste. Um acht kamen die übrigen Eingeladenen, die sich über die ganze Etage verbreiteten. Provozierend kokett schreibt sie an ihre Schwester:

> Ich war geradezu umgeben von Bekannten, besonders Herren, und hatte neben Mr. Walter und Mr. Egerton und zusätzlich zu den Cookes und Miss Beckford und Miss Middleton mit Mr. Hampson, Mr. Seymour, Mr. W. Knatchbull, Mr. Guillemarde, Mr. Cure, einem Kapitän Simpson, Bruder *des* Kapitän Simpson, alle Hände voll zu tun. (25. April 1811.)

Nur Edwards Kinder in London mehrmals zum Zahnarzt zu begleiten war bei dem damaligen Stand der Zahnmedizin ein wahrer Alptraum. Es gab viele Tränen. Daß aber Edward mit Fanny und einigen weiteren seiner Kinder im September 1813 und Fanny im November 1815 gleichzeitig mit Jane in London waren, machte dieser besondere Freude; dann konnte sie gemeinsam mit Fanny ausgehen, die lebhafte häusliche

Atmosphäre genießen und mit viel Vergnügen die Liebeleien ihrer Nichte beobachten:

> Dann kam das Dinner, und Mr. Haden brachte gute Sitten und geistreiche Konversation mit; von sieben bis acht die Harfe [die Fanny spielte]; um acht kamen Mrs. L. und Miss E., und den Rest des Abends waren wir im Wohnzimmer folgendermaßen verteilt: Auf der Sofaseite die beiden Damen, Henry und ich, so gut wir konnten, auf der gegenüberliegenden Seite Fanny und Mr. Haden auf zwei Stühlen (ich glaube jedenfalls, daß es *zwei* Stühle waren), ununterbrochen im Gespräch vertieft. Stell Dir die Szene vor!
> (26. November 1815.)

Mr. Haden hatte als Apotheker bei der ältesten Tochter Mr. Knights auf Godmersham – nach dem Tod seiner Adoptivmutter im Oktober 1812 hatte Edward den Namen Austen abgelegt – wohl nie eine wirkliche Chance, aber Jane war in Liebesangelegenheiten Fannys Vertraute, und deren Schwanken, ob sie einen Mr. Plumtree heiraten solle, mit dem sie beim Londoner Aufenthalt von 1814 viel umgegangen war, verdanken wir zwei liebenswerte und sehr persönliche Briefe ihrer Tante, in denen diese ihre in den Romanen so überzeugende Fähigkeit, über menschliche Gefühle zu sprechen, auch im Privatleben beweist (vgl. S. 348). Die Briefe sind aber auch deshalb interessant, weil sie den Eindruck erwecken, als seien sie eine späte Reflexion ihres eigenen Gefühlsumschwungs bei Mr. Bigg-Withers' Heiratsantrag von 1802; denn im ersten Brief ermutigt Jane zunächst Fanny, Mr. Plumtree zu heiraten, auch wenn sie ihn nicht gerade leidenschaftlich liebe, weil sein Wert als Persönlichkeit als Basis für die Ehe ausreiche; im zweiten rät sie ihr von Anfang an ab. Es klingt, als ob sie im ersten Brief in Gefahr war, ihre Überzeugung zu verraten, ohne Zuneigung der Partner habe eine Ehe keine solide Grundlage, und die weltlichen Vorzüge des Bewerbers überzubewerten. Im zweiten findet sie zu ihrer Überzeugung zurück – ein Prozeß, der einen Schlüssel zu ihrer nächtlichen Krise bei dem eigenen Heiratsantrag zwölf Jahre vorher liefern könnte. Als Fanny sie zweieinhalb Jahre später noch einmal in Liebesangelegenheiten konsultiert, weil Mr. J. Wildman, Erbe des Besitzes Chilham Castle dicht bei Godmersham, um sie wirbt, ist Jane Austen von Anfang an wesentlich zurückhaltender:

> Ich bin von ihm ganz angetan, und Chilham Castle gefiele mir wirklich gut für Dich. Ich möchte nur nicht, daß Du irgend jemanden heiratest [...]. Du liebst ihn nicht. Du hast ihn nie wirklich geliebt. (20. Februar 1817.)

Es wirft ein bezeichnendes Licht auf die menschliche Diskretion der Austen-Schwestern, daß sich ihre Nichten auf ihre absolute Verschwiegenheit verlassen konnten. Cassandra war in Fannys Liebesangelegenheiten nicht eingeweiht.

Der äußere Höhepunkt der Londoner Aufenthalte war der Besuch der Residenz des Prinzregenten am 13. November 1815 auf dessen ausdrückliche Einladung. Die Ehre kam auf Umwegen zustande. Henry war im Herbst 1815 ziemlich schwer erkrankt. Fannys Verehrer, Mr. Haden, der als Apotheker ans Krankenbett gerufen wurde, empfahl, einen ihm bekannten Arzt des Regenten zu Rate zu ziehen. Als der Mediziner erfuhr, daß die Verfasserin der vom Regenten so geschätzten Romane in London war, informierte er ihn. Daraufhin schickte dieser seinen Bibliothekar Mr. Clarke zu Miss Jane Austen, um ihr seine Freude an ihren Büchern auszusprechen und sie zu einem Besuch seiner Londoner Residenz einzuladen. Der Regent hatte in allen seinen Residenzen je ein Exemplar aller Romane Jane Austens, ohne zu ahnen, daß diese ihn nicht ausstehen konnte und sein Benehmen seiner Frau gegenüber skandalös fand. Mr. Clarke übernahm die Führung durch Carlton House und teilte ihr mit, daß es ihr freistehe, ihren nächsten Roman dem Regenten zu widmen – eine diskret ausgedrückte fürstliche Willensäußerung, die Jane Austen nicht recht zu deuten wußte, weil ihr die höfische Erfahrung fehlte. So kam die Widmung in *Emma* zustande, und so entwickelte sich der kurze Briefwechsel zwischen Mr. Clarke und der Schriftstellerin, dem wir ein paar Gedanken Jane Austens über ihre literarische Arbeit verdanken (vgl. S. 368). Wir müssen dankbar sein, daß der Geistliche Mr. Clarke, ein offenbar recht eitler und selbstgefälliger Mann, Jane Austen zunächst auf ziemlich plumpe Art überreden wollte, seine Lebensgeschichte gewissermaßen als Vorbild für einen Roman über den idealen Geistlichen zu nehmen, und ihr, als sie nicht anbiß, einen fürstlichen historischen Liebesroman aufreden wollte. Auch dabei dachte er vor allem

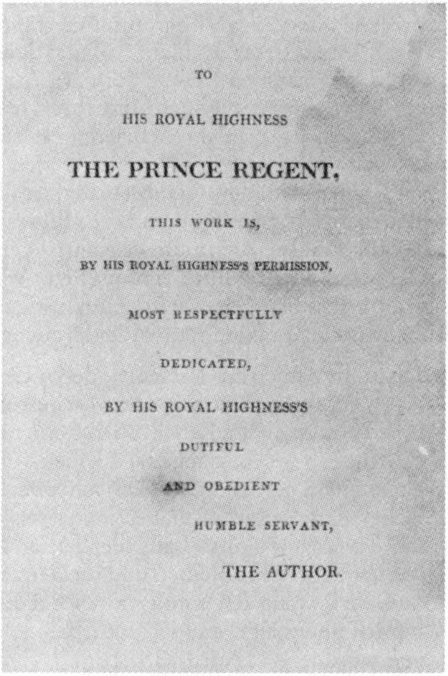

TO

HIS ROYAL HIGHNESS

THE PRINCE REGENT,

THIS WORK IS,

BY HIS ROYAL HIGHNESS'S PERMISSION,

MOST RESPECTFULLY

DEDICATED,

BY HIS ROYAL HIGHNESS'S

DUTIFUL

AND OBEDIENT

HUMBLE SERVANT,

THE AUTHOR.

Widmungsblatt aus »Emma«

an *seine* Karriere, denn Prinzessin Charlotte, das einzige Kind des Regenten und damit die künftige Königin von Großbritannien, hatte sich mit Prinz Leopold von Sachsen-Coburg verlobt, und Mr. Clarke, zum Kaplan und Privatsekretär des deutschen Prinzen ernannt, wollte sich wohl Lorbeeren damit erwerben, daß er einen Roman über das Haus Coburg anregte. Niemand konnte zu dieser Zeit ahnen, daß Charlotte schon im November 1817 bei der Geburt ihres ersten Kindes sterben würde und damit das Haus Coburg bis zum nächsten Prinzgemahl, Königin Victorias Albert, wieder aus der englischen Geschichte verschwand. Jane Austen hätte somit auch kaum Zeit gehabt, den geforderten Roman fertig zu bekommen. Aber Mr. Clarke kam ohnehin an die Falsche, denn Jane Austen gab ihm unmißverständlich zu verstehen, daß sie ihre Thematik nicht auf das jeweils Aktuelle und Populäre abstimmen könne, sondern recht präzise Vorstellungen von ihrem Können und ihrer Kunst hatte; und da Äußerungen dazu in ihren Briefen rar sind, sind uns diese Aussagen sehr wichtig. Sie wollte den Horizont eigener Erfahrungen um der Glaubwürdigkeit ihrer Schöpfungen willen nicht überschreiten und die »Bilder häuslichen Lebens auf dem Lande« nicht für romantisierende Darstellungen historischer Fürstenhöfe eintauschen. Wie Mr. Clarke die sich zum Schluß regelrecht über ihn lustig machenden Bemerkungen aufgenommen hat, ist leider nicht überliefert:

> Ich könnte mich aus keinem anderen Grund hinsetzen und einen ernsthaften historischen Liebesroman schreiben, als um dadurch mein Leben zu retten; und wenn ich dazu gezwungen wäre, dabei zu bleiben, ohne mich dadurch entspannen zu können, daß ich über mich und andere lache, dann würde ich bestimmt schon gehängt, bevor ich das erste Kapitel vollendet hätte. Nein, ich muß bei meiner Schreibart bleiben und meinen eigenen Weg gehen; und auch wenn ich damit nie wieder Erfolg haben sollte, bin ich überzeugt, daß ich auf jedem anderen völlig versagen würde. (1. April 1816.)

III

Bei all ihren erfreulichen Aspekten dienten die Londoner Aufenthalte nicht ausschließlich dem Vergnügen, denn da Jane Austens literarische Karriere ernsthaft begonnen hatte und unerhört zügig voranging, wobei sich auch ihre Jugendschriftstellerei endlich auszahlte – im übertragenen wie im wörtlichen Sinn –, war der Kontakt mit Henry wichtig, der in ihrem Namen die Verhandlungen mit Druckern und Verlegern führte und überhaupt ihr Berater in geschäftlichen Dingen war.

Emma, der Roman, der ihr die Aufmerksamkeit des Regenten einbrachte, war schon ihr viertes veröffentlichtes Buch. Unmittelbar nach dem Umzug nach Chawton, wenn nicht schon in der letzten Zeit in Southampton, muß sie die literarische Arbeit wieder aufgenommen haben. Daß diese ihr noch soviel Spaß wie früher machte, auch wenn sie nun nicht mehr im Familienkreis vorgelesen wurde, wird uns durch Edwards dritte Tochter Marianne bestätigt:

> Ich erinnere mich, daß meine Tante, wenn sie zu uns nach Godmersham kam, im allgemeinen das Manuskript des Romans mitbrachte, an dem sie gerade arbeitete, und sich mit meinen älteren Schwestern in einem der Schlafzimmer einschloß, um es ihnen vorzulesen. Ich und die jüngeren hörten dann schallendes Gelächter durch die Tür und empfanden es als grausam, daß wir von etwas ausgeschlossen waren, was so reizend war. Ich erinnere mich auch, wie Tante Jane immer beim Kamin in der Bibliothek saß, ruhig vor sich hin handarbeitete und eine ganze Zeitlang nichts sagte; aber dann brach sie plötzlich in Lachen aus, sprang auf und lief quer durchs Zimmer zu dem Tisch, wo Federn und Papier lagen, schrieb etwas auf und kehrte zum Kamin zurück, wo sie ruhig wie vorher weiterarbeitete.

Da Marianne erst 1801 geboren und ihre nächstältere Schwester nur ein Jahr älter war, betrachtet Chapman diese Erinnerungen mit Skepsis und vermutet, daß die Erzählerin Godmersham mit Chawton verwechselt. Es ist aber auch möglich, daß nur die älteste Schwester sich mit Jane im Zimmer befand. Fanny war schon früh im Bilde, als andere Neffen und Nichten noch nichts von Janes Autorschaft wußten. Die Geschichte selbst klingt viel zu wahr, als daß man ihr nicht Glauben schenken wollte.

Zunächst wandte sie sich den beiden vor über zehn Jahren geschaffenen, unverkauften Werken wieder zu. Warum sie dabei *Verstand und Gefühl*, das heute weniger gilt als *Stolz*

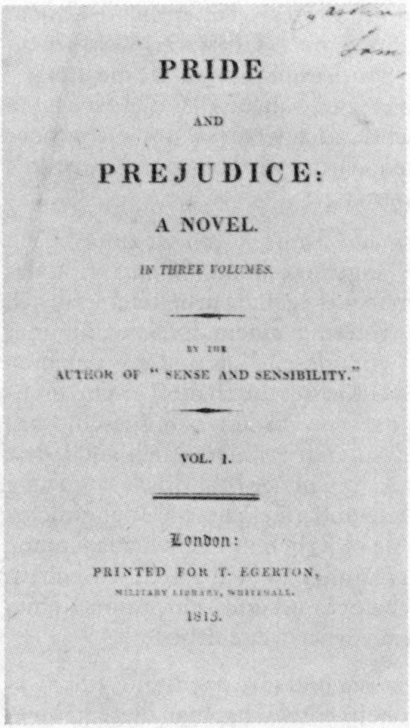
PRIDE

AND

PREJUDICE:

A NOVEL.

IN THREE VOLUMES.

BY THE

AUTHOR OF "SENSE AND SENSIBILITY."

VOL. I.

London:

PRINTED FOR T. EGERTON,

MILITARY LIBRARY, WHITEHALL.

1813.

Titelblatt von »Stolz und Vorurteil«, 1813

und Vorurteil, den Vorzug gab, wissen wir nicht. Halperin nimmt an, daß die Autorin das letztere für diskreditiert hielt, weil es schon einmal von einem Verleger abgelehnt worden war. Vielleicht war die nötige Umarbeitung hier weniger radikal und erforderte daher weniger Zeit und Anstrengung. Da gerade von 1810 kein einziger Brief überdauert hat, können wir den Prozeß, durch den der Roman druckfertig wurde, nicht verfolgen. Jedenfalls las sie schon die Druckfahnen, als sie sich im April 1811 aus London meldet. Nun entwickelte sich alles sehr schnell. *Verstand und Gefühl. Ein Roman. In drei Bänden. Von einer Dame* erschien zum Preis von 15 Shilling im November 1811 bei Thomas Egerton in Kommission und brachte der Autorin 140 Pfund ein. Ende Juni 1813 war die erste Auflage ausverkauft. Im November desselben Jahres erschien, wieder auf Kosten der Autorin, die zweite, an der sie mindestens die gleiche Summe verdiente. Unterdessen war schon im November 1812 der nächste Roman für 110 Pfund an Egerton verkauft worden und lag im Januar 1813 für 18 Shilling unter dem Titel *Stolz und Vorurteil. Ein Roman. In drei Bänden. Von der Verfasserin von »Verstand und Gefühl«* vor.

An dem Tag, an dem sie das erste Exemplar ihres »Herzenskindes« in Chawton empfing, speiste eine Miss Benn bei den Austens, und nach dem Essen las Mrs. Austen aus dem neuen Buch vor, ohne dem Gast zu erzählen, daß seine Autorin mit ihr zusammen zuhörte und später notierte:

> Sie fand es ganz witzig, die arme Seele. Das konnte sie denn doch nicht verhindern bei zwei Leuten, die sie so zum Lachen anregten, aber Elizabeth gefällt ihr anscheinend ganz gut. Ich muß selber sagen, ich finde sie eine der hinreißendsten Gestalten, die je gedruckt erschienen sind, und ich habe keine Ahnung, wie ich mit denen gnädig sein soll, die nicht wenigstens *sie* leiden mögen. (29. Januar 1813.)

Als man ein paar Tage später, wieder im Beisein von Miss Benn, weiterlas, hatte der Text nicht die gewünschte Wirkung. Jane schob es auf das ungeschickte und zu schnelle Lesen ihrer Mutter, übte aber Selbstkritik an ihrem heute beliebtesten Buch, auf die wir im nächsten Kapitel zurückkommen. Gleichzeitig mit der Neuauflage von *Verstand und Gefühl* lag auch hier die zweite Auflage vor, an der Jane Austen aber nichts verdiente, weil sie die Rechte für die erwähnte Pauschalsumme abgetreten hatte. Der Verleger hat sie offenbar zu dem Neudruck gar nicht konsultiert; jedenfalls sind in ihm im Gegensatz zu den anderen Zweitauflagen die Druckfehler nicht beseitigt.

Die ersten beiden veröffentlichten Romane waren überarbeitete Jugendwerke, aber schon während der erneuten Arbeit an ihnen wandte sich Jane, wie wir aus Cassandras Datierung der Werke wissen, im Februar 1811 einem ganz neuen Stoff zu, der sich zu einem umfangreichen Roman auswuchs, im Juli 1813 abgeschlossen wurde und im Mai 1814 als *Mansfield Park. Ein Roman. In drei Bänden. Von der Verfasserin von »Verstand und Gefühl« und »Stolz und Vorurteil«*, wieder in Kommission bei Egerton, für 18 Shilling auf den Markt kam. Sein Thema war nach Jane Austen selbst das richtige Selbstverständnis des Pastors, aber mit dieser Charakterisierung ist sie bei der Forschung nicht auf viel Zustimmung gestoßen, weil dieser Aspekt nur einen Handlungsstrang in einem reichen Handlungsgewebe bildet. Vielleicht erlaubte aber auch erst der Tod von Henrys Frau Eliza, die Crawford-Handlung weiter auszubauen, als ursprünglich geplant, und damit die Rolle von Edmund Bertram mehr in das Gesamtgefüge zurücktreten zu lassen. Da wir die Vorstufen, Studien und auch Manuskripte von Jane Austens Romanen nicht kennen, ist all dies bloße Spekulation. Auch an *Mansfield Park* muß Jane Austen mindestens 150 Pfund verdient haben. Schon ein halbes Jahr später war die erste Auflage ausverkauft, und die Autorin dachte an eine zweite. Aber bevor es dazu kam, sie wieder auf Kosten der Autorin herauszubringen, geschah etwas für Jane Austen sehr Günstiges, was möglicherweise mit Henrys Indiskretion zusammenhing: Sie wechselte den Verleger.

So sehr Jane nämlich Henrys Hilfe zugute kam, so sehr verführte ihn seine intensive Teilnahme an ihrem literarischen Leben dazu, den Ruhm seiner Schwester »in seiner brüderlichen Eitelkeit und Liebe«, wie sie selber sagte, gegen ihren Willen bis nach Schottland zu verbreiten. Sie veröffentlichte anonym und hätte es lieber gesehen, wenn ihre Autorschaft unbekannt geblieben wäre. Die anderen Geschwister entsprachen ihrem Wunsch, unbekannt zu bleiben; bei Francis bedankte sie sich ausdrücklich für seine Diskretion. Aber durch Henrys gutgemeinte Geschwätzigkeit hatte sich das Geheimnis im Herbst 1813 so verbreitet, daß »es jetzt kaum noch der Schatten eines Geheimnisses ist« (25. September 1813).

Wenigstens hatte die gelüftete Anonymität den Vorteil, daß sie nun Reaktionen auf ihre Bücher hörte, daß man ihr schrieb und sie darauf ansprach. Man ist geneigt zu vermuten, daß Jane von all diesem fast immer positiven Widerhall die folgende Episode am sympathischsten war, die ihr Bruder Charles ihr in einem Brief am 6. Mai 1815 aus Palermo berichtete, wo er mit seinem Schiff gegen den neapolitanischen König von Napoleons Gnaden Murat eingesetzt war:

> Dann wandte sich das Gespräch Büchern zu, und ich lobte *Waverley*, worauf ein ebenfalls anwesender junger Mann bemerkte, daß nichts, was in den letzten Jahren erschienen sei, sich mit *Stolz und Vorurteil* und *Verstand und Gefühl* vergleichen lasse. Da Du sicher gern wissen möchtest, wer so viel Geschmack hat, will ich Dir verraten, daß es Fox ist, ein Neffe des verstorbenen Charles James Fox [des englischen »Whig«-Premierministers]. Damit Du durch diesen Happen Lob nicht zu übermütig wirst, will ich aber gleich hinzufügen, daß er anscheinend *Mansfield Park* nicht so gern hat wie die beiden ersten, aber damit steht er allein.

Was konnte Jane Austen mehr verlangen, als daß die englischen Marineoffiziere im Mittelmeer ihre Romane diskutierten! Es scheint, als ob sie auch unter dem Adel von Anfang an recht zahlreiche Leser und Leserinnen hatte, so daß die Vorliebe des Prinzregenten für ihre Bücher keine Ausnahme war. Die Gräfin von Morley, der Jane ein Exemplar von *Emma* geschickt hatte, griff gleich zur Feder und schrieb ihr bewundernde Zeilen. Der Brief einer Mrs. Pole an Jane könnte einen Schlüssel enthalten, warum ihre Romane gerade in der höheren Gesellschaft besonders geschätzt wurden:

> Alle Werke Miss Austens zu lesen ist eine besondere Genugtuung. Sie sind so offensichtlich von einer Gentlewoman geschrieben. Die meisten Romanschriftstellerinnen versagen und verraten sich bei dem Versuch, Familienszenen in der höheren Gesellschaft zu beschreiben; irgend etwas Vulgäres schleicht sich immer ein und zeigt, daß sie nicht aus eigener Anschauung mit dem vertraut sind, was sie beschreiben, aber hier ist das ganz anders. Alles wirkt natürlich, und die Umstände und Ereignisse werden auf eine Weise erzählt, die deutlich beweist, daß die Autorin zu der Gesellschaft gehört, deren Sitten sie so gekonnt schildert.

Diese Zeilen stammen aus Janes eigenen Aufzeichnungen, denn sie sammelte alle diese brieflichen und mündlichen Äußerungen über *Mansfield Park* und *Emma* – bei *Verstand und Gefühl* und *Stolz und Vorurteil* lohnte es sich wohl nicht, weil zu wenige Leser von ihrer Autorenschaft wußten –, die aus heutiger Sicht *Emma* gegenüber den anderen drei Romanen unterschätzten. *Stolz und Vorurteil* war schon damals das beliebteste ihrer Werke. Vor allem konnte ja nun auch die weitere Familie eingeweiht werden, darunter ihre ältesten Neffen und Nichten. Da drei davon schon als Jugendliche selbst literarische Werke schrieben, von denen leider keines erhalten ist, ja, die zum Teil ein trauriges Schicksal hatten, konnten sie ihre »Werke« nun Tante Jane, die sie staunend als literarische Autorität anerkannten, zum Lesen geben und sie um Kollegenrat bitten. Anna Lefroy konnte ihren Roman dann aus Schmerz über den frühen Tod ihrer Tante nicht weiterschreiben. Als sie ihn später wieder in die Hand nahm, warf sie ihn in einem Anfall von Niedergeschlagenheit ins Feuer. Auch das Drama der fünfzehnjährigen Caroline wurde laut *Jane Austen. Her Life and Letters* von der Autorin selbst zerstört:

> Caroline hielt es für einen notwendigen Bestandteil der Tragödie, daß im letzten Akt alle dramatis personae irgendwie, entweder gewaltsam oder anders, umkommen; und in dieser Überzeugung schuf sie eine so blutrünstige und herzzerreißende Szene, daß sie zu Lachanfällen bei verständnislosen Erwachsenen und zu Tränen bei der Autorin führten, die die unglückselige Tragödie auf der Stelle ins Feuer warf.

Wir sind Janes jungen Verwandten dankbar, daß sie sich um Rat an ihre Tante wandten, weil sie Jane Austen literarische Urteile entlockten, die uns jedenfalls ein paar Mosaiksteine des Bildes ihrer schriftstellerischen Ideale und Vorstellungen vermitteln (vgl. S. 358). Sie spricht dabei zwar nur selten über ihre eigenen Arbeiten, aber aus ihren Kommentaren über Anna Austens (ab November 1814 verheiratete Lefroy), Edward Austen-Leighs und Caroline Austens – alle drei waren James' Kinder – literarische Versuche geht deutlich hervor, worum es ihr ging. Im nächsten Kapitel werden wir sie näher betrachten.

Es ist wahrscheinlich, daß Henry aufgrund von Jane Austens nun weitläufig bekannter »Anonymität« auch die Beziehung zu dem Londoner Verleger John Murray herstellte, der der prominenteste englische Verleger seiner Zeit war. Es ist ein Zeichen von Jane Austens schnell wachsendem Ruhm, daß ihr Murray im Herbst 1815 das Angebot machte, ihren neuen Roman für 450 Pfund herauszubringen und das Copyright für *Verstand und Gefühl* und *Mansfield Park* zu erwerben.

»Er ist natürlich ein Gauner, aber ein höflicher«, schrieb Jane an ihre Schwester im Oktober 1815. Henry verhandelte mit Murray und lehnte das Angebot ab. Man einigte sich statt dessen darauf, daß Jane Austen das Copyright ihrer Bücher behielt und einen Prozentsatz je verkauften Exemplars bekam. Jedenfalls war sie nun in Händen des angesehensten Fachmannes, der dazu noch seine Zeitschriften dafür einsetzen konnte, Rezensionen zu lancieren. In 2000 Exemplaren brachte Murray im Dezember 1815 mit dem Druckdatum 1816 Jane Austens nächstes und zu Lebzeiten letztes Werk *Emma. Ein Roman. In drei Bänden. Von der Verfasserin von »Stolz und Vorurteil« etc. etc.* heraus, das sie am 21. Januar 1814 begonnen und am 29. März 1815 beendet hatte. Die Tatsache, daß Cassandra bei den Entstehungsdaten der drei letzten Romane jeweils die genauen Tage angibt, spricht dafür, daß sie die heute verlorenen Manuskripte noch besaß. Jane selbst hat laut *Memoir* über *Emma* gesagt: »Ich wähle eine Heldin, für die niemand außer mir viel übrig haben wird.« Bald darauf druckte Murray auch eine zweite Auflage von *Mansfield Park*. Die Verbindung mit dem Verleger führte zu Walter Scotts positiver, anonymer Rezension von *Emma* im März 1816 in der von Murray herausgegebenen Zeitschrift *Quarterly Review* – der längsten und wichtigsten Kritik zu Jane Austens Lebzeiten. Jane war alles in allem auch zufrieden und schrieb an Murray, der ihr ein Exemplar geschickt hatte:

> Die Verfasserin von *Emma* hat, glaube ich, keinen Grund, sich über ihre Behandlung [in dem Artikel] zu beklagen – außer über das völlige Übergehen von *Mansfield Park*. Ich kann nur bedauern, daß ein so kluger Mann wie der Rezensent von *Emma* es der Erwähnung für unwürdig hält. (1. April 1816.)

1815 erschien auch die erste Übersetzung eines Romans von Jane Austen in einer fremden Sprache: *Raison et sensibilité, ou Les deux manières d'aimer*. Schon 1822, als auch die erste deutsche Übersetzung erschien – *Anna. Ein Familienge-*

mählde von Johanne Austen –, lagen alle sechs Romane auf französisch vor.
So sah Anfang 1816 Jane Austens literarische Zukunft außerordentlich rosig aus. Ihre Bücher erschienen nun bei Murray, nicht mehr auf eigenes Risiko; der Prinzregent hatte ihr seine Huld erwiesen; die Öffentlichkeit begann die Qualität ihrer Werke zu erkennen; die erste Übersetzung war erschienen. Der große Erfolg schien ihr gewiß zu sein. Aber es sollte anders kommen.

Siebtes Kapitel

Werke zu Lebzeiten

Ein Künstler kann nichts nachlässig tun.
(Jane an Cassandra Austen, 17. November 1798)

I

Jane Austens ganzes Œuvre zu Lebzeiten besteht aus nur vier Romanen, die innerhalb von vier Jahren, nämlich zwischen 1811 und 1815 erschienen: *Verstand und Gefühl* (November 1811), *Stolz und Vorurteil* (Januar 1813), *Mansfield Park* (Mai 1814) und *Emma* (Dezember 1815). Die beiden ersten waren umgearbeitete Jugendwerke, die um das Liebeserlebnis zweier Schwestern kreisen, von denen jeweils eine der Erzählerstimme wesentlich nähersteht und die eigentliche Heldin ist. Die beiden letzten, die sich durch größeren Umfang auszeichnen und deren zentrale Handlung die Liebe *einer* jungen Frau ist, wurden unmittelbar vor ihrer Veröffentlichung geschrieben. Die Heldinnen selbst sind trotz etwa gleichen Alters charakterlich und ihrem sozialen Rang nach sehr unterschiedlich, was den Ton der Romane mitbestimmt. Die ironische Ader und der Geist der Widerspenstigkeit Elizabeth Bennets sind wesentlich für die übermütige Stimmung von *Stolz und Vorurteil* verantwortlich, wie umgekehrt Fanny Prices tiefmoralische Anlage und untergeordnete Stellung zur ernsten Atmosphäre und zum breiteren sozialen Spektrum von *Mansfield Park* beitragen. Tatsächlich sind die städtischen Szenen in Portsmouth im letzten Teil dieses Romans mit dem intimen Einblick in das bedrückende Leben der Familie Price mit dem trinkenden Vater und der unordentlichen Mutter in Jane Austens Werk einmalig. Daß

sie sie aber geschrieben hat, hält uns davor zurück, die Autorin zu apodiktisch auf ein Milieu festzulegen.
Die folgenden kurzen Ausführungen in diesem und im neunten Kapitel sollen der Charakterisierung von Jane Austens Werk, nicht so sehr der Analyse einzelner Romane dienen, für die auf die Nachworte der Reclam-Ausgaben verwiesen sei.
Neuerschienenen Romanen brachte die Kritik zu Jane Austens Zeit nicht viel Aufmerksamkeit entgegen; sie wurden kurz abgespeist, wenn man sie überhaupt rezensierte. Jane Austen konnte sich aber über das unmittelbare Echo ihrer Bücher nicht beklagen; ihr wurde immer wieder bescheinigt, daß ihre Produktionen die durchschnittlichen Romane weit überragten. Was den Zeitgenossen am meisten auffiel, war ihr völliger Verzicht auf Sensationen und Rührseligkeit, wie sie den Schauerroman und den Frauenroman auszeichneten. »Kein Ertrinken, keine Feuersbrünste, auch keine durchgegangenen Pferde, keine Schoßhunde oder Papageien, keine Zofen und Modistinnen, auch keine zufälligen Wiederbegegnungen und Vermummungen. Ich glaube wirklich, es ist der wahrscheinlichste Roman, den ich je gelesen habe. Es ist kein rührseliges Buch [...]« (Annabella Milbanke, die dann Lord Byron heiratete, an ihre Mutter über *Stolz und Vorurteil*, 1813). »Keine dunklen Gänge, keine geheimen Gemächer, kein heulender Wind in langen Galerien, keine Blutstropfen an rostigen Dolchen« (Walter Scott an John Murray über *Stolz und Vorurteil*, 1813). »Durch welche endlose Reihe von finsteren Höhlen, langen gewundenen Gängen, geheimen Falltüren müssen wir [in anderen Romanen im Gegensatz zu Jane Austens] hindurch – bald in der Inquisitionszeit und bald in einer heiteren modernen Gesellschaft; jetzt im Ostflügel einer alten Burg in den Pyrenäen und jetzt unter Banditen« (anonym im *British Critic* über *Kloster Northanger*, 1818). Jane Austens Typ von Roman »strapaziert weder unsere Glaubwürdigkeit, noch unterhält er unsere Einbildungskraft durch eine wilde Vielfalt von Vorfällen oder durch

Bilder romantischer Liebe und Empfindsamkeit, die bisher ebenso unabdingbar zu Romangestalten gehörten, wie sie unter tatsächlich Lebenden und Sterbenden nicht vorkommen« (Richard Whately in *Quarterly Review* über Jane Austens Romane, 1821). Ihr Werk zeichne das Leben mit einer Unverfälschtheit, wie man das bisher nicht vom Roman erwartete. Darüber sind sich die zeitgenössischen Kritiker einig, und Walter Scott stellt genau diesen Gesichtspunkt in den Mittelpunkt seiner Ausführungen über *Emma* im März 1816 in der *Quarterly Review*: Jane Austens Werke

> gehören zu einem Typ von Roman, der beinahe erst in unserer eigenen Zeit entstanden ist und der die darin vorkommenden Charaktere und Ereignisse in stärkerem Maße dem alltäglichen Leben entnimmt, als die Regeln des Romans das bisher gestatteten. [. . .]
> Der Ersatz dieser Aufregungen [in den früheren Romanen], die durch ständig wiederholten und unsinnigen Gebrauch viel von ihrer Eindringlichkeit verloren hatten, war die Kunst, das Durchschnittsleben wirklichkeitsgetreu nachzugestalten und dem Leser statt der glänzenden Szenen einer Fantasiewelt eine genaue und treffende Darstellung dessen zu geben, was täglich um ihn herum vorgeht. [. . .]
> Wir machen der Autorin deshalb kein kleines Kompliment, wenn wir sagen: Indem sie sich eng an alltägliche Ereignisse und an Charaktere hält, die ein Durchschnittsleben führen, hat sie Skizzen von solcher Lebendigkeit und Originalität geschaffen, daß wir auf den Reiz gar nicht angewiesen sind, den uns eine Erzählung voller außergewöhnlicher Ereignisse verschafft, indem sie uns die Begegnung mit Menschen vermittelt, die uns an Geist, Gefühl und Lebensart weit überlegen sind. Diesen neuen Typ vertritt sie nahezu allein. [. . .] Die Weltkenntnis der Autorin und der bemerkenswerte Takt, mit dem sie die Charaktere darstellt, die der Leser nicht umhin kann wiederzuer-

kennen, erinnert uns an die malerischen Verdienste der holländischen Schule. Die Schilderungen sind vollkommen lebensgetreu und mit einer Genauigkeit gezeichnet, die den Leser entzückt.

Die Genauigkeit und Lebenstreue bezieht sich bei Jane Austen auch auf die Darstellung der ökonomischen Voraussetzungen der Handlung. Die Autorin macht für ihre Zeit ungewöhnlich präzise und sorgfältig überlegte Angaben über die Vermögens- und Besitzverhältnisse, die Mitgift- und Erbaussichten ihrer Figuren. Vor allem in ihrem zuerst veröffentlichten Roman *Verstand und Gefühl* wird auffällig viel über Geld und seine Rolle in den menschlichen Beziehungen gesprochen. Jane Austen hat auf äußerliche Genauigkeit so geachtet, daß ihr nur ein einziger Detailfehler unterlaufen ist. Darauf, daß es nicht gleichzeitig reife Erdbeeren und blühende Apfelbäume in Südengland gibt, hat sie schon ihr eigener Bruder Edward aufmerksam gemacht.
Die Zeitgenossen Jane Austens, die das Neue an ihren Romanen beschrieben, hatten noch nicht den Terminus zur Verfügung, mit dem wir sie heute bezeichnen würden. Er wurde in England erst etwa zwanzig Jahre später eingeführt: Realismus. Jane Austen selbst hat keine Ästhetik, keine Theorie des Romans hinterlassen, und der Gedanke daran lag ihr zweifellos denkbar fern. Aber wo sie in ihren Briefen literarische Urteile abgibt, Verbesserungsvorschläge für die entstehenden Werke ihrer Nichten und ihres Neffen macht oder über ihre eigenen Bücher spricht, hebt auch sie selbst die Lebensechtheit der Darstellung als entscheidendes Kriterium hervor. Vor allem die Ratschläge an ihre familiären Nacheiferer zeigen, wie sie die Stimmigkeit der Details als entscheidend für die Überzeugungskraft des Romans einschätzte. Hier liegt der Grund, warum sie ihre Handlungen in einem Personenkreis und einem Ambiente ansiedelte, über die sie intime Kenntnis hatte. Es ist nur konsequent, daß sie Mr. Clarkes Vorschläge ablehnte und Anna Austen empfahl, in ihrem

Roman »England besser nicht zu verlassen. Laß die Portmans [der Name der Heldin in Maria Edgeworths *Belinda*] nach Irland gehen, aber da Du nichts von den dortigen Sitten weißt, gehst Du besser nicht mit ihnen. Du begibst Dich sonst in Gefahr, die Wirklichkeit falsch darzustellen«. Wie aus den im zweiten Teil dieses Bandes abgedruckten Briefen mit Jane Austens literarischen Ratschlägen an ihre jungen Verwandten hervorgeht, wies sie Anna auch auf Fehler in den gesellschaftlichen Umgangsformen hin; Begrüßungen müssen ebenso stimmen wie Reisezeiten; Wohnungen in einer Stadt, und Namen von Menschen und Orten müssen den richtigen Klang haben. Über Annas Wahl des Namens Norton-Priors sind Cassandra und Jane geradezu begeistert.

Aber all das ist nur die Oberfläche, denn der Anspruch des Romans, Wirklichkeit zu erhellen, nicht zu entstellen, bezieht sich vor allem auf Sprache und Psychologie. Den »Strudel von Zerstreuung«, in den Anna eine Gestalt stürzen will, bezeichnet Jane als »durch und durch Romanjargon«. Gesprochene Worte müssen dem Sprecher, der Situation und dem sozialen Milieu angemessen sein, Charaktere entsprechend ihrer Anlage als Person handeln, und dieses Handeln muß motiviert sein, damit es menschlich überzeugend erscheint. Jane Austen urteilte hier nicht nur bei der Lektüre von Annas Text mit unbestechlicher Sicherheit, sondern erwies sich auch in ihren eigenen Romanen als Meisterin psychologischer und äußerer Motivation, die sich ebenso auf die Vergangenheit wie die aktuelle Lage einer Gestalt beziehen. Willkürlichkeit sucht man bei ihr vergebens.

Daß der Verzicht auf das Romantische und Sensationelle zugunsten der psychologischen Durchdringung der Gestalten und der stimmigen Darstellung ihres Lebensraums dem Romancier eine ungleich größere Gestaltungskraft abverlangt, liegt auf der Hand, und Walter Scott hat es sich mit einem gewissen Neid eingestanden, als er 1826 in seinem Tagebuch bekannte:

> Die junge Dame [Jane Austen] hatte ein Talent, die Probleme und Gefühle alltäglicher Charaktere zu schildern, wie ich es so ausgeprägt noch nie erlebt habe. Das aufwendige Wau-Wau-Gebelle beherrsche ich wie heutzutage jeder andere auch, aber der feine Pinselstrich, der gewöhnliche, unbedeutende Dinge und Menschen durch die Wahrheit der Beschreibungen und Empfindungen interessant macht, ist mir versagt. Wie schade, daß ein so begabtes Geschöpf so früh gestorben ist.

Da das Engagement des Lesers bei dem neuen realistischen Roman, »den häuslichen Szenen auf dem Land«, wie Jane Austen wohl in bewußter Absetzung von Maria Edgeworths »Szenen aus dem modischen Leben« an Mr. Clarke schrieb, nicht ständig durch äußere Handlungsspannung am Leben gehalten wird, muß bei ihm, wie Theodor Fontane es später von seinen letzten Romanen gesagt hat, »das ›Wie‹ für das ›Was‹ eintreten«. Vertiefung und artistisches Interesse nehmen den Platz von Bewegung ein. Da alle Romane Jane Austens an einem selten wechselnden Schauplatz mit einer überschaubaren Zahl von Figuren spielen, sind die menschlichen Beziehungen zwischen den Handelnden um so intensiver. Jane Austens Credo, »drei oder vier Familien in einem Dorf auf dem Land, das ist der ideale Romanstoff« (9. September 1814), entspricht diesen Überzeugungen genau und zeigt, wie bewußt sie sich ihres thematischen Zugriffs war.
Von ihren Romanen erfüllt *Emma* diese Kriterien am reinsten, und unter anderem deshalb erscheint das Buch dem Verfasser der vorliegenden Biographie als ihr größtes. Es hält die Leser die ganze Handlung hindurch in einem Dorf und einem kleinen Kreis von Menschen fest und entwickelt – zum Teil durch Emmas menschliche Fehler, zu deren Erkenntnis sie im Lauf des Buches gebracht wird – zwischen ihnen immer neue Konstellationen von Liebe und Gespanntheit, Sympathie und Antipathie, Befangenheit und Mißstimmung, Anerkennung und Verachtung. In diese Beziehungen wird Wech-

sel durch das dramatisch äußerst geschickt arrangierte Kommen und Gehen neuer Figuren gebracht, das überhaupt ein Charakteristikum von Jane Austens Romanen ist. Zudem bilden einige abwesende Gestalten, die aus der Ferne mitwirken, ein weiteres Element des Personenensembles und der Handlung. Nimmt man hinzu, daß in diesem Kreis von mehreren Teilnehmern ein Spiel des Verheimlichens gespielt wird, das durch das ständige Zwiegesicht von Fassade und Eigentlichkeit, Schein und Wirklichkeit, welches durch die gesellschaftlichen Ratespiele noch verstärkt wird, immer neu Verwirrung, Bestürzung, Enttäuschung, Überraschung und Kummer schafft, dann hat man trotz weitgehender Ereignislosigkeit im äußeren Sinn ein höchst intrikates und fesselndes Buch. In der seelischen Analyse der Gestalten, die auf kleinste Entwicklungen reagieren, ohne in unglaubwürdige äußere Abenteuer gestürzt zu werden, liegt die Dramatik des Geschehens. Ein Briefsatz wie »Keiner empfindet oder handelt, leidet oder freut sich je, wie man es erwartet« (30. Juni 1808) könnte aus *Emma* stammen. Jane Austen arbeitete nicht mit breiten Strichen und knalligen Farben an einem wandfüllenden »Schinken«; sie sprach in klarer Erkenntnis ihrer künstlerischen Eigenart von »dem kleinen Stückchen Elfenbein (5 cm breit), auf dem ich mit einem so dünnen Pinsel male, daß viel Mühe nur wenig Wirkung hervorbringt« (16. Dezember 1816).

Die artistische Meisterschaft, die unter anderem in der ungewöhnlichen Beherrschung des Erzählmaterials liegt, zeichnet unter den Romanciers ihrer Zeit in England allein Jane Austen aus und hebt sie über ihre Kollegen und Kolleginnen hinaus. Nur sie vermittelt dem Roman als künstlerischem Gebilde eine Fülle von neuen Impulsen; und da die modernste literarische Bewegung ihrer Epoche, die Romantik, gerade dieser dichterischen Gattung keinerlei Interesse entgegenbrachte – weder Wordsworth oder Coleridge, noch Byron, Shelley oder Keats haben einen Roman geschrieben –, steht sie hierin unter ihren großen literarischen Zeitgenossen allein. Auch der einzige ernsthafte Konkurrent, Walter Scott, hat sich als erzählerische Begabung auf lange Sicht als viel weniger fruchtbar erwiesen. C. S. Lewis' Tribut von 1954, Jane Austen sei »der größte Künstler, der je geschrieben habe, wenn man mit diesem Terminus die vollkommene Beherrschung der Mittel zu ihrem Zweck bezeichnet«, ist durchaus bedenkenswert.

In den Briefen an ihre Nichte, in denen Jane Austen uns einen Einblick in ihr literarisches Selbstverständnis gibt, teilt sie auch ihre Lektüreeindrücke von zwei jüngst erschienenen Romanen mit, von Mary Bruntons schon charakterisiertem *Selbstbeherrschung* (1810) und Letitia Matilda Hawkins' *Rosanne; or a Father's Labour Lost* (1814). Sie bemängelt bei ihren Kolleginnen ganz im Sinn ihres Realismusverständnisses bei aller Anerkennung einzelner Züge die Unglaubwürdigkeit. In *Rosanne* »gibt es tausend Unwahrscheinlichkeiten«, und die Heldin »macht allerlei Ungereimtes durch«. Die abstruse Bootsfahrt einen amerikanischen Fluß hinunter, die die Protagonistin in *Selbstbeherrschung* in halb ohnmächtigem Zustand überstehen muß, schlägt sie vor dadurch zu überbieten, daß sie die Heldin eines eigenen Romans den ganzen Atlantik im Boot überqueren läßt.

Mit besonderem Mißtrauen betrachtete Jane Austen deshalb auch in so vielen zeitgenössischen Romanen die engelhaft vollkommenen Heroinen, durch die die Gefühlswelt der Frau verfälscht dargestellt und insgesamt ein falsches Frauenbild popularisiert wird. »Verkörperungen von Vollkommenheit machen mich, wie Du weißt, im Roman krank und bösartig«, schrieb sie an Fanny Knight ein Vierteljahr vor ihrem Tod. Nur wenige zeitgenössische Romane befriedigten ihre hohen Ansprüche, und scherzhaft ließ sie neben Annas Manuskript und ihren eigenen Büchern nur noch »Miss Edgeworths« bestehen. Daß Maria Edgeworth, der sie ein Exemplar von *Emma* schickte, diese Wertschätzung nicht erwiderte, hat sie nie erfahren. Die Schriftstellerin schrieb nach der Lektüre von Jane Austens Roman an ihren Bruder:

> Er hat keine Handlung, außer daß Miss Emma herausfindet, daß der Mann, den sie zuerst zu Harriets Verehrer bestimmt hat, in sie verliebt ist und er durch Emmas Ablehnung beleidigt ist und Harriet dem Geliebten nachtrauert – und daß sämiger, dünner Haferschleim nach Meinung von Emmas Vater etwas sehr Gutes ist und man der Köchin schwer verständlich machen kann, was man unter sämigem, dünnem Haferschleim versteht.

Aber Jane Austens Überlegenheitsgefühl über den zeitgenössischen Roman bedeutet nicht etwa, daß sie den Roman selbst als geringes Genre einschätzte und verdammte. Im Gegenteil, sie trat in allen ihren Werken für das Ansehen der so vielfach verachteten Gattung ein und charakterisierte mehrmals Gestalten dadurch als ein- oder ungebildet, daß sie sie verächtlich vom Romanelesen sprechen läßt. Das fünfte Kapitel von *Kloster Northanger* ist zur Hälfte ein Plädoyer dafür, daß die Romanciers zusammenhalten, nicht in ihren eigenen Romanen verächtlich von der Gattung sprechen und darauf bestehen sollen, daß ein Roman ein künstlerisches Gebilde ist, »in dem [...] die eindrucksvollsten Geisteskräfte sich entfalten, in dem der Welt [...] die umfassendste Kenntnis der menschlichen Natur, die gelungenste Darstellung ihrer Spielarten, die lebhafteste Fülle von Esprit und Humor in der gewähltesten Sprache dargeboten werden« (S. 30).
Auch der weitgehende Verzicht auf Metaphorik, die im Roman dieser Zeit beliebt war, ist Teil von Jane Austens realistischem Literaturverständnis. Ihre Sprache orientiert sich an einem Stilideal, bei dem epigrammatische Kürze mit langen, ausgewogenen und dichten Satzgebilden wechselt, und erweckt den Eindruck, als habe dabei häufig geradezu das Lateinische Pate gestanden. Der Gebrauch von Bildern entfernt den Gegenstand von der Wirklichkeit und wird daher vermieden. Einen so von übertriebener Metaphorik lebenden Satz wie den folgenden aus Maria Edgeworths

Belinda zu schreiben, hätte Jane Austens Geschmack ihr entschieden verboten:

> Sie schwamm in gefährlicher Tiefe im Meer der Torheit – die Flut der Mode verebbte, und so blieb sie, knietief im Sumpf steckend, als eine lächerliche, skandalumwitterte Figur zurück.

Von unvergleichlicher Natürlichkeit sind Jane Austens Dialoge, die nicht nur in ihrer Zeit, sondern in der Geschichte des Romans überhaupt ihresgleichen suchen. Sie treffen unfehlbar den richtigen Ton und entwickeln die Gesprächsmaterie spannungsreich und doch zielsicher. Schon bei der jungen Autorin hat sich diese besondere Begabung sehr ausgeprägt gezeigt, denn die beiden früh konzipierten Romane beginnen mit Musterbeispielen solcher Dialoge zwischen zwei Personen (*Stolz und Vorurteil*, Kap. 1; *Verstand und Gefühl*, Kap. 2), in denen die Figuren und ihre Denkweise durch ihre eigenen Worte schon nach kürzester Zeit vollkommen klar und lebendig vor dem Leser stehen und der Austausch der Meinungen für amüsanteste Unterhaltung sorgt. In beiden Gesprächen werden Ton und Entwicklung durch den jeweils überlegenen Partner bestimmt, im einen Fall durch den Mann, im anderen durch die Frau. Mr. Bennet irritiert seine Frau durch seine Ironie, die sie nur halb versteht, und durch seinen Widerspruchsgeist, und Mrs. John Dashwood dirigiert ihren arglosen Mann zielbewußt dahin, daß er von jeder finanziellen Unterstützung seiner Verwandten absieht, weil in diesem Verzicht der höhere Wert liegt. Gerade also die frühen Romane benutzen den Dialog als »Einstieg« in das Geschehen, während die späteren die ausführlichere Exposition der Handlung vorziehen, sie aber ebenfalls mit kurzen Dialogen würzen. In den späteren Fällen wird dabei eine komische Figur sogleich dem Spott des Lesers preisgegeben: In *Mansfield Park* ist es die geizige und sich ständig in alles einmischende Mrs. Norris und in *Emma* der vertrottelte und so unendlich viel Geduld erfordernde Vater der Heldin.

II

Und doch wären Jane Austens Romane trotz all dieser Züge mit dem Etikett »Realismus« im Sinn der lebensgetreuen Wiedergabe der Wirklichkeit nur unzureichend erfaßt. Man würde damit einmal die künstlerische Potenz vernachlässigen, die die Wirklichkeit aufs Wesentliche hin filtert und formalen Kriterien der literarischen Gestaltung unterwirft, und zum anderen das übersehen, was ihr Werk einmalig macht: die Verbindung von Heiterkeit und Kritik. Die heitere Note besteht in dem »Geist der klassischen Gesellschaftskomödie« (Edmund Wilson, 1945), der ihr Werk durchzieht und es bei allen dunklen Tönen so leicht und eingängig macht, daß in dieser Hinsicht Mozarts Musik wohl der einzige angemessene Vergleich ist. »Daß dieser Geist sich in England im Kopf einer wohlerzogenen Jungfer, der Tochter eines Landgeistlichen angesiedelt hat, die nie mehr von der Welt sah als das, was kurze Besuche in London und ein mehrjähriger Aufenthalt in Bath ihr ermöglichten, und die ihr Thema vor allem in den Problemen junger Provinzmädchen auf Männerjagd fand«, bezeichnet Wilson als »eine der groteskesten der vielen Anomalien der englischen Literaturgeschichte«. Es ist mehr, es ist ein überzeugender Beleg für die elementare Lebenskraft einer angeborenen künstlerischen Begabung von genialem Zuschnitt. Jane Austens Geschichten von den Liebes- und Lebenssorgen junger Damen sind eingehüllt in eine bezaubernde Atmosphäre des Komödiantischen, das Ausdruck einer ironischen Weltsicht ist. Dieses Spielerische erfaßt allerdings – außer in *Kloster Northanger*, wo es Teil des Parodistischen ist – die Heldinnen selbst in geringerem Maß als die sie umgebenden Personen, denn Jane Austens Romane sind zwar nicht erzähltechnisch aus der Perspektive der jeweiligen Heldin erzählt, weil diese nicht das Erzählmedium ist, das seine eigenen Erlebnisse berichtet, aber die Autorin identifiziert trotzdem den Leser emotional weitgehend mit ihrer Wahrnehmungs- und Erfahrungsperspektive. Es gibt daher in Jane Austens Romanen nur wenige Szenen, in denen die Heldin nicht anwesend ist. Der Grad, bis zu dem die Autorin diese Technik bewältigt hat, ist unterschiedlich groß. In *Verstand und Gefühl* etwa spürt der Leser, daß das Schwanken zwischen »Elinor« und »Miss Dashwood« bei der Benennung der Heldin dem Erzählverfahren eigentlich widerspricht und zwischen der Protagonistin und dem Leser eine Distanz herstellt, die in bestimmten Augenblicken, etwa bei Willoughbys großer Beichte, nicht angebracht ist. Hier mögen unbewältigte Rudimente der ursprünglichen Brieffassung des Romans im Spiel sein.

Die Nähe des Lesers zur Heldin sorgt für seine Teilnahme an ihrem Geschick. Da er über weite Strecken nur ihren Empfindungen und Gedanken folgt und dabei auf ihren Erfahrungs- und Wissensstand beschränkt wird, bleibt ihm die seelische Welt anderer Gestalten ebenso wie ihr weitgehend verschlossen oder gar ein undurchdringliches Geheimnis. Am ausgeprägtesten ist dieses Gefühl des Im-dunkeln-Tappens bei Anne Elliot, die Kapitän Wentworth intensiv beobachtet, um seinem Verhalten Hinweise auf seine Gefühle ihr gegenüber entnehmen zu können. Es ist immer wieder darauf aufmerksam gemacht worden, daß von dieser Undurchdringlichkeit besonders die Männer in Jane Austens Büchern betroffen sind. Sie kommen und gehen, wenden sich von den Frauen ab oder ihnen zu, verbergen ihre Vergangenheit oder spielen ein Doppelspiel – aber das wird wahrgenommen aus der Sicht der wartenden, liebenden Frau, die den Ereignissen hilflos zusehen muß. Tatsächlich gibt es in Jane Austens Romanen keine einzige Szene, in der Männer unter sich sind, so daß der Leser unmittelbaren Zugang zu ihren Gedanken hätte. Die Autorin vermeidet auf diese Weise die meist forcierten Fluch- und Prahlszenen der modischen Männer, wie sie etwa bei Maria Edgeworth häufig vorkommen, aber immer unglaubhaft klingen. Da aber vom Mann um 1800 die Initiative in der Liebeswerbung ausging, übertragen sich die Ängste, Bedürfnisse, Entbehrungen und Enttäuschungen der Frauen in Jane

Austens Romanen auf die Leser. Will die Partnerin die Initiative ergreifen, dann muß sie zu unauffälligen diplomatischen Mitteln greifen, die mit innerer Unruhe überlegt und in Szene gesetzt werden wollen.

Der Rhythmus von Jane Austens Romanen wird daher weitgehend von der Entwicklung der Liebe und des Liebesleidens der Heldin oder Heldinnen bestimmt. Emma entdeckt ihre Liebe erst am Schluß der Handlung, die wie ein Umweg dazu erscheint, aber ihre Versuche, Ehen zu stiften, führen sie durch die negative Auslese der Männer, die sie nicht liebt, immer mehr zu der Erkenntnis ihres eigenen Inneren. Elinor und Fanny müssen ihre Liebe unterdrücken, die eine, weil ihr Geliebter schon vergeben ist, die andere, weil der soziale Rangunterschied die Verbindung unwahrscheinlich macht und der Angebetete obendrein eine andere Frau zu umwerben scheint. Marianne muß unter Qualen mit dem Betrug ihres Geliebten fertig werden, Elizabeth ihre Liebe hinter dem eigenen Stolz und Vorurteil entdecken. Jane Austens Romane sind immer höchst ökonomisch strukturiert, so daß die Entwicklungsstadien der Liebeshandlung sie gliedern und das Interesse durch Figurenwechsel immer neu geweckt wird. Nichts ist typischer für diese Technik als eine Passage aus *Verstand und Gefühl* wie die folgende:

> Die Willoughbys verließen London unmittelbar nach der Hochzeit [. . .]. Ungefähr zu dieser Zeit trafen die beiden Miss Steele im Haus ihrer Tante in Bartlett's Buildings im Stadtteil Holbourne ein [. . .]. (S. 230.)

Diese wenigen Sätze verlagern vorübergehend die Handlung von Mariannes zu Elinors Liebessorgen, denn Mariannes früherer Verehrer tritt vom Schauplatz ab, und Elinors Konkurrentin in der Liebe zu Edward Ferrars betritt ihn wieder.

Aber diese charmante und einfühlsame Seite von Jane Austens Romanen ist nur ein Teil des ganzen Bildes, denn in ihnen erscheint trotzdem die soziale Welt als ein Jahrmarkt der Eitelkeit, der Selbstsucht, Gedankenlosigkeit und

Dummheit. Es hat lange gebraucht, bis diese sozialkritische Dimension ihres Werkes beim breiteren Leserkreis wahrgenommen wurde, weil seine heitere Oberfläche und die Happy-Ends dazu verleiten, die bitteren und bösen Töne darin zu überhören. Heute herrscht weitgehend Übereinstimmung darüber, daß Jane Austen eine bissige Gesellschaftskritikerin war, die ihrer Umgebung sehr viel distanzierter gegenüberstand, als das auf den ersten Blick erscheint. Sie stellt zwar die bestehende Gesellschaftsordnung nicht grundsätzlich in Frage, führt aber leidenschaftliche Angriffe auf ihre Mißstände und das menschliche Fehlverhalten in ihr. Man braucht nur ein paar Sätze etwa von Anfang und Ende aus *Verstand und Gefühl* zu zitieren, um zu erkennen, mit welcher Kälte und Klarheit die Autorin bestehende Zustände und menschliches Versagen geißelt.
Wie kommt John Dashwoods kleiner Sohn an das Erbe von Norland?

> Alles sollte eines Tages diesem Kinde zugute kommen, das bei den gelegentlichen Besuchen mit seinem Vater und seiner Mutter durch Reize, die bei zwei- oder dreijährigen Kindern durchaus nicht ungewöhnlich sind, wie eine kindliche Aussprache, den unbeirrbaren Wunsch, seinen Willen durchzusetzen, viele ausgelassene Streiche und eine Menge Krach, die Zuneigung seines Großonkels soweit gewonnen hatte, daß all die Fürsorge, die dieser jahrelang von seiner Nichte und ihren Töchtern empfangen hatte, sie nicht aufwogen. (S. 4.)

Wie wird John Dashwood selbst charakterisiert?

> Er hatte keinen schlechten Charakter, es sei denn, man hielte eine gewisse Gefühlskälte und einen gewissen Egoismus für einen Mangel an Charakter, aber er war im allgemeinen recht angesehen, denn er ließ es bei der Erfüllung seiner alltäglichen Pflichten an Anstand nicht fehlen. (S. 5.)

Wie hat man Lucie Steeles Fähigkeit zu bewerten, sich durch liebedienerisches Benehmen die Sympathie und finanzielle Unterstützung ihrer Schwiegermutter zu erkaufen?

> Lucies gesamtes Verhalten in der Angelegenheit und der Erfolg, mit dem es gekrönt wurde, kann deshalb als höchst ermutigendes Beispiel dafür gelten, was ernsthafte und unablässige Konzentration auf den eigenen Vorteil, auch wenn sich der Erfolg zunächst scheinbar nicht recht einstellen will, zur Erlangung aller Annehmlichkeiten eines Vermögens ohne ein größeres Opfer als Zeit und Gewissen beitragen können. (S. 402.)

Und wie stellt sich Lucies und Roberts Ehe und Umgang mit Schwester und Schwager dar?

> Sie ließen sich in London nieder, erhielten sehr großzügige finanzielle Unterstützung von Mrs. Ferrars, standen auf denkbar bestem Fuß mit den Dashwoods, und wenn man für die Eifersüchteleien und die Mißgunst, die ständig zwischen Fanny und Lucie herrschten und an denen natürlich auch ihre Männer teilnahmen, und den ständigen häuslichen Streit zwischen Robert und Lucy hinwegsah, dann konnte die Harmonie gar nicht vollkommener sein, die zwischen ihnen allen herrschte. (S. 404.)

Es ist erstaunlich, daß der Sarkasmus solcher Aussagen so lange kaum beachtet worden ist, daß Jane Austen so lange als harmlose, liebenswürdige Schriftstellerin galt. Als D. H. Harding 1940 in seinem Aufsatz »Regulated Hatred: An Aspect of the Work of Jane Austen« in der Zeitschrift *Scrutiny* schrieb, Jane Austen werde genau von *den* arglosen Leuten gelesen, die sie nicht ausstehen konnte, und »kanalisierten Haß« als einen Aspekt ihres Werkes bezeichnete, war das noch eine Art Sakrileg. Um so verständlicher ist es, daß heute, in einer Zeit des geschärften sozialen Bewußtseins, die kritische Dimension ihres Werkes betont wird und sich auch die feministisch interessierte Literaturwissenschaft Jane

Austens angenommen hat. Sie lenkt überhaupt die Aufmerksamkeit wieder auf die reiche Tradition der weiblichen Romanautoren in England seit 1700, die vor allem die Gefühlswelt und Lebenssituation der Frau darstellt. Jane Austen gibt nicht nur ein unverfälschtes, und das heißt ungeschöntes Bild der Frau in einer bestimmten sozialen Schicht, sondern konzentriert sich dabei auf die Spannung zwischen ihren Bedürfnissen, Überzeugungen und den oft verkrüppelnden Forderungen der Gesellschaft. Ihre Heldinnen sind meist innerlich starke Naturen, die sich die Bestimmung über die weitreichendste Entscheidung ihres Lebens, nämlich die Partnerwahl, resolut vorbehalten. Sie sind bereit, dafür äußere Nachteile und gesellschaftliche Sanktionen hinzunehmen oder auf die Heirat ganz zu verzichten, wo sie nichts als Konvention wäre. Wie häufig dabei nach Jane Austen falsche Entscheidungen gefällt werden, läßt sich an der Zahl der innerlich gescheiterten Ehen in ihren Büchern ablesen. In *Überredung* werden die tragischen Folgen, sich dem Urteil der Gesellschaft gebeugt zu haben, ausdrücklich dargestellt. Da die innere Unabhängigkeit der Heldinnen sie in Konflikte mit ihrer Umgebung, häufig mit den Menschen, an denen sie am meisten hängen, bringt, finden sie sich über weite Strekken vereinsamt und auf ihre eigene Kraft angewiesen. Diese innere Isoliertheit macht Jane Austens Erzählperspektive so überzeugend.

III

Jane Austens Romane sind bevölkert von Gestalten, in denen sich einzelne negative menschliche Züge wie in der Typenkomödie in Reinkultur verkörpern. Es ist ein Zeichen für Jane Austens künstlerischen Rang, daß diese Figuren bei aller Übertreibung ins Karikaturistische nie ihre Lebensfülle und -echtheit einbüßen. E. M. Forster unterscheidet in seinem Buch *Aspects of the Novel* (1927, *Aspekte des Ro-*

mans) zwischen »flachen« und »runden« Figuren und macht Jane Austen das Kompliment, daß ihre Gestalten immer zu den letzteren gehören. Gerade der pompöse und herzlose Mr. Collins und die geschwätzige Miss Bates, die geizige Mrs. Norris und der behäbig-dumme Mr. Rushworth prägen sich dem Leser als besonders lebendig ein. Gelegentlich haben sich dabei aus den jugendlichen Ansätzen der Autorin regelrecht als Burleske angelegte Szenen in die späteren Werke hinübergerettet, so die Einführung der Palmers in *Verstand und Gefühl* (Kap. 19 und 20), bei denen sich hinter der Komik des jungen Paares mit der ewig lachenden Frau und dem mißmutig-rüden Mann im Grunde eine Ehetragödie verbirgt.

Jane Austens Kritik geht aber insofern über die Bloßstellung individueller menschlicher Schwächen hinaus, als sie einen wachen Sinn für gesellschaftliche Veränderungen und Schwerpunktverlagerungen hat, die zu ihrer Zeit stattfanden. Ihre Romane zeigen nicht eine statische, sondern eine im Umbruch befindliche Gesellschaft, in der Dekadenzerscheinungen bei den privilegierten Schichten bloßgestellt werden und der Aufstieg neuer Bevölkerungsgruppen stattfindet, die sich aufgrund persönlicher Lebensleistungen und nicht angeborener Vorteile Anspruch auf Geltung verschaffen. Sie werden mit Sympathie gezeichnet, während aristokratische Allüren, wie im Fall Lady de Bourghs, dem Spott preisgegeben werden und sich gesellschaftlicher Hochmut, wie bei Emma Woodhouse und Mr. Darcy, reformieren muß.

Jane Austens kritische Hauptwaffe ist die Ironie, die zugleich Methode und Weltsicht ist. Sie ist eine Darstellungsweise, durch die die Autorin sich sprachlich von ihren Gestalten distanziert und den Leser zur Erkenntnis ihrer Eigenheiten und Schwächen herausfordert. Aber die dargestellte Welt des Menschen erweist sich dabei selbst als ironisch, weil sie ständig dem gesunden Urteil ins Gesicht schlägt. Nicht das Vernünftige geschieht, sondern das Unsinnige, das sich so oft –

und hier liegt ein weiteres ironisches Element – als das Vernünftige geriert.
Der Maßstab des Vernünftigen aber ist bei Jane Austen einem traditionellen Wertsystem entnommen, das aus der aufklärerischen Tradition des 18. Jahrhunderts herrührt und der Autorin sicher von ihrem Vater, ihrem ältesten Bruder und den Büchern und Zeitschriften, die man im Haus las, vermittelt wurde. Es ist kein Zufall, daß Dr. Johnson ihr Lieblingsschriftsteller war. Vertrauen auf den gesunden Menschenverstand und den Wert der Kultur, Unsentimentalität und Toleranz, die Überzeugung von der Selbstbestimmung der menschlichen Vernunft und ihrer Fähigkeit, die Leidenschaften zu kontrollieren, und das Streben nach einer Balance zwischen Individuum und Gesellschaft sind für diese Tradition wesentlich. David Cecil hat in seiner Jane-Austen-Biographie für ihre Haltung eine höchst treffende Formulierung gefunden: »Alle ihre Gestalten werden vor das dreifache Tribunal von Geschmack, Einsicht und Tugend gebracht; wenn sie ihre Schöpferin in einer Hinsicht davon enttäuschen, verurteilt sie sie lächelnd, aber gnadenlos.« Alle Exzesse sind nach dieser Einstellung von Übel – ein Grund, weshalb Jane Austen die Romantik mit Mißtrauen betrachtete. Eine Briefstelle wie »Ich habe *Der Korsar* [Byron, *The Corsair*] gelesen, meinen Petticoat ausgebessert und nun nichts mehr zu tun« (5. März 1814) klingt nicht gerade nach begeisterter Anteilnahme oder Zustimmung. Die Kritiker, wie Charlotte Brontë in der Mitte des 19. Jahrhunderts, die in Jane Austens Romanen die Darstellung menschlicher Leidenschaften vermissen, verlangen daher etwas von ihr, was ihren Grundüberzeugungen widersprach. In Marianne Dashwood hat sie die hemmungslose Hingabe geradezu einer Kritik unterzogen. Jane Austens Werte, wie sie sich in ihrem Werk darstellen, sind durch und durch säkular, weil sie alles Religiöse offenbar für privateste Angelegenheit jedes einzelnen hielt, und beziehen sich auf den Menschen als soziales Wesen. Tugenden beweisen sich immer erst bei ihrer Anwendung im menschlichen

Umgang, der nur als gesitteter wirklich denkbar ist, so daß der *andere* im Mittelpunkt der *eigenen* Überlegungen stehen muß. Mariannes übertriebene Liebe, Darcys Hochmut und Emmas Snobismus, für den die Menschen nur Spielfiguren in ihren Eheplänen sind, sind allesamt Varianten des Egoismus, und darin liegt das gemeinsame menschliche Versagen dieser Gestalten.

Die vollkommene Erfüllung der menschlichen Beziehung zum anderen ist die wahre Liebe. In Jane Austens Heldinnen verwirklicht sich die Liebe, die als Erfüllung des Menschen aus der schlechten, korrupten, selbstischen Alltagswelt herausragt und ein verklärendes Element in sie hineinträgt. Daß Jane Austens Romane ein Happy-End haben, ist also nicht Eskapismus, romantische Schönfärberei, sondern ein zentrales Element ihrer Menschensicht, nach der die liebende Beziehung den Hoffnungsschimmer in einer ungenügenden Welt ausmacht. In ihren Büchern drückt sich in dieser Hinsicht das neue, in der Mitte des 18. Jahrhunderts entstandene bürgerliche Ethos aus, das die Familie auf eine emotionale Basis intimer menschlicher Beziehungen stellt. Gegenüber der traditionellen, aristokratischen Auffassung, daß die Ehe eine Angelegenheit der Familienpolitik, nicht der engen seelischen Beziehung zweier Partner ist, daß also Liebe und Ehe nur zufällig zusammenfallen, entsteht nun die Überzeugung, daß Liebe und Ehe eins sein müssen. Zum Symbol des neuen moralischen Selbstverständnisses und Selbstbewußtseins des aufsteigenden Bürgertums wird dabei die sexuelle Integrität seiner Töchter, und daher wird in der Literatur zwischen 1750 und 1900 nun erst das Thema der verfolgten Unschuld, etwa bei de Sade, in Lessings *Emilia Galotti* oder im gotischen Schauerroman, und dann das des Ehebruchs, im realistischen Roman des 19. Jahrhunderts, so zentral.

IV

Trotz aller Begabung ist eine literarische Leistung wie Jane Austens keine geisterhafte Erscheinung aus dem Blauen; der Künstler ist auf eine Tradition angewiesen, die ihm die Möglichkeit gibt, die künstlerischen Erscheinungen der Zeit auf eine neue Höhe zu führen. Es war ein glücklicher Umstand für Jane Austen, daß England im 18. Jahrhundert eine sonst in Europa nicht ähnlich reich ausgebildete Romantradition entwickelt hatte, die zwar von Männern getragen wurde, an der aber auch schon Frauen beteiligt waren, etwa Sarah Fielding oder Charlotte Lennox. Den frühen Romanciers Daniel Defoe (1660?–1731) mit *Leben und denkwürdige Abenteuer des Seefahrers Robinson Crusoe aus York* (*The Life and Strange Adventures of Robinson Crusoe; of York, Mariner*, 1719) und Jonathan Swift mit *Gullivers Reisen* (*Gulliver's Travels*, 1726), die ihre philosophisch begründete Gesellschaftskritik in exotische Reiseabenteuer kleideten und dabei solche mythischen Helden schufen, daß ihre Bücher, wenn auch zu Kinderliteratur hinabgesunken, weil ihre kritischen Intentionen nicht mehr wahrgenommen wurden, noch heute leben, folgte dann um die Jahrhundertmitte die Blüte des englischen Romans, der dabei auch kontinentale Anregungen etwa von Cervantes, Rabelais und Le Sage aufnahm, und brachte einige Meister hervor. Henry Fielding (1707–54) und Tobias Smollet (1721–71) entwickelten die englische Variante des Schelmenromans, in der der attraktive, aber arme junge Mann im Mittelpunkt steht, der durch Orts- oder Stellungswechsel viel in der Welt herumkommt und durch seine Abenteuer deren Mängel und korrupte, prätentiöse, sexgierige, heuchlerische oder dumme Repräsentanten bloßstellt. Das Personal dieser Romane ist bürgerlich, ihr Zentrum London; sie sind vor allem für ein städtisches bürgerliches Lesepublikum geschrieben und haben einen kraftvoll satirischen Stil und Ton, der aufklärerisch wirken soll. Schon Fielding reflektiert dabei die Romankonstruktion selbst, aber erst

Lawrence Sterne (1713–68) macht in *Leben und Meinungen des Gentlemans Tristram Shandy* (*Life and Opinions of Tristram Shandy Gentleman*, 1759–67) den Roman auf unerhörte Weise zum literarischen Experiment, indem er das Schema der Lebensgeschichte völlig auflöst und durch Abschweifungen und scheinbar willkürliche Vor- und Rückblenden Ordnung in Chaos verwandelt. Experimentell ist Sterne auch im ständigen Diskutieren seines literarischen Unternehmens im Werk selbst, so daß Schöpfungsvorgang und Romanschöpfung in einem Maß verschmelzen, wie es erst wieder das 20. Jahrhundert praktiziert hat. Der schon mehrfach erwähnte Samuel Richardson konzentriert sich auf die jugendliche Heldin, die den Gefährdungen des Lebens durch die Männer ausgesetzt ist, sie aber durch ihre Tugend besiegt. Sein früher Roman *Pamela* legt diesen Kampf als Auseinandersetzung zwischen dem korrupten reichen Gentleman und seiner armen, aber tugendhaften Dienerin an und zieht aus dieser Konstellation sozialkritische Impulse.
Diese Meister hatten den englischen Roman um 1770 auf eine solide Basis gestellt, ihm Ansehen verschafft und ihn unter anderem in dreierlei Hinsicht entwickelt. Er war zum geschmeidigen Instrument einer oft satirischen und karikierenden Gesellschaftskritik geworden; er hatte mit Richardson der Seelenanalyse vor allem weiblicher Gestalten eine bisher nicht gekannte Ausdehnung und Tiefe gegeben; und er hatte das Bewußtsein für Formprobleme der Gattung geschärft und selbst alle möglichen Konstruktionen ausprobiert. Aber es fand sich in den letzten dreißig Jahren des 18. Jahrhunderts kein Romancier, der dieselbe geistige und formale Höhe erreichte. Während um 1770 in Deutschland die Blüte der Goethezeitlichen Literatur beginnt, die sehr schnell zu den großen Werken Goethes und Schillers führt, waren die siebziger bis neunziger Jahre in England (und auch in Frankreich) zwischen der großen aufklärerischen Epoche und der Romantik eine karge literarische Zeit. Zwischen etwa 1775 und 1810 erschien in Großbritannien kein einziger wirk-

lich bedeutender Roman. Dabei nahm das Lesepublikum, das nun immer mehr durch Frauen verstärkt wurde, in diesen Jahren erheblich zu und sorgte für eine Schwemme von minderwertiger Romanliteratur, die vor allem über Leihbüchereien vertrieben wurde. Das bewußte Arbeiten mit dem Roman als künstlerischem Gebilde und formaler Herausforderung und als Medium der Welterkenntnis und Zeitdarstellung trat völlig zurück hinter dem bloß spannungsreichen Erzählen, das den engen Bezug zur Wirklichkeit verlor, dafür aber das Erfinden aufregender Handlungselemente vervollkommnete. Die Sozialkritik lebte weiter, verlor aber ihre Schärfe und Glaubwürdigkeit und durfte im populären Roman aus Rücksicht auf die anders ausgerichteten Lesebedürfnisse seiner Konsumenten ohnehin nur die Oberfläche streifen. Dagegen kam nun Richardsons Einfluß besonders zur Geltung, weil die vielen Leserinnen an dem Schicksal und der Gefühlswelt ihrer fiktiven Geschlechtsgenossinnen besonders interessiert waren. Obwohl das Bild insgesamt reicher ist, herrschten in den letzten dreißig Jahren des 18. Jahrhunderts zwei populäre Romangattungen vor, in denen die Handlung um eine unschuldige und moralisch gefährdete junge Heldin kreist: der sentimentale Frauenroman und der gotische Schauerroman. Dieser soll im Zusammenhang mit Jane Austens *Kloster Northanger* im übernächsten Kapitel charakterisiert werden, über jenen sind im Zusammenhang mit ihren Jugendwerken anhand von Fanny Burneys *Evelina* und Mary Bruntons *Selbstbeherrschung* schon einige Worte gesagt worden.

Der Frauenroman hatte didaktische Absichten, indem er jungen Frauen die Gefahren des Lebens, manchmal freilich in grotesk unwirklicher Form, vorführte und ihnen ein Tugendsystem vermittelte, mit dem man solchen Gefährdungen widerstehen konnte. Seine durchaus vorhandenen sozialkritischen Absichten leiden allerdings meist unter der Unwahrscheinlichkeit ihrer Handlungen und den ahnungslosen Vorstellungen ihrer Verfasserinnen vom Leben, das sie beschreiben. Daß Maria Edgeworth als die lebensnächste dieser Schriftstellerinnen galt, spricht Bände. Immerhin findet auch bei ihr allerlei Absurdes statt. In dem schon mehrfach erwähnten Beispiel *Belinda* findet ein Duell vornehmer, gesellschaftlich rivalisierender Damen statt, deren eine an Brustkrebs leidet, den sie in einem geheimen Boudoir mit Pflästerchen und Tinkturen behandelt, um ihr frivoles gesellschaftliches Leben fortsetzen zu können. Ihre Gegnerin wird fast Mitwisserin des Geheimnisses, weil sie nachts in Männerkleidung über die Mauer steigt und ins Fenster guckt. Maria Edgeworths »Bildern aus dem modischen Leben« haftet etwas Geziertes an. Anders als bei Jane Austen ist die vorgegebene Natürlichkeit nur gespielt. Ihre Figuren sind Schnittmuster, die um der moralischen Lehren willen handeln und reagieren, wie sie es tun. Zu lebendigen Gestalten runden sie sich nicht. Sie sind entweder Schablonen oder unterliegen psychologisch völlig unglaubwürdigen Verhaltensschwankungen. Dramaturgisch wird Maria Edgeworths Romanen das Gleichmaß ihres Erzählflusses zum Unglück, das auf mangelnde Strukturiertheit hinweist. Anders als Jane Austen erzählt sie eine Geschichte, ohne die künstlerische Form selbst zum Angelpunkt ihres Interesses zu machen. Diese im Vergleich negativen Beobachtungen dürfen aber nicht darüber hinwegtäuschen, daß die von Jane Austen bewunderte Maria Edgeworth um 1800 aus der großen Zahl weiblicher Romanschreiber herausragt und einem Ideal der Natürlichkeit nacheiferte, das Jane Austen wichtige Anregungen vermittelt. Gerade bei der Darstellung des modischen Lebens, der aristokratischen Londoner Gesellschaft verfällt sie dabei aber in Klischees, und das Erzieherisch-Moralische spielt in ihren viel zu langen Dialogen eine übergroße Rolle. Jane Austen umging die Beschreibung des eleganten, modischen Lebens in der Hauptstadt ganz oder legte seine Vertreter von vornherein als Karikaturen an.

Um die Wende zum neuen Jahrhundert wird dieser Frauenroman vor allem durch zwei Impulse noch einmal belebt. Er erobert sich zum einen neue Konfliktstoffe. Dafür ist Elizabeth Inchbald (1753–1821) mit *A Simple Story* (1791, *Eine einfache Geschichte*) ein frühes Beispiel. Darin geht es um die prekäre Liebe zwischen einer jungen Waise und ihrem Vormund, der katholischer Priester ist. So wird nun der Mann zum Joseph, der sich der Liebe der Frau entziehen muß. Erst in der zweiten Hälfte des Romans, als der Geistliche zum weltlichen Lord geworden ist, sein Mündel geheiratet hat und schließlich Frau und inzwischen geborene Tochter wegen eines früheren Liebesverhältnisses aus dem Haus weist, verfällt die Geschichte in die sensationelle Handlung des klischeehaften Frauenromans.

Zum anderen verlegte der Roman sich nun auf die Darstellung regionaler Besonderheiten, durch die die beschriebene gesellschaftliche Welt Präzision und Glaubwürdigkeit gewann, weil hier die eigene Kenntnis der Atmosphäre oder gar des Dialekts notwendige Voraussetzung der Schilderung ist. Mit *Castle Rackrent* (1800, *Schloß Rackrent*) und *The Absentee* (1812, *Der Abwesende*) führt Maria Edgeworth das irische, mit *Waverley* (1814) Walter Scott das schottische Milieu in den Roman ein, das aber zur gleichen Zeit auch bei Mary Brunton und Susan Ferrier in Ansätzen erscheint. Man könnte sagen, daß Jane Austen sich in einem ähnlichen Sinn auf das allerdings regional weniger ausgeprägte ländliche Milieu Südenglands konzentriert und hier die szenische Treue erreicht, die andere ebenfalls anstrebten.

Erst bei Jane Austen gewinnen die drei erwähnten Elemente des Romans aus dem 18. Jahrhundert, auf zeitgemäße Art und gesellschaftlich auf höheres Niveau gehoben, neues Leben und neue Überzeugungskraft. (1) Sie setzt die Richardsonsche Tradition des Frauenromans fort, insofern auch bei ihr die junge Heldin mit ihren Gefühlsproblemen das Zentrum der Handlung und der emotionale Bezugspunkt des Lesers bleiben. Aber ihre Heldinnen sind nicht mehr blutlose Tugendschemen, sondern fehlbare Menschen. Das Element der sexuellen Verfolgung freilich tritt dabei ganz zurück. Die

Komponente sexueller Gefährdung ragt nur aus der Vergangenheit in die Handlung hinein oder findet im Entlaufen eines unverantwortlichen Paares auf einem Nebenschauplatz statt. (2) Sie führt die Sozialkritik in die Lebensnähe zurück und gewinnt ihr damit wieder tiefere Einsichten in die Spannung zwischen Mensch und Gesellschaft ab. (3) Sie macht den Roman wieder zum ästhetisch anspruchsvollen literarischen Genre.

Walter Scott und Jane Austen überwanden etwa gleichzeitig die Mittelmäßigkeit des englischen Romans der vorhergehenden Jahrzehnte und wiesen ihm, obwohl sie beide ideell eher im 18. Jahrhundert wurzeln, neue Wege: Scott zum Romantisch-Historischen, das aus dem früh aufgenommenen und geliebten geschichtlichen Sagenmaterial des heimatlichen Nordens gespeist wird, und Jane Austen zum Realistischen, das aus der souveränen Umgestaltung ihres eigenen ländlichen Lebenskreises im Süden lebt.

Blickt man nach Deutschland hinüber, um dem deutschen Leser Jane Austens Roman durch den Vergleich näherzubringen, dann bietet sich Theodor Fontane als Gegenbeispiel an. Allerdings gilt dieser Vergleich nur mit einigen relativierenden Einschränkungen. Die Engländerin steht am Anfang des 19. Jahrhunderts und des literarischen Realismus, der Deutsche, jedenfalls mit seinem Romanwerk, am Ende beider, wobei der Zeitunterschied für die Verzögerung deutscher Entwicklungen zu dieser Zeit durchaus repräsentativ ist. Auch unterscheidet sich beider Grundeinstellung zum menschlichen Leben darin, daß Fontane es voller undeutbarer Geheimnisse und die Liebe immer wieder an der Gesellschaft scheitern sieht, während die Welt Jane Austens eindeutiger und deutbarer erscheint und die Liebe bei ihr die Mißverständnisse und Barrieren der sozialen Welt überwinden kann. Daher beschäftigt sich der deutsche Romancier mit der Ehe und die englische Schriftstellerin mit der Liebe; daher enden Fontanes Romane meist tragisch, schließen Jane Austens mit einer vielversprechenden Heirat. Aber dieser

Unterschied hat auch biographische Gründe; er hängt neben der veränderten Zeitlage (Preußen 1890 versus England 1814 und der Aufstieg des Eheromans im 19. Jahrhundert) entscheidend damit zusammen, daß Jane Austen als junge Frau und Fontane als alter Mann Romane schrieben. Fontane fragt, warum scheitert die Ehe, Jane Austen, wie sollte sie zustande kommen. Die Ehe selbst erscheint bei ihr meist nur als Karikatur, wenn sie verunglückt ist. Aber wie die Engländerin ist auch der Deutsche zutiefst überzeugt, daß der Mensch nicht ohne seine gesellschaftliche Einbindung zu verstehen ist. Wie sie hat er dem Roman eine Lebensechtheit gegeben und eine Höhe der völlig natürlichen Dialogführung erreicht, die bis dahin in Deutschland unerreicht war. Bei beiden leben die Personen so aus ihrer eigenen Sprache, daß die Autoren auf ihre äußere Beschreibung weitgehend verzichten. Wie Effi Briest oder Elizabeth Bennet aussehen, wird dem Leser nicht gesagt; ihr Bild herzustellen ist seiner Fantasie überlassen. Dem Gespräch kommt daher in den Romanen beider eine ungewöhnlich wichtige Rolle zu. Es herrscht jeweils strikte Ökonomie bei gleichzeitigem bewußten Beziehungsreichtum der Konstruktion, so daß diese durch und durch als ästhetisches Gebilde zu begreifen ist, das die Wirklichkeit bei aller scheinbaren Abspiegelung einer intensiven Formung unterzieht. Sowohl Fontane als auch Jane Austen vermittelten daher ihrer Zeit Impulse im Hinblick auf die Romanform selbst. Wie Fontane konzentrierte sich auch Jane Austen auf die menschliche Welt, ohne der Natur als Selbstzweck viel Aufmerksamkeit zu schenken, und stellte im Individuellen den repräsentativen Fall dar. Wie ihre Romane geben seine zum größten Teil Einblicke in das Frauenleben in einer von Männern dominierten Gesellschaft, und wie bei ihr ist diese Gesellschaft auch bei ihm meist die obere Mittelschicht. Jane Austen verzichtet wie Fontane auf Sensationen, so daß der Roman von der psychischen und sozialen Vertiefung des Stoffes lebt.

Aber nicht nur in dem, was sie darstellen, ähneln sie sich, sondern auch in dem, was sie in ihren Romanen aussparen. Die Berufs- und Arbeitswelt des Menschen sucht man bei beiden vergebens, weil beide sich in der Tradition des Gesellschaftsromans bewegen, der die Handlung um eine Folge von gesellschaftlichen Ereignissen wie Ball, Theaterbesuch, Ausflug, Diner usw. rankt. Auch umfaßt bei beiden der Roman bewußt nicht das ganze soziale Spektrum. Es dauerte in beiden Fällen noch gut eine Generation, bis auch die unteren, ja die untersten Schichten der Gesellschaft literaturwürdig wurden, in England bei Charles Dickens und in Deutschland noch zu Fontanes Lebenszeiten im sozialen Drama Gerhart Hauptmanns. Bei Jane Austen und Fontane herrscht hier noch eine Scheu, die unerfreulichen Seiten der Gesellschaft ihrer Zeit ästhetisch aufzuwerten. Aber das gilt nicht nur für das Soziale, sondern trifft auch auf das Persönliche zu. Geburt, Krankheit und Tod, Sexualität und Laster werden von beiden mit äußerster Diskretion behandelt, so daß ihre Wirklichkeitserfassung ein poetischer Realismus ist, in dem »Verklärung« als Teil des ästhetischen Kanons als unverzichtbar angesehen wurde.

Achtes Kapitel

Chawton – Winchester 1816–1817

I

Im Mai 1816 unternahmen Cassandra und Jane eine Reise nach Cheltenham, zwischen Bristol und Birmingham, wo Jane sich vermutlich von den Mineralquellen eine Besserung ihres schlechten körperlichen Zustandes erhoffte, und besuchten auf dem Weg die James Austens in Steventon und Eliza Fowle, Martha Lloyds Schwester, und ihren Mann. Da sie alle Jane einige Zeit nicht gesehen hatten, fiel ihnen laut *Memoir* auf, daß sie nicht besonders wohl aussah. Ihre Gastgeber in Steventon beobachteten, »daß sie ihre alten Lieblingsplätze besuchte und auf eine sonderbare Weise mit ihnen verbundene alte Erinnerungen heraufrief, so als ob sie damit rechne, sie nie wiederzusehen«. Es waren offenbar die ersten Anzeichen einer Krankheit, die innerhalb eines Jahres ihre Gesundheit völlig untergraben und schließlich zum Tod führen sollte. Die Ärzte standen ihrem Leiden ratlos gegenüber; seine Diagnose wurde erst im 20. Jahrhundert möglich. Nach Ansicht der heutigen Medizin handelte es sich um die Addinsonsche Krankheit, ein Versagen der Nebennieren, das unterdessen behandelt werden kann, aber damals ohne große Schmerzen und mit Episoden scheinbarer Besserung zum Tod führte. Die familiären Aufregungen, die Jane Austen im letzten Lebensjahr durchmachte, haben vermutlich ihren Krankheitsprozeß beschleunigt. Erst beunruhigte sie Henrys Bankrott, dann wurde Edward in einen Erbschaftsprozeß verwickelt, bei dem er Gefahr lief, den Herrensitz in Chawton zu verlieren, und zu guter Letzt starb ihr Onkel Leigh-Perrot und hinterließ sein gesamtes Vermögen entgegen den Erwartungen der Familie Austen seiner Frau. (Nach deren Tod profitierte James Edward Austen-Leigh davon.) Jane selbst schrieb im April 1817 an ihren Bruder Charles:

> Ich schäme mich zu sagen, daß der Schock über das Testament meines Onkels zu einem Rückfall [der Krankheit] geführt hat, und am Freitag war ich so krank und fürchtete so, es würde schlimmer werden, daß ich leider darauf drängen mußte, daß Cassandra mit Frank noch gestern abend von dem Begräbnis zurückkehrte, was sie natürlich tat; und entweder durch ihre Rückkehr oder dadurch, daß Mr. Curtis [der Apotheker] mich besucht hat oder meine Krankheit sich entschloß, mich zu verlassen, ist mir heute vormittag besser.

Dies ist zusammen mit ihrer Ohnmacht vor dem Umzug nach Bath der einzige Fall, der uns von einer panikartigen Reaktion Janes erzählt. Ihr Verfallsprozeß war unaufhaltsam, aber ihre Briefe sind immer wieder voller Hoffnung, daß es nun bergauf gehe, daß sie nur einen vorübergehenden Rückfall erlitten habe, daß es ihr vor einem halben Jahr entschieden schlechter gegangen sei. Wieviel Selbstbetrug dabei im Spiel war oder wie sehr der Wunsch, ihre Mutter, Geschwister, Nichten und Neffen nicht zu beunruhigen, sie zu diesen optimistischen Berichten veranlaßt hat, ist aus den Briefen nicht zu erkennen:

> Mir geht es schon seit vielen Wochen nicht gut, und ungefähr vor einer Woche ging es mir ganz schlecht, manchmal habe ich hohes Fieber und schlaflose Nächte, aber nun geht es mir erheblich besser und mein Aussehen, das schlimm genug war, schwarz und weiß und lauter falsche Farben, bessert sich auch wieder. Ich darf mir nicht einbilden, je wieder blühend auszusehen. Krankheit ist in meinem Alter ein gefährlicher Leichtsinn. (23. März 1817.)

Als Caroline Austen ihre Tante zum letztenmal sah, ging es ihr schon bedenklich schlecht:

Es war verabredet worden, daß ich Ende März oder Anfang April in Abwesenheit meines Vaters und meiner Mutter, die damals gerade zusammen mit Mrs. Leigh-Perrot damit beschäftigt waren, die Angelegenheiten ihres verstorbenen Mannes zu regeln, ein paar Tage in Chawton verbringen sollte; aber Tante Jane war zu krank, als daß sie mich hätte aufnehmen können, und so kam ich statt dessen zu meiner Schwester Mrs. Lefroy in Wyards. Am nächsten Tag gingen wir nach Chawton hinüber, um uns nach meiner Tante zu erkundigen. Sie war damals auf ihr Zimmer beschränkt, sagte aber, sie wolle uns sehen, und so gingen wir zu ihr. Sie war im Morgenrock und saß ganz wie eine Kranke im Lehnstuhl, aber sie stand auf und begrüßte uns freundlich, und dann sagte sie, indem sie auf zwei Sitzgelegenheiten deutete, die für uns beim Kamin aufgestellt waren: »Da ist ein Stuhl für die verheiratete Dame und ein kleiner Hocker für dich, Caroline.« Es ist merkwürdig, aber diese unwichtigen Worte waren ihre letzten, an die ich mich erinnern kann, denn ich habe nichts von dem behalten, was wir während der dann folgenden Unterhaltung sprachen. Ich fand ihre Veränderung auffällig. Sie war sehr blaß, ihre Stimme klang schwach und niedergeschlagen, und sie erweckte überhaupt den Eindruck von Verfall und Leiden; aber man sagte mir, daß sie nie wirklich richtige Schmerzen litt. Sie war der Anstrengung einer Unterhaltung mit uns nicht gewachsen, und daher war unser Besuch im Krankenzimmer sehr kurz, denn Tante Cassandra holte uns bald ab. Ich glaube, wir blieben nicht einmal eine Viertelstunde; und ich sah Tante Jane nie wieder.

Als ihr das Gehen schwerer fiel, ritt sie zunächst auf einem Esel, um an die frische Luft zu kommen, und fuhr dann in einem kleinen Eselskarren, der noch heute in der Remise des Hauses, die auch als Backstube und Waschküche diente, zu sehen ist. Die Austensche Familienverbundenheit bewährte sich in dieser Situation wieder einmal glänzend. Ihre Geschwister bemühten sich, wo immer möglich, ihr das Leben zu erleichtern und sie aufzuheitern; und vor allem Cassandra betätigte sich unermüdlich als Pflegerin, wie Jane dankbaren Herzens anerkannte.

Im Frühjahr 1817 war sie öfter schon so schwach, daß sie den größeren Teil des Tages liegend verbrachte. Das Wohnzimmer aber hatte nur *ein* Sofa, auf dem ihre Mutter viel lag. Da sie ihr diesen »Stammplatz« nicht rauben wollte, baute sie sich aus zwei oder drei Stühlen eine Liege zurecht und behauptete, sie sei bequemer als das eigentliche Sofa. Am 27. April 1817 setzte sie ihr Testament auf, in dem sie all ihr Eigentum ihrer Schwester vermachte. Nur sollten 50 Pfund Henry zugute kommen und derselbe Betrag der treuen Zofe seiner verstorbenen Frau. Noch einmal bekommen wir so einen Einblick in Janes besonderes Verhältnis zu ihrem Bruder Henry, der seit Dezember 1816 Pfarrer war.

Aber während ihre Krankheit langsam fortschritt und sie immer schwächer wurde, war sie literarisch intensiv beschäftigt. Da sie nun viele Mitwisser hatte, konnte sie sich der Ratschläge für Romanelemente kaum erwehren. Sie tat mit diesen gutgemeinten Anregungen etwas, was ihrer Persönlichkeit sehr entspricht: sie machte sich einen Spaß damit, indem sie sie kaleidoskopisch durcheinanderschüttelte und den *Plan eines Romans nach Vorschlägen von verschiedenen Personen* daraus zusammenbastelte, der offenbar 1816 entstand. Auch Mr. Clarkes unglückselige Einmischungen in Jane Austens künstlerische Arbeit fanden darin nun ihren Niederschlag. Was da zusammenkam (vgl. S. 269), schlug allem ins Gesicht, was sie in ihren Werken zu erreichen versuchte, nämlich den Roman zu befreien von seinen fantastischen, unglaubwürdigen und klischeehaften Elementen.

Bald nach dem Abschluß von *Emma*, nämlich am 21. August 1815, wandte sie sich einem ganz neuen Stoff zu, dem sie den Titel *Überredung* gab, und stellte darin zum erstenmal eine Heldin dar, die nicht mehr um die Zwanzig ist, sondern sich den Dreißig nähert und den größeren Teil des Buches von

Erinnerungen und in dem Bewußtsein lebt, ihre Liebe versäumt zu haben. Ihre Nichte Fanny, so meinte sie, werde diese neue Heldin Anne Elliot vielleicht leiden mögen; für sie selbst sei sie fast zu gut. Ziemlich genau nach einem Jahr, und zwar nach Cassandras Datierung am 6. August 1816, beendete sie das neue Buch. Eigentlich hatte sie es schon am 16. Juli abgeschlossen, aber sie fand den Schluß unbefriedigend und bearbeitete die letzten beiden Kapitel noch einmal, wobei sie das zweitletzte Kapitel ganz neu gestaltete. Die entscheidende Szene mit Wentworths Liebesgeständnis schrieb sie völlig um und machte zwei Kapitel aus einem. (Die ursprüngliche Version von *Überredung* ist auf deutsch zum erstenmal 1983 bei Reclam erschienen.) Bevor sie dann wieder einen neuen Roman begann, wandte sie sich noch einmal *Kloster Northanger* zu, das immer noch unter dem Titel *Susan* unveröffentlicht im Verlag Crosby & Co lag. »Als der ständig zunehmende Erfolg ihrer vier Romane der Autorin einiges Selbstvertrauen gegeben hatte« (James Edward Austen-Leigh), kaufte ihr Bruder Henry entsprechend dem Angebot von 1809 das Manuskript für zehn Pfund zurück. Erst dann erzählte er dem Verleger, daß das Werk, das er 13 Jahre in seinem Verlag hatte herumliegen lassen, von der unterdessen angesehenen Verfasserin von *Stolz und Vorurteil* usw. stammte. Es ist leider nicht überliefert, was für ein Gesicht Mr. Crosby bei dieser Eröffnung machte. Jane Austen nahm die Arbeit an dem alten Manuskript wieder auf und mußte nun ja vor allem die Heldin umbenennen. Wie weit ihre Eingriffe in den vorhandenen Text sonst gingen, ist nicht zu sagen. Die Forschung neigt dazu, nur geringe Änderungen für wahrscheinlich zu halten. Die Parodie des gotischen Schauerromans, die in ihrer Jugend offenbar den Ausgangspunkt des ganzen Unternehmens gebildet hatte, war nun schon ein wenig obsolet, denn die Blütezeit der »gothic novel« war vorbei. Und so gab sie dem Buch ein »Avertissement« bei, in dem sie den Zeitabstand zwischen Konzeption und Publikation betonte:

> Dieses kleine Werk wurde im Jahr 1803 abgeschlossen und war zur unmittelbaren Veröffentlichung bestimmt [...]. Die Leser werden gebeten, nicht zu vergessen, daß 13 Jahre vergangen sind, seit es beendet, viel mehr noch, seit es begonnen wurde, und sich während dieser langen Zeit Schauplätze, Sitten, Bücher und Ansichten erheblich geändert haben.

Eine Zeitlang scheint Jane Austen geschwankt zu haben, welches der beiden nun abgeschlossenen Bücher sie zuerst veröffentlichen sollte, aber im März 1816 hatte sie sich entschieden, denn sie schrieb an Fanny Knight:

> Miss Catherine [*Kloster Northanger*] ist vorläufig aufs Bücherregal gestellt worden, und ich weiß noch nicht, ob sie überhaupt je in die Gesellschaft eingeführt wird; aber ich habe etwas anderes für die Veröffentlichung fertig, was vielleicht in ungefähr zwölf Monaten erscheint. Es ist kurz, ungefähr so lang wie Catherine. Aber das ist nur für Dich bestimmt. Weder Mr. Salisbury noch Mr. Wildman dürfen etwas davon wissen.

Es sollte zur Publikation zu ihren Lebzeiten nicht mehr kommen. Mitte März 1817 scheint der kritische Zeitpunkt gewesen zu sein, an dem die Krankheit endgültig die Oberhand gewann. Der Brief an Fanny stammt vom 13. März, und am 18. legte sie die Feder für immer aus der Hand. Sie hatte am 17. Januar 1817 – wohl ein Zeichen ihres ungebrochenen Optimismus – nach *Überredung* noch einmal einen ganz neuen Roman begonnen, der *Die Brüder* heißen sollte. Sie kam bis zum Ende des 12. Kapitels, schrieb also innerhalb von nur zwei Monaten etwa 80 Seiten Text – bei ihrem Gesundheitszustand eine erstaunliche Leistung. Dieser letzte, so vielversprechende Roman, der gerade an dem Punkt angekommen war, an dem die Handlung sich zu entwickeln beginnt und die eine Heldin in Liebesabenteuer verwickelt und die andere in ein geheimnisvolles und ungünstiges Licht gerückt wird, wurde nicht mehr beendet. Er hätte nach dem Personenensemble sicher die Länge von *Mansfield Park* und *Emma* gehabt. Das Fragment, ein erster Entwurf mit vielen Korrekturen, wurde in Auszügen, vollständig jedoch erst 1925 unter dem Titel *Sanditon* in Austen-Leighs *Memoir* veröffentlicht.

II

Als Janes Zustand nicht besser wurde, entschloß sich die Familie, sie ins nahe gelegene Winchester zu schicken, weil man Hoffnung hatte, daß Mr. Lyford, ein angesehener dortiger Arzt, ihrer Krankheit eher beikommen würde als der örtliche Apotheker in Alton. Wir entnehmen einem Brief Janes kurz nach ihrer Ankunft (s. u.), daß Mr. Lyford ihr Mut machte. Cassandra sollte ihre Schwester als Pflegerin begleiten. James Austen und seine von ihren Schwägerinnen nicht übermäßig geliebte Frau stellten ihre Kutsche für die Reise zur Verfügung, was Jane mit dem Satz kommentierte: »Bei solchen Dingen zeigt sich Mrs. James Austen von der liebenswürdigsten Seite.« Mrs. Austen, nun 78 Jahre alt, blieb in Chawton zurück und sah ihre jüngere Tochter nie wieder. Es regnete fast die ganze Zeit, als die kleine Kavalkade am Sonnabend, dem 24. Mai 1817, den Weg von 16 Meilen zurücklegte. Jane und Cassandra saßen in der Kutsche und wurden zu Pferd von ihrem Bruder Henry und ihrem dreiundzwanzigjährigen Neffen Edward Knight begleitet, die zu Janes Bedauern klatschnaß wurden. Die Kranke überstand die Reise zur College Street, wo sich die Schwestern einquartiert hatten, ohne Schwierigkeiten und machte sich wieder einmal Hoffnung auf eine Besserung ihres Zustandes. Sie schrieb am 27. Mai in dem zweitletzten der erhaltenen Briefe, der noch Zeichen ihres alten Humors zeigt, an James Edward Austen-Leigh nach Oxford einen Bericht über ihr Befinden:

> Ich will mit meiner Handschrift nicht prahlen; weder sie noch mein Gesicht haben bisher ihre frühere Schönheit wiedergewonnen, aber sonst nimmt meine Kraft überaus schnell zu. Ich bin *jetzt* von morgens um 9 bis abends um 10 aus dem Bett, zwar nur auf dem Sofa, aber ich esse meine Mahlzeiten mit Tante Cassandra auf vernünftige Weise und kann mich beschäftigen und von einem Zimmer ins andere gehen. Mr. Lyford sagt, er werde mich heilen, und wenn nicht, werde ich eine Beschwerde beim Dechanten und dem Domkapitel einreichen und zweifle nicht, daß dieses fromme, gelehrte und unvoreingenommene Kollegium eine angemessene Bestrafung vornehmen wird. Unsere Unterkunft ist sehr bequem. Wir haben ein nettes kleines Wohnzimmer mit einem Erkerfenster, das auf Dr. Gabells Garten hinaussieht.

An ein anderes Familienmitglied, wahrscheinlich an Henry, schrieb sie wenig später:

> Einmal war ich in einer Sänfte an der Luft und werde dazu das nächste Mal, wenn das Wetter es gestattet, sogar einen Rollstuhl bekommen. Sonst will ich über meinen Fall nur noch sagen, daß meine allerliebste Schwester, meine zärtliche, wachsame, unermüdliche Pflegerin, von ihren Anstrengungen noch nicht krank geworden ist. Was ich in dieser Lage ihr und der besorgten Liebe meiner ganzen geliebten Familie verdanke, rührt mich zu Tränen; ich bete zu Gott, daß er sie immer reichlicher dafür segnet.

Zwei Neffen waren in Winchester auf einer Internatsschule und konnten ihre Tante besuchen, und wenn immer möglich, verbrachten auch ihre Geschwister ein paar Tage mit Jane. Mrs. James Austen, die ihre Hilfe angeboten hatte, kam Anfang Juli auf Wunsch Cassandras herüber, die mit der angestellten Pflegerin nicht zufrieden war, und Jane erleichterte kurz vor ihrem Tod ihr schlechtes Gewissen ihr gegenüber, indem sie zu ihrer früheren Freundin sagte: »Du bist mir immer eine verständnisvolle Schwägerin gewesen.« Auch James kam bald darauf für einen Tag zu Besuch und reiste in der Überzeugung nach Steventon zurück, daß mit einer Gesundung seiner Schwester nicht mehr zu rechnen sei. Vorsorglich schrieb er deshalb ein paar Tage später an seinen Sohn James Edward nach Oxford:

> Mein lieber Edward,
> es schmerzt mich, Dir zu schreiben, was zu lesen dann Dich schmerzen wird; aber ich muß Dir sagen, daß wir uns nicht mehr mit der leisesten Hoffnung trösten können, daß Deine liebe, uns so werte Tante Jane uns wiedergegeben wird. Die Symptome, die nach den ersten vier oder fünf Tagen in Winchester wiederkehrten, haben seitdem nicht nachgelassen, und Mr. Lyford hat uns offen gesagt, daß ihre Lage verzweifelt sei. Ich brauche Dir nicht zu sagen, in welche trübselige Stimmung das uns alle versetzt. Deine Großmama hat viel gelitten, aber ihr Leiden ist nichts im Vergleich mit Cassandras [. . .]. Ich sah sie [Jane] am Dienstag und fand sie sehr verändert, aber gefaßt und heiter. Sie ist sich ihrer Lage bewußt.

James und Henry, die beiden Pastorenbrüder, hielten es nun für geraten, ihr die Wahrheit zu eröffnen, damit sie sich entschließen konnte, das Abendmahl noch einmal bei wachem Bewußtsein zu nehmen. So hielten sie an ihrem Krankenbett einen Gottesdienst für sie. Als Cassandra am Abend des 17. Juli von Besorgungen in der Stadt zurückkam, hatte Jane einen Ohnmachtsanfall erlitten. Das Ende war nahe. Über ihre letzten Stunden, die recht qualvoll gewesen zu sein scheinen, hat Cassandra einen ausführlichen Bericht an Fanny Knight geschrieben (vgl. S. 376). Jane Austen starb am Freitag, dem 18. Juli 1817, in den frühen Morgenstunden mit dem Kopf auf dem Schoß ihrer Schwester und wurde im Dom von Winchester beigesetzt. Ihr Grabmal, das dort noch heute zu sehen ist, hat eine Inschrift, die ihre menschlichen Eigenschaften preist, aber die literarische Tätigkeit, die ihr

Das Haus in der College Street, Winchester, in dem Jane Austen starb

Unsterblichkeit einbrachte, nicht erwähnt. Cassandra blieb bei der Beerdigung zu Hause, beobachtete den Trauerzug aber vom Fenster aus. Schon James Edward Austen-Leigh berichtete 1870, ein Freund, der Jane Austens Grabmal besichtigt habe, sei vom Küster gefragt worden: »Sir, können

Sie mir bitte sagen, ob an dieser Dame etwas Besonderes war; so viele Leute möchten wissen, wo sie begraben ist.« Es war etwas Besonderes an ihr, obwohl sie ein denkbar unsensationelles Leben lebte, dem die artistische Exzentrizität und das romantische Leiden, das die Künstler ihrer Generation so kultivierten, fremd waren. »Romantisch« war höchstens ihr früher Tod.

III

Der Biograph verläßt sie mit dem Unbehagen, dem *Menschen* und der *Frau* Jane Austen kaum wirklich auf die Spur gekommen zu sein und auch die rührenden Elemente ihres Sterbens übertrieben zu haben, weil wir hier wie sonst vor allem auf die Aussagen der Familienmitglieder angewiesen sind, die Jane nicht distanziert und kritisch gegenüberstanden, sondern ihr letztes Lebensjahr und ihren Tod als persönliches Unglück erfuhren. Aber es bleibt nicht nur bestehen, daß ihr langsames Dahinschwinden rührend *ist*, sondern auch ihr früher Tod die Tragik eines unvollendeten Künstlertums enthält. Hätte sie nur fünf Jahre länger gelebt, dann hätte ihr Werk schon unter ihren Zeitgenossen die Stellung erworben, die ihm gebührt, und sie selbst wäre vermutlich zu einer literarischen Zelebrität geworden. Auch ihre Bücher tragen zur besseren Kenntnis ihrer Persönlichkeit nur zum geringen Teil bei. Was sagt uns letztlich die Beziehung zwischen Jane und Elizabeth Bennet oder die zwischen Elinor und Marianne Dashwood über das Verhältnis zwischen Cassandra und Jane Austen? Erlauben die unverantwortlichen oder gar albernen Eltern und die verkorksten Ehen in ihren Romanen Rückschlüsse auf Freunde, Verwandte und Bekannte in ihrer Umgebung? Und sie selbst – welcher unter ihren Heldinnen ähnelte sie am meisten? Der ironischen Elizabeth Bennet, der nüchternen Elinor Dashwood, der koketten Emma Woodhouse oder der melancholischen Anne Elliot? Hat diese Frage überhaupt Sinn? Wir wissen, daß ihre Umwelt es glaubte, ja fürchtete. So wie einige Menschen Angst haben, einem Psychologen zu begegnen, weil er sie durchschauen könnte, so glaubten und glauben offenbar auch einige, daß Schriftsteller ihre Umwelt nur unter dem Gesichtspunkt der Verwertbarkeit für ihr nächstes literarisches Projekt betrachten. Das allgemeine Wissen um ihre Autorschaft machte Jane Austen befangen und versetzte einige ihrer Bekannten in Unruhe. Die Schriftstellerin Mary Russell Mitford, deren Mutter einst Jane Austen als »hübschesten, albernsten, affektiertesten Schmetterling auf Männerjagd, an den ich mich erinnern kann«, bezeichnet hatte, schrieb in ihren *Erinnerungen eines Schriftstellerlebens:*

> Eine Freundin, die mit ihr [Jane Austen] umgeht, sagt, daß sie sich zum senkrechtesten, ordentlichsten, schweigsamsten Exemplar von Unvermähltheit versteift hat, das je existierte, und daß sie, bevor *Stolz und Vorurteil* enthüllte, was für ein kostbarer Edelstein in dem harten Gehäuse verborgen war, in Gesellschaft als nichts anderes angesehen wurde als ein Feuerhaken oder ein Kaminschirm oder irgendein anderes dünnes und aufrechtes Stück Holz oder Eisen, das friedlich und still die Ecke ausfüllt. Nun ist der Fall anders. Sie ist immer noch ein Feuerhaken – aber ein Feuerhaken, vor dem alle Angst haben. Man muß zugeben, daß das schweigende Beobachten einer solchen Beobachterin fürchterlich ist. [...] ein geistreicher Kopf, eine Darstellerin von Menschen, die nicht spricht, ist wahrhaft erschreckend.

Es ist nach diesen Bemerkungen, aus denen nicht Sympathie, sondern Mißgunst spricht, klar: Jane Austen schätzte anregende Gespräche mehr als »small talk«, und sie bemerkt in ihren Briefen auch immer wieder, wie dankbar sie ist, wenn eine Unterhaltung über das Unverbindliche hinausgeht und die Herren die Damen in ihre geistreichen und witzigen Konversationen einbeziehen. Ohnehin fühlte sie sich in vertrauter

Gesellschaft wohler. »Es ist eine mühselige Arbeit, sich mit jemandem zu unterhalten, den man so wenig kennt«, schreibt sie im November 1814 an ihre Schwester. Wie oft wird in ihren Romanen das leere oder eitle Geschwätz der Menschen gegeißelt, und eine Passage wie die folgende aus *Verstand und Gefühl*, in der Elinor sich ihre Enttäuschung über die täglichen Unterhaltungen mit ihren neuen Nachbarn eingesteht, klingt, als ob darin Janes eigenes Mißbehagen über so viele unbedarfte, rücksichtslose Gesprächspartner widerhallt:

> Weder Lady Middleton noch Mrs. Jennings konnten ihr die Gespräche ersetzen, die sie vermißte, obwohl die letztere unermüdlich redete und sie von Anfang an so in ihr Herz geschlossen hatte, daß ihr ein Gutteil ihrer Ausführungen sicher war. Sie hatte Elinor ihre eigene Lebensgeschichte bereits drei- oder viermal erzählt, und hätte deren Interesse daran ihrem sonstigen Lernbedürfnis entsprochen, dann hätte sie vielleicht schon gleich zu Beginn ihrer Bekanntschaft alle Einzelheiten von Mr. Jennings' letzter Krankheit und das, was er zu seiner Frau wenige Minuten vor seinem Tod gesagt hatte, behalten. Lady Middleton war nur dadurch erträglicher als ihre Mutter, daß sie schweigsamer war. (S. 58.)

Aber wir wollen die Befürchtungen von Mrs. Mitfords Freundin auch nicht zu leicht nehmen. Für Janes Neigung und Begabung zum Lästern und ihre kühle Beobachtungsgabe haben wir schon Beispiele gegeben, und wer etwa ihre Charakteristik einer Miss Milles aus Canterbury liest, kann sich des Eindrucks nicht erwehren, daß der »Feuerhaken« wirklich furchtgebietend war und man hier die leibhaftige Miss Bates aus *Emma* vor sich hat:

> Miss Milles war komisch wie immer und gab uns viel Gelegenheit zum Lachen. Sie machte sich daran, uns *in drei Worten* die Geschichte von Mrs. Scudamores Versöhnung zu erzählen, sprach dann eine halbe Stunde darüber und

benutzte dabei so sonderbare Ausdrücke und war so blödsinnig detailliert, daß ich nur mit Mühe ein ernstes Gesicht bewahren konnte. Der Tod von Wyndham Knatchbulls Sohn wird die Scudamores nun ablösen. Ich erzählte ihr, daß er in Hatch beerdigt werden solle. Sie hatte gehört, in Portsmouth, mit militärischen Ehren. Man kann sich vorstellen, wie diese Tatsache nun Abend für Abend erörtert wird. (26. Oktober 1813.)

Hätte man aber Jane Austen auf dieses Modell hingewiesen, dann hätte sie es wohl geleugnet, denn sie äußerte nach Austen-Leigh Unwillen über die Annahme, sie forme ihre Gestalten nach lebenden Vorbildern, was sie angeblich für eine »Verletzung des gesellschaftlichen Anstands« hielt. Austen-Leigh behauptet, ihre eigene Familie, die es doch wissen mußte, habe nie lebende Personen in ihren Figuren erkannt, eine Behauptung, die Henry Austen schon unmittelbar nach ihrem Tod erhoben hatte:

Sie zeichnete nach der Natur, aber, was immer man Gegenteiliges darüber vermutet hat, nie nach Individuen.

Aber diese Erklärung ist so unmittelbar einleuchtend nicht, denn ihr Bruder Francis schrieb 1852, er glaube,

Teile von Kapitän Harvilles Charakter sind nach mir gezeichnet. Wenigstens erinnern seine häuslichen Gewohnheiten, sein Geschmack und seine Beschäftigungen zum Teil stark an meine.

Die Forschung hat unterdessen herausgefunden, daß nicht nur bestimmte Personen, sondern auch Schauplätze tatsächlich vorhandenen nachgebildet sind. So hat David Smithers 1980 nachgewiesen, daß im Fall von *Stolz und Vorurteil* die Anlage von Lady Catherine de Bourghs Rosings mit dem dazugehörigen Pfarrhaus dem Besitz Chevening Park in Kent nachempfunden ist, ja, daß dort eine ähnlich resolute alte Dame »herrschte«, deren Schwiegermutter obendrein Cathe-

rine Burghill hieß. Wie immer entsteht dabei die Gefahr der Überdeutung; andere Identifikationsversuche, wie Halperins Behauptung, Mrs. Norris in *Mansfield Park* sei ein Porträt von Mrs. Perrot-Leigh, sind weniger einsichtig.
Wenn Jane Austen sich trotzdem gegen die detektivischen Gelüste der Kritiker gewehrt hat, dann vielleicht aus zwei Gründen: Zum einen könnte sie von vornherein dem Versuch verschiedener Leser, sich selbst oder ihre Freunde in bestimmten Romangestalten zu sehen, vorgebaut haben. Es spricht immerhin für die Lebensechtheit ihrer Figuren, daß lebende Personen sich in ihnen wiederzuerkennen glaubten, wie eine Miss Dusantoy, die sich einbildete, zusammen mit ihrer Schwester namens Fanny das Vorbild für Fanny Price abgegeben zu haben, oder eine Miss Herries, die Leute für Mrs. und Miss Bates hielt, die Jane Austen gar nicht kannte. – Ein Problem, das auch Theodor Fontane kannte, bei dem sich einmal eine Dame ausweinte, die Lene Nimpsch aus *Irrungen, Wirrungen* zu sein behauptete. Zum anderen war sich Jane Austen sicher zu sehr bewußt, welche künstlerische Gestaltungsarbeit in einer literarischen Figur auch dann steckt, wenn Züge von ihr der Wirklichkeit abgelauscht sind, worin ihr wohl nicht nur Fontane, sondern auch Thomas Mann zugestimmt hätte. Austen-Leighs Bemerkung klingt nur zu glaubwürdig:

> Sie hatte das Bedürfnis zu schaffen, nicht nachzuahmen, und »außerdem«, fügte sie hinzu, »bin ich zu stolz auf meine Gentlemen, um zuzugeben, daß sie nur Mr. A oder Oberst B. sind«.

Wie in dieser Frage fühlt sich der Biograph auch sonst in ihrer Bewertung sehr unsicher und findet es schwer, die Diskrepanzen, Brüche und Widersprüche in ihrem Charakter zu versöhnen. Sie entwickelte einen neuen Romantyp, der am Anfang der literarischen Entwicklungen des 19. Jahrhunderts stand und an seinem Ende in Henry James seine letzte große Blüte erlebte; aber es reizte sie nicht, sich mit den romantischen Entwicklungen in der Literatur ihrer Zeit auseinanderzusetzen. Ihre Bücher enthalten, nein, sind scharfe Attacken auf die verschiedensten Züge der ihr bekannten und vertrauten Teile der Gesellschaft ihrer Zeit; aber sie selbst ging gleichzeitig, soweit wir wissen, in ihrer ererbten sozialen Rolle mit Anteilnahme und Pflichtbewußtsein auf. Die in ihren Romanen dargestellten Kinder sind zu einem Gutteil kleine Monster, aufdringlich und verzogen; aber sie selbst war nach dem Urteil aller ihrer Neffen und Nichten die liebenswürdigste und einfühlsamste Tante. Ihre Bücher sind voller bissig beschriebener rücksichtsloser, egoistischer, dummer Gestalten, ihre Briefe voller spitzer Bemerkungen über ihre Zeitgenossen; aber sie sagte angeblich nie ein böses Wort über irgend jemanden.

Die Forschung ist augenblicklich im Begriff, von einem Extrem ins andere zu verfallen. Während sie lange Zeit nach dem Vorbild von Jane Austens Familienmitgliedern eine idealisierte Version ihres Lebens und ihrer Persönlichkeit akzeptiert hat, betont sie nun anscheinend die kritikwürdigen Aspekte ihres Charakters über Gebühr. Die schon mehrfach erwähnte letzte große Jane-Austen-Biographie, John Halperins *Das Leben Jane Austens* (*The Life of Jane Austen*, 1984) hebt immer wieder negative Züge im Bild der Autorin hervor. Der Biograph sieht in der Tatsache, daß keine von Jane Austens Nichten ihren Vornamen erhielt, aber mehrere Cassandra hießen, einen Beweis dafür, daß es Spannungen zwischen den Brüdern und ihrer jüngeren Schwester gab. Aber die Töchter hießen doch wohl eher nach ihrer Großmutter, die denselben Vornamen hatte, als nach ihrer Tante. Halperin porträtiert Jane Austen fast als unzugängliche Misanthropin, die Lärm, Kinder und Unordnung haßte und aus diesem Grund auch Godmersham mit seiner zahlreichen Familie und seinen vielen Besuchern mied, und nennt sie in verschiedenen Zusammenhängen kaltblütig, einsam, herablassend, disloyal und gönnerhaft. All das hinzunehmen, fällt uns schwer. Wir wissen zu wenig von Jane Austen, um sie so zu charakterisieren. Aber sie hatte, wie alle Menschen, viele Gesichter, und unsere Einsicht in dieses Grundfaktum der Psychologie ist gegenüber ihren zeitgenössischen und dann folgenden Biographen erheblich gewachsen.

Wie im Fall Mozarts, den wir wegen seines kurzen Lebens ähnlich ausschließlich mit einer bestimmten kulturellen Epoche identifizieren, ist auch bei Jane Austen die Frage verführerisch, was sie künstlerisch erlebt hätte, wenn sie wesentlich älter geworden wäre. Sie ähnelte ja Mozart auch darin, daß sie den vorhandenen künstlerischen Horizont ihrer Zeit nicht radikal durchbrach und sich ganz dem Experiment verschrieb, sondern daß sie die artistischen Erkenntnisse und Verfahren ihrer Epoche zugleich weitgehend verwertete und auf eine bisher nicht gekannte Höhe führt.

Hätte sie doppelt so lange gelebt, dann hätte sie alle drei Brontë-Schwestern überlebt, deren berühmteste Romane, Emilys *Sturmhöhe* (*Wuthering Heights*) und Charlottes *Jane Eyre* 1847 erschienen. Thackerays *Jahrmarkt der Eitelkeit* (*Vanity Fair*, 1847) und der größere Teil von Dickens' Werken wären dann zu ihren Lebzeiten veröffentlicht worden. Hätte Jane Austen in Elizabeth Gaskells (1810–65) *Cranford* (1851–53) die legitime Nachfolge des von ihr entwickelten Romantons gesehen? Das gesamte Werk Stendhals und Balzacs, die 1842 bzw. 1850 starben, und sogar Flauberts *Madame Bovary* (1856) hätte sie lesen können. In Deutschland hätte dann vor ihrem Tod Richard Wagner, der in dieser Zeit gewissermaßen als Ersatz für den fehlenden Roman auf einer vergleichbaren literarischen Höhe herhalten muß, schon *Tannhäuser* (1845) und *Lohengrin* (1850) aufgeführt, den Text zum *Ring des Nibelungen* (1852) beendet und die Komposition von *Tristan und Isolde* begonnen. Hätte sie, wenn sie all diese künstlerischen Ereignisse – im wahrsten Sinn des Wortes – er-lebt hätte, bis in ihr Alter weitergeschrieben? Und was wären das für Romane gewesen?

IV

Noch einmal wurde nach dem Tod Janes Henry Austen für seine Schwester in ihren literarischen Angelegenheiten tätig. Er vereinbarte die Herausgabe ihrer beiden mehr oder minder druckfertigen Romane mit Murray und schrieb für das Unternehmen eine biographische Notiz (vgl. S. 383), die der Öffentlichkeit die Identität der Autorin gewissermaßen offiziell preisgab und als Tribut an die gerade gestorbene Lieblingsschwester so idealisiert klingt, daß Margaret Kirkham sie in ihrem Buch *Feminismus und Roman* (*Feminism and Fiction*, 1983) »hagiographisch« genannt hat. Aber sie ist die Jane Austens Lebzeit nächste und authentischste Information aus ihrer unmittelbaren Familie. *Kloster Northanger und Überredung. Von der Verfasserin von »Stolz und Vorurteil«, »Mansfield Park« usw. Mit einer biographischen Notiz über die Autorin. In vier Bänden* erschien dann zum Preis von 24 Shilling 1818 oder Ende 1817. Henrys Notiz ist »13. Dezember 1817«, die kurze Nachschrift dazu »20. Dezember 1817« unterzeichnet. Cassandra, die Erbin, verdiente daran ungefähr 500 Pfund. Erst 1833 wurden alle Romane wieder gedruckt, wobei Henry in Cassandras Namen die Rechte für 250 Pfund endgültig an den Verlag Bentley abtrat.

Cassandra selbst ging nach Janes Tod zurück nach Chawton und lebte dort mit ihrer Mutter und Martha Lloyd zusammen, bis Mrs. Austen 1827 im Alter von 88 Jahren starb. Bald darauf heiratete Martha Francis Austen. So bewohnte nun Cassandra das Haus in Chawton allein weiter, wo sie wie bisher öfter von ihren Geschwistern, Neffen und Nichten besucht wurde. Eine ihrer Großnichten erinnerte sich an sie bei einer Taufe als an »eine blasse, dunkeläugige alte Dame mit hoher gebogener Nase und freundlichem Lächeln in einem langen Mantel und einer großen Haube, beides aus schwarzem Satin«. Von ihrer lange toten Schwester sprach sie nur »in einem Ton, als ob ihre Liebe zu ihr noch *lebendig* sei«.

Neuntes Kapitel

Werke aus dem Nachlaß

I

Als Jane Austen starb, hatte sie zwei Romane mehr oder minder publikationsfertig liegen, die dann aus dem Nachlaß im Jahr nach ihrem Tod erschienen. Aufgrund dieser Umstände kamen nun das erste Buch, das die Autorin an einen Verleger verkauft, und das letzte, das sie vollendet hatte, in *einer* Ausgabe von vier Bänden für 24 Shilling zusammen auf den Markt: *Kloster Northanger* und *Überredung*. Der Roman, an dem sie kurz vor ihrem Tod arbeitete und der schon auf etwa 80 Seiten, also auf ein Fünftel oder Sechstel seines endgültigen Umfangs angewachsen war, verdient als ihr letztes in Angriff genommenes Werk unsere Aufmerksamkeit. Was tragen die beiden Nachlaßwerke und die zwölf Kapitel von *Sanditon* (vgl. S. 272) zum Bild der *Schriftstellerin* Jane Austen noch bei, das in den früheren Kapiteln anhand ihrer Jugendwerke, ihrer mittleren Fragmente und ihrer Werke zu Lebzeiten skizziert worden ist? Zunächst rundet sich durch sie das Bild des Gesamtwerks. Die abgeschlossenen Werke zerfallen in drei frühe überarbeitete und drei späte und können dem Umfang nach in drei Zweiergruppen geteilt werden: die beiden langen (*Mansfield Park* und *Emma*), die beiden mittleren mit dem Schwesternpaar (*Verstand und Gefühl* und *Stolz und Vorurteil*) und die beiden kurzen aus dem Nachlaß (*Kloster Northanger* und *Überredung*), um die es nun geht.
Sie sind die beiden einzigen Romane Jane Austens, die poetisch gestaltete romantheoretische Bekenntnisse enthalten. In *Überredung* gibt es eine kleine Szene, die uns in nuce ihr künstlerisches Selbstverständnis zu enthalten scheint. Es ist die Begegnung der Heldin mit Admiral Croft, der vor dem

Schaufenster einer Kunsthandlung steht und Anne ein Seestück erläutert:

> Hier stehe ich nämlich und starre ein Bild an. Ich komme nie an diesem Laden vorbei, ohne stehenzubleiben. Aber was das hier für ein komisches Schiff ist! Schauen Sie sich das an: Haben Sie so etwas schon einmal gesehen? Was für merkwürdige Kerle Ihre großartigen Maler sein müssen, wenn sie glauben, daß jemand in solch einer unförmigen Nußschale sein Leben aufs Spiel setzen würde. Und doch sitzen zwei Männer darin und sehen ungerührt und in aller Ruhe die umliegenden Felsen und Berge an, als wenn sie nicht im nächsten Augenblick Schiffbruch erleiden würden, was sie ganz gewiß tun. Ich frage mich, wo das Boot gebaut worden ist! (Er lachte herzlich.) Ich würde mich damit über keinen Ententeich trauen. (S. 189 f.)

Admiral Croft, der bodenständige, künstlerisch sicher völlig ungebildete pensionierte Marineoffizier, ist auf den ersten Blick das denkbar ungeeignetste Medium, um zum Erläutern von Kunsttheorien zu dienen – aber nur auf den ersten Blick, denn gerade ihn hielt Jane Austen für besonders vertrauenswürdig. Die Literatur war für sie kein unverbindliches Spiel, das die Wahrscheinlichkeitsgesetze des Lebens beliebig außer Kraft setzen kann. Gerade der Maßstab des nüchternen Kritikers, der aus seiner Kenntnis des Lebens die Kunst beurteilt, und nicht der des Konsumenten von romantischem oder fantastischem Kitsch, der seine an illusionärem Material gewonnenen Einsichten auf das Leben überträgt und es dann mißversteht, erscheint Jane Austen sympathisch und respektgebietend. Die Kunst muß, wie Admiral Croft Anne erklärt, dem Leben standhalten können.

Kloster Northanger macht diese Überzeugung zum Element der Handlung des Buches, denn Catherine Morland, die ihre Einsichten über das eheliche Verhalten vornehmer Leute in alten Schlössern den gotischen Schauerromanen entnimmt, die sie mit ihrer Freundin Isabella verschlingt, muß auf

Mr. Tilneys Herrensitz erfahren, daß die geheimnisumwitterte Welt ihrer Schundliteratur nur in ihrer eigenen Fantasie existiert. Sie wird schon im ersten Teil des Buches hin und her gerissen zwischen irregeleiteter Fantasie und Wirklichkeit, denn mit Isabella will sie in der Hoffnung auf Nahrung für ihr gotisch infiziertes Gemüt die Burg Blaize besichtigen, mit den Tilneys macht sie Spaziergänge in die harmlose Umgebung von Bath. Der zweite Teil des Buches ist dann der Heilung der beschämten Catherine vom Wahn, der Zurechtrükkung von Kunst und Leben in ihrem Gemüt mit Hilfe des geliebten Henry Tilney gewidmet: »Die romantischen Visionen waren verflogen. Catherine war endgültig aufgewacht« (S. 203). Den peinlichen Verdacht des arglosen jungen Mädchens, daß Henrys Vater seine Frau in den finsteren Gemächern des Schlosses gefangenhalten könnte, weist der junge Mann mit den Worten zurück:

> Liebe Miss Morland, bedenken Sie, wie fürchterlich Ihr Argwohn ist. Woher nehmen Sie die Berechtigung? Bedenken Sie, in welchem Land und in welchem Zeitalter wir leben! Bedenken Sie, daß wir Engländer, daß wir Christen sind. Ziehen Sie doch Ihren eigenen Verstand zu Rate, Ihre Einsicht in das Wahrscheinliche, Ihre eigenen Beobachtungen dessen, was um Sie herum vorgeht! Legt unsere Erziehung uns solche Greueltaten nahe? Lassen unsere Gesetze sie stillschweigend zu? Können sie unentdeckt in einem Land wie diesem begangen werden, wo ein solch reger gesellschaftlicher Verkehr herrscht, wo jeder in seiner Nachbarschaft von freiwilligen Spionen umgeben ist und wo Straßen und Zeitungen alles ans Tageslicht bringen? Liebste Miss Morland, zu welchen Gedanken haben Sie sich hinreißen lassen? (S. 202 f.)

Es sei nebenbei bemerkt, daß um den Satz von den »Spionen in der Nachbarschaft« eine Kontroverse entstanden ist. Während ihn D. H. Harding in seinem erwähnten Aufsatz von 1940 als Beispiel für Jane Austens Technik benutzt, bittere

Wahrheiten über die Gesellschaft durch ihre Einfügung in einen freundlichen Zusammenhang zu versüßen, sieht B. C. Southam (1976) darin einen Beleg, daß in den Romanen der Autorin immer wieder Bezüge auf aktuelle Ereignisse zu finden seien. Er bezieht ihn auf die Politik der englischen Regierung nach 1814, das Aufkommen von staatsfeindlichen Tendenzen durch ein System von Informanden und Zuträgern zu verhindern. Die Frage nach den aktuellen Bezügen in Jane Austens Romanen wird überhaupt immer wieder aufgeworfen, weil es Kritiker gab und gibt, die ihr den Vorwurf machen, daß ihre Bücher in provinzieller Ahnungslosigkeit und unberührt von der politischen Realität ihrer Zeit spielen. Aber dieser falsche Eindruck ist heute nicht nur durch Southam korrigiert worden; und *Überredung* ist das Buch, in dem die Verbindung der Handlung mit den Zeitereignissen am leichtesten zu zeigen ist, weil in ihm Marineoffiziere eine tragende Rolle spielen, deren Karriere mit den Napoleonischen Kriegen in engem Zusammenhang steht und von denen einer dabei so schwer verwundet wird, daß er seinen Offiziersberuf aufgeben muß. Auch der soziale Rahmen der Handlung ist hier besonders prägnant herausgearbeitet, denn in den wohlmeinenden und bescheidenen Musgroves und den erfolgreichen, tüchtigen Marineoffizieren stehen dem reaktionären Vertreter des absoluten Adels, Sir Walter Elliot, der durch Verschwendung und Hochmut seinen eigenen Untergang betreibt, Repräsentanten zweier Stände gegenüber, denen die Zukunft gehört und die ihr Leben durch persönlichen Einsatz selbst gestaltet haben. Mit der kalten Formalität und dem Bestehen auf Rang und Würde im Haus Sir Walters kontrastiert dabei der freundschaftlich-intime Umgangston in der Familie Musgrove, dem sich Mary Elliot als Schwiegertochter nicht anpassen will, den ihre Schwester Anne aber sympathisch findet.

Kloster Northanger nimmt insofern eine besondere Rolle unter Jane Austens Romanen ein, als darin die ursprüngliche parodistische Gestalt des Jugendwerks als handlungstragende

Basis bewahrt ist. Zwar war die eigentliche Mode der »gothic novel«, deren Höhepunkt zwischen 1790 und 1800 lag, vorbei, und die späteren Repräsentanten dieses merkwürdigen Genres, deren Werke die Autorin nicht mehr erlebte, wie Mary Shelleys *Frankenstein* (1818) oder Charles Maturins *Melmouth der Wanderer* (*Melmouth the Wanderer*, 1820) erreichten einen weitaus höheren Grad von intellektueller Durchdringung der schauerlichen Materie. Aber Jane Austen scheint sich durch die Veröffentlichung von Eaton Stannard Barretts (1786–1820) *Die Heldin oder Abenteuer einer schönen Romanleserin* (*The Heroine or Adventures of a Fair Romance Reader*, 1813), das sie 1814 mit viel Vergnügen las und als »köstliche Burleske, besonders des Radcliffe-Stils« bezeichnete, ermutigt gefühlt zu haben, auch ihre eigene Parodie des Schauerromans, die zu dieser Zeit ja noch bei dem Verleger Crosby lag, doch noch zu veröffentlichen. Sie hatte allen Grund dazu, denn Barretts Buch ist nicht nur viel gewollter als Parodie angelegt und könnte daher als eigener Handlungsentwurf gar nicht existieren, sondern der Witz entsteht auch, anders als bei Jane Austen, dadurch, daß die Heldin Cherubina selbst fast gewaltsam auf der Suche nach einem »romanwürdigen« Leben ist. Catherine Morland dagegen wird gewissermaßen gegen ihren eigenen Willen zu dem »gotischen« Spekulieren veranlaßt, so daß sie selbst und die Leser die Spannung zwischen ihrer Harmlosigkeit und dem Wahnwitz ihres Verdachts viel intensiver als psychologisches Erlebnis erfahren und trotz des parodistischen Elements den Roman auch als Gesellschaftsroman genießen können – mit ein Grund, warum *Kloster Northanger* überlebt hat, nicht aber *Die Heldin*. Erst nach der Veröffentlichung dieses Romans ließ sich auch der parodistische Ursprung der beiden anderen frühen Romane Jane Austens deutlicher erkennen, in denen das Parodistische durch die Überarbeitung weitgehend verdeckt wird. Während aber die anderen Jugendwerke Jane Austens den sentimentalen Frauenroman aufs Korn nehmen, macht sich *Kloster Northanger* über den zweiten Typ des damals populären Romans lustig. Mehr noch als den ersten zeichnet diesen zweiten Roman der Zeit ein gestörtes Verhältnis zur Wirklichkeit aus.

Der gotische Schauerroman entstand in der zweiten Hälfte des 18. Jahrhunderts im Zusammenhang mit der Wiederbelebung gotischen Geschmacks und gotischer Lebensformen, die Teil einer Gegenbewegung gegen die aufklärerische Rationalität waren. Der früheste und einflußreichste Advokat dieser Bewegung in England war Horace Walpole (1717–97), der 1765 mit *Die Burg von Otranto* (*The Castle of Otranto*) auch den ersten gotischen Roman veröffentlichte. Die Mode verbreitete sich schnell, obwohl die frühen Beispiele wie Walpoles Buch oder Clara Reeves (1729–1807) *Der alte englische Baron* (*The Old English Baron*, 1777) eher ungeschickt wirken, und brachte im letzten Jahrzehnt des 18. Jahrhunderts eine Fülle von Romanen hervor, die zum größten Teil in der Minerva Press erschienen, die zugleich eine Kette von Leihbüchereien besaß und daher die Ware schnell und profitlich unters Volk bringen konnte. Der Einfluß gerade der deutschen Ritter- und Schauerromane wurde dabei schon von den Zeitgenossen immer wieder betont. Die gotischen Romane schildern mit manchmal grandioser, wenn auch klischeehafter Intensität die verheerendeWirkung ungesühnter Verbrechen in der Geschichte eines Geschlechts, die Machenschaften finsterer Bösewichte auf alten Burgen, die unheimlichen und grausamen Aspekte der katholischen Religion oder das Wirken schicksalhafter Mächte im Leben von Menschen und haben als Protagonistin häufig wie der Frauenroman ein hübsches junges Mädchen. Während es dort unter der korrupten städtischen Gesellschaft leidet, muß es hier Gefangenschaft, Entführung und physische und seelische Qualen aller Art durchstehen, bis es endlich den Verfolgungen ruchloser Verehrer oder auf ihre Erbschaft versessener Betrüger entkommt und den schon lange im Hintergrund herumgeisternden Retter heiraten kann. Die Spannung wird durch die ausführlich, wenn möglich geschickt ins Grauenhafte gesteigerte Schilderung von schauerlichen Szenen in Klöstern, Burgen, unterirdischen Verliesen, finsteren Wäldern usw. erzeugt. Die Variationsbreite des Genres wurde, je weiter es sich entwickelte, immer größer, aber für Jane Austens *Kloster Northanger* ist nur der eben charakterisierte Schauerroman mit der arglosen jungen Heldin wichtig, die bei ihrer Gefangenschaft auf alten, meist südeuropäischen Burgen – das Schauerliche verbindet sich für die nüchternen Engländer häufig mit dem Katholischen und dem emotionalen mediterranen Volkscharakter – immer wieder entsetzliche Entdeckungen macht, indem sie Skelette, alte Manuskripte, wahnsinnige Gefangene, geheime Gänge oder dergleichen findet. Die unbestrittene Meisterin dieses Genres war Ann Radcliffe (1764–1823), die mit *Die Waldromanze* (*The Romance of the Forest*, 1791), *Die Geheimnisse Udolphos* (*The Mysteries of Udolpho*, 1794) und *Der Italiener* (*The Italian*, 1797) ihr zahlreiches Lesepublikum in Atem hielt, indem sie ihren Heldinnen Adeline, Emily und Ellena Grauenhaftes zumutete. Anne Radcliffe ist eine Meisterin der kunstvoll und langsam gesteigerten Gruselszenen, die sich mit romantischen, lieblichen Naturschilderungen und -idyllen und friedlichen Augenblicken scheinbarer Sicherheit ablösen.

Die Waldromanze etwa, woraus einige fast wörtliche Anklänge in *Kloster Northanger* stammen, spielt zu zwei Dritteln in einem einsamen, verfallenen Kloster in einem Wald in Südfrankreich, wohin sich ein hochverschuldetes und auch sonst nicht ganz schuldloses Ehepaar und ein von ihrem Vater verstoßenes bildschönes junges Mädchen flüchten. Hier wird Adeline von dem Besitzer der Ruine bedrängt und vorübergehend entführt, entdeckt als Zeugnis eines ruchlosen Mordes ein altes Manuskript – auch das Skelett und der Morddolch mit den rostigen Blutflecken liegen noch herum –, irrt nachts allein durch den dunklen Wald, findet den schneidigen jungen Retter Theodore, flieht mit ihm, wird entdeckt, unter Zittern und Zagen zurückgeschleppt, während er schwer verwundet und hilflos zusehen muß und seiner Verurteilung entgegensieht, wird nun gefangen gesetzt und soll von ihrem scheinbaren Beschützer getötet werden, entkommt aber in der Mordnacht ins paradiesisch-ländliche Savoy. In der vor Güte förmlich triefenden Pfarrersfamilie La Luc, die schon nach 14 Tagen Adeline adoptiert, beginnt nun eine Rousseausche Idylle, in deren Verlauf sich Theodore – welch Zufall! – als Sohn des Hauses herausstellt. Er wartet noch immer auf seine Exekution, und der Schluß des Romans wird nun zum Melodrama, bei dem die Tränen der Beteiligten in wahren Bächen fließen, aber den Lesern auch wieder gelegentlich Schauer eingejagt werden. Der fast erfolgreiche Entführer Adelines war ihr Onkel – Blutschande! –, hat ihren Vater umgebracht – Brudermord! –, dessen Skelett sie in der Klosterruine selbst gesehen hat, und sie ist in Wirklichkeit eine Gräfin. Der Bösewicht wird unter schrecklicher Reue bestraft, Theodore begnadigt, und wenn er und Adeline nicht gestorben sind ... Nichts Köstlicheres als ein gotischer Schauerroman! Die Kette der Überraschungen reißt darin nicht ab und zermürbt die Nerven der Heldin und der Leser, weil sich immer wieder das scheinbar Furchtbare als harmlos und das scheinbar Harmlose als furchtbar herausstellt. Aber alles ist so übertrieben, daß es heute nur noch erheiternd wirkt. Das fand auch Jane Austen als Jugendliche, und *Kloster Northanger* ist das Zeugnis davon. Nur dieser Roman spielt daher als Parodie an den beiden Handlungsorten, von denen der eine für den sentimentalen, der andere für den gotischen Roman typisch ist und die Jane Austen sonst bewußt zugunsten des unmondänen, ländlichen Milieus vermied: die modische Stadt und die einsame alte Burg.

Übrigens war das Parodieren populärer Romantypen nicht etwa Jane Austens Erfindung. Sie selbst erwähnt 1807 das gelungenste Beispiel der englischen Literatur des 18. Jahrhunderts: Charlotte Lennox' (1729?–1804) *Der weibliche Quixote* (*The Female Quixote*, 1752), in dem eine einsam aufgewachsene junge Dame ihre Weltkenntnis den französischen historischen Liebes- und Heldenromanen des 17. Jahrhunderts entnimmt und ihrer Umwelt komisch erscheint, weil sie die Gegenwart daran mißt. Auf diese Weise verschreckt sie 400 Seiten lang sogar ihren sympathischen Bewerber, der durch ihr extravagantes Verhalten völlig desorientiert ist. Mit der »gothic novel« statt den pompösen »Romances« des 17. Jahrhunderts bezog sich Jane Austen aber, wie es sich für die Parodie gehört, auf ein populäres Genre ihrer eigenen Zeit.

II

Überredung bildet zu dem verspielten *Kloster Northanger* einen starken Gegensatz. An diesem letzten vollendeten Roman Jane Austens ist vor allem der ungewohnt elegische Ton aufgefallen, der dazu geführt hat, hier von einem »Alterswerk« zu sprechen. Auch die Heldin, die als einzige Jane Austens nicht um die Zwanzig, sondern an die Dreißig ist, scheint diesen Eindruck zu bestätigen. Und doch ist hier einfach deshalb Vorsicht geboten, weil der nächste Roman, *Sanditon*, den Jane Austen immerhin nur ein halbes Jahr vor ihrem Tod und schon als kranke Frau begann, so gar nichts Melancholisches hat. Auch sollte er wohl vom geplanten Umfang her ganz anders werden als *Überredung*. Er hätte vermutlich nicht im Hinblick auf die Heldin, wohl aber in der Konzentration auf einen einzigen überschaubaren Handlungsort und auf das reiche Handlungsgewebe die mit *Emma* begonnene Linie fortgesetzt. Im Zentrum des neuen Romans stehen zwei Familien von vorwiegend komischen Figuren: Die Parkers haben bis auf einen Bruder, der am Ende des Buches sicher die in den Anfangskapiteln mehr beobachtende Heldin geheiratet hätte, allesamt einen Spleen. Bei den Derhams, die von einer tyrannischen Matriarchin »regiert« werden, geht es um Geld und Erbe. Das köstlichste Exemplar dieser Sippe ist Sir Edward, der seine Bildung durch überkandidelt-großspurige Sprache zu beweisen glaubt und als Möchtegern-Entführer ständig auf der Suche nach einem hübschen Opfer ist. Da die Heldin ihn gerade am Schluß des Fragments mit der anderen Heldin, der armen Miss Brereton, in einem Tête-à-tête findet, bricht der Roman ab, wo seine Geheimnisse begonnen hätten. Daß nun der durch Richardson populär gewordene Frauenverführer und -entführer nur noch eine auf die Leser komisch wirkende Rolle ist, in die sich ein müßiger snobistischer junger Mann hineinträumt, ist ein weiterer Schritt Jane Austens auf dem Weg zur Entmythologisierung populärer Romanfiguren, denn die Lovelace-Charaktere waren ursprünglich furchteinjagende Gestalten, die das Leben junger Frauen zu ruinieren drohten und etwas Geheimnisvoll-Faszinierendes hatten. In Jane Austens Fragment sind sie ihrer Mystik entkleidet.

Der Handlungsort, ein bisher anspruchsloses kleines Dorf an der englischen Südküste, das durch die Besessenheit Mr. Parkers und die Gewinnsucht Lady Denhams zu einem modischen Kurort hochgeputscht werden soll, was unter anderem zu steigenden Bodenpreisen führen wird, ist wieder geschickt gewählt, um die sozialen Veränderungen in einer bestimmten überschaubaren Sphäre, nämlich einem Seebad, zeigen zu können, das einem ihm durchaus nicht wohltuenden Wandel unterworfen ist – ein Thema, das in einer von Landschaftsverschandelung und Stadtzerstörung durch ungehemmtes Wirtschaftswachstum gekennzeichneten Zeit auf Interesse stoßen müßte. Nur darf man wie immer bei Jane Austen keine grobschlächtigen Theorien erwarten, wie sie so manchen modernen Roman zu diesem Thema auszeichnen. Marilyn Butler (1982) hat diesen Aspekt von *Sanditon* betont:

> [. . .] der kritische Punkt ist die Perversion der früheren natürlichen Rolle Sanditons als Fischerdorf und landwirtschaftliche Gemeinschaft, als Ort, wo Kinder geboren wurden und Blumengärten gediehen. Seine eleganten neuen Terrassen sind künstlich aufgepfropft und von

der Besessenheit einer überkultivierten Gesellschaft mit ihrer körperlichen Gesundheit und dem wirtschaftlichen Opportunismus von Gestalten wie Mr. Parker und Lady Denham geschaffen. Die Leute, die nach Sanditon strömen, sind genau die Vertreter der Gentry, die Jane Austen immer kritisiert hat: städtisch, wurzellos, unverantwortlich, verwöhnt.

Wieder also sollten sich in *Sanditon* sozialkritische Absichten und klassischer Komödiengeist zu einer höchst lebendigen und lesbaren Mischung verbinden. Elizabeth Jenkins' Urteil (1938), »Nur wenige werden wohl in *Sanditon* ein so vielversprechendes Romanfragment sehen wie in *Die Watsons*«, können wir uns deshalb nicht anschließen.

Im Personenensemble scheint in *Sanditon* ein Element zu fehlen, das alle bisherigen Romane Jane Austens ausgezeichnet hatte, denn eines ihrer konstantesten sozialkritischen Themen ist die beißende Darstellung unverantwortlicher Eltern. Der furchteinjagend strenge und gesellschaftlich rüde Mr. Tilney in *Kloster Northanger*; das Ehepaar Bennet mit der albernen Mutter und dem zynischen Vater von fünf Töchtern, der denn auch die Folgen seiner laxen Erziehung tragen muß, in *Stolz und Vorurteil*; Mrs. Ferrars in *Verstand und Gefühl*, die ihre Söhne ungerecht unterschiedlich behandelt und erst den einen, dann den anderen verstößt; die Bertrams in *Mansfield Park* – er ohne liebevolle Beziehung zu seinen Kindern und sie lethargisch und ohne jeden Einfluß auf ihre Töchter –, die schreckliche Fehlschläge mit ihrem älteren Sohn und ihrer älteren Tochter hinnehmen müssen; der allzu nachsichtige Mr. Woodhouse in *Emma*, der seine Tochter ständig in den Himmel hebt; und der eitle, adelsstolze und herzlose Sir Walter Elliot, den an seinen Töchtern vor allem der Teint interessiert: sie alle sind abschreckende Beispiele elterlicher Verantwortungslosigkeit. Mehrmals ist dabei das kalte Verhalten des Vaters letztlich darauf zurückzuführen, daß er den Fehler gemacht hat, auf eine schöne Frau hereinzufallen, ohne rechtzeitig genug zu merken, daß ihr Verstand nicht dieselbe Anziehungskraft wie ihre äußere Erscheinung hat. Sir Thomas Bertram und Mr. Bennet befinden sich in dieser unglücklichen Lage, und Mr. Allen in *Kloster Northanger* hat es noch unangenehmer getroffen:

> Mrs. Allen war eine der zahlreichen Frauen, in deren Gesellschaft man nichts anderes empfindet als Erstaunen darüber, daß es auf dieser Welt sage und schreibe Männer gibt, die genug Sympathie für sie aufbringen, sie zu heiraten. Sie besaß weder Schönheit noch Geist, Bildung oder Geschmack. Damenhaftes Auftreten, eine gehörige Portion von unaufdringlicher, passiver Gutmütigkeit und ein Hang zur Oberflächlichkeit waren alles, was sie dazu berechtigte, daß die Wahl eines so vernünftigen, intelligenten Mannes wie Mr. Allen auf sie gefallen war. (S. 10.)

In *Sanditon* finden sich zum erstenmal keine Eltern und Ehen dieser Art, aber der Mangel – wenn es denn einer ist – wird dadurch gewissermaßen ausgeglichen, daß Jane Austen darin eine Gestalt mit einer für sie neuen Herkunft einführt. Was schon in *Mansfield Park* hinter der Bühne herumspukt, wenn Sir Thomas nach Antigua fährt, um auf seinen Plantagen nach dem Rechten zu sehen, und in *Überredung* in der Geschichte der verarmten Mrs. Smith eine Rolle spielt, tritt in *Sanditon* auf die Bühne selbst: die britische Kolonialwelt in der Karibik, wo man unter unberechenbarem gesundheitlichen Risiko – Cassandra Austens Verlobter war ja dort am gelben Fieber gestorben – schnell Reichtum erwerben konnte. Mit »Miss Lambe, einer jungen Karibin mit großem Vermögen und anfälliger Gesundheit«, »ungefähr 17 Jahre alt, halb Mulattin, kühl und zerbrechlich«, die in Begleitung von Mrs. Griffith, den beiden modischen, aber nicht reichen Miss Beaufort und ihrer eigenen Zofe an der See Erholung sucht, versucht sich Jane Austen an einer für sie ungewohnten exotischen Gestalt. Sollte ihr Name »Lamm« symbolisch für ihr Schicksal sein? Wäre sie das Entführungsopfer von Sir

Edward geworden? Man möchte jedenfalls vermuten, daß sich dieser Pseudo-Lovelace magisch von ihrem Reichtum angezogen gefühlt hätte. Es muß allerdings gesagt werden, daß das karibische Element selbst im zeitgenössischen Roman durchaus nicht neu war. Schon in Maria Edgeworths *Belinda* etwa ist mit Mr. Vincent, dessen Negerdiener als Kuriosum auftritt, ein reicher Kreole in die Handlung eingebaut.

Sanditon also erweitert sowohl den Kreis der Austenschen Figuren als auch der Schauplätze und zeigt eine Sicherheit der Darstellung und eine treffende Komik, die Bedauern wecken, daß die Autorin das Buch nicht mehr zu Ende schreiben konnte. Die Fortsetzung, die 1980 von einer anonymen modernen Schriftstellerin auf dem Markt erschien, erreicht die künstlerische Höhe des Originals keineswegs und bestätigt nur ein weiteres Mal die unverwechselbare künstlerische Begabung Jane Austens. Sie hatte sich, wie es ihrer eigenen Meinung nach »früher oder später fast alle Romanschriftsteller« tun, noch keineswegs »ausgeschrieben« (an Gräfin Morley, 31. Dezember 1815).

III

Janes Ruhm wuchs nach ihrem Tod langsam. Wohl gab es, als sie starb, schon einige kritische Stimmen, die ihren Rang erkannten, und viele Leser, die ihr von Buch zu Buch treu geblieben waren, aber dann wurde es wieder verhältnismäßig still um sie, und erst 1833 wurden ihre sechs Romane wieder aufgelegt. Sie mußte zu schnell und nach zu wenigen Veröffentlichungen von der literarischen Bühne ihrer Zeit abtreten, die sie ja eigentlich immer nur hinter den Kulissen erlebt hatte. Auf den Titelblättern ihrer Bücher war ihr Name ohnehin nie erschienen. Literarischen Umgang hatte sie nie gepflegt und zu keinerlei Clique gehört, ja, im kulturellen Zentrum London hatte sie sich immer nur vorübergehend aufgehalten. Ohnehin ist es ja für die Zeitgenossen einer künstlerischen Erscheinung schwierig, deren Wert und Dauerhaftigkeit zu bestimmen. Darüber hinaus gehörten Romane der Vergangenheit in dieser Zeit erst selten zum Lesepensum, weil der Roman nicht als anspruchsvolle literarische Gattung, sondern als Unterhaltung galt, die mit der Mode wechselte. Gerade in den ersten dreißig Jahren des 19. Jahrhunderts wurde in England der Widerstand aus religiösen Gründen gegen den Roman und seinen moralisch bedenklichen Einfluß eher stärker als schwächer. Eine Literaturwissenschaft, die Werke kategorisiert und wertete, war erst im Entstehen. Aber es änderte sich bald nach Jane Austens Tod auch die literarische Szene zu ihren Ungunsten. Schon zu ihrer Lebenszeit drängte die Romantik, die das Versepos favorisierte, den Roman in den Hintergrund. Das Urteil, das William Wordsworth (1770–1850), selbst ja Verfasser eines umfangreichen autobiographischen Epos mit dem Titel *Präludium* (Erstfassung 1799–1805), über Jane Austen fällte, ist in dieser Hinsicht wohl typisch für die Romantiker überhaupt. Nach Aussage seiner Schwester

> pflegte er zu sagen, er erkenne an, daß ihre Romane ein bewundernswertes Abbild des Lebens seien, könne sich aber für solche Schöpfungen nicht interessieren; wenn die Wahrheit der Natur ihm nicht gewissermaßen vom durchdringenden Licht der Einbildungskraft geklärt dargeboten werde, wirke sie in seinen Augen kaum anziehend.

Bald danach wurde der von Jane Austen vertretene Gesellschaftsroman mit Charles Dickens (1812–70), William Thakkeray (1811–63) und Elizabeth Gaskell (1810–56), die allerdings mit *Cranford* (1851–53) noch einmal den Geist von Jane Austens Romanen, wenn auch kleinbürgerlicher angelegt, aufs charmanteste erweckte, durch die breite Gesellschaftsanalyse abgelöst, die die sozialen und auch ökonomischen Konflikte der Zeit ungleich schärfer beleuchtete, dabei die Arbeitswelt einbezog, sich auch wesentlich weiter in die menschlichen Niederungen der Gesellschaft vorwagte und

den männlichen Helden wieder, wie in der Mitte des 18. Jahrhunderts, ins Zentrum rückte.
Es erschienen in den ersten fünfzig Jahren nach Jane Austens Tod nicht viele, aber wichtige Urteile von prominenten Kritikern über sie, und das wenige, was in Büchern und Zeitschriften gedruckt wurde, enthielt eigentlich schon die wesentlichen Argumente für und gegen ihre Romankunst, obwohl das 20. Jahrhundert durch eine Fülle von Spezial- und Detailstudien die Komplexität ihres Werkes und seine Verflochtenheit mit Tendenzen der Zeit genauer untersucht hat.
Schon früh wurde der Vergleich Jane Austens mit Shakespeare in die Debatte eingeführt, den dann in der Mitte des 19. Jahrhunderts Thomas Macauley und George Henry Lewes besonders betonten. Der letztere nannte sie »Shakespeares jüngere Schwester«, und der erstere fand die Lebendigkeit und Vielfalt ihrer Personendarstellung neben dem Dramatiker fast konkurrenzlos:

> Shakespeare hat weder seinesgleichen noch Nachfolger. Aber wir zögern nicht, unter denen, die [. . .] der Art des großen Meisters am nächsten gekommen sind, Jane Austen zu nennen, eine Frau, auf die England zu Recht stolz ist.

Unter den Stimmen über Jane Austen um 1850 ist Lewes überhaupt die begeistertste. Der Wissenschaftler und Kritiker, der lange Jahre mit der Romanschriftstellerin George Eliot zusammenlebte und sie literarisch stark beeinflußte, war ein angesehener Mann; seine verschiedenen Aufsätze über Jane Austen über einen Zeitraum von fünfzehn Jahren, darunter als wichtigster *Jane Austens Romane* von 1859, haben sicher wesentlich zur größeren Bekanntheit der Autorin nach 1870 beigetragen. Lewes' Ausführungen heben immer wieder drei Punkte als besonders eindrucksvoll hervor, die auch anderen Kritikern vorher und nachher aufgefallen sind.
(1) Der schon von Scott betonte Realismus der Darstellung des alltäglichen Lebens zeichnet für Lewes, der in einer Zeit

lebte, die diese Lebenstreue in der Literatur erwartete, Jane Austen besonders aus. »Ihre Bücher zu lesen ist wie eine Begegnung mit dem wirklichen Leben: man kennt ihre Gestalten, als hätte man mit ihnen zusammengelebt.« »Von allen Schöpfern unwirklicher Welten sind ihre Darstellungen am wirklichsten.« Jane Austens Kunst »besteht darin, daß sie uns durch die Treue des Bildes entzückt, während sie uns zugleich von der Langeweile der Wirklichkeit befreit«.
(2) Lewes vergleicht Jane Austens szenisches und beschreibendes Verfahren mit dem anderer Autoren und kommt dabei zu der Einsicht, daß sie die Kunst der »dramatischen Bauchrednerei« vollkommen beherrscht. Er meint mit diesem Ausdruck die starke Vergegenwärtigung der Gestalten durch das Wort und den Verzicht der Autorin auf das Eingreifen in den Text:

> Balzac oder Dickens hätten sich nicht damit begnügt, den Leser Mr. Collins nicht auch *sehen* zu lassen. Miss Austen begnügt sich damit, daß wir ihn *kennen*, sogar bis in die Feinheiten seines Wesens.

Lewes spekuliert dann, ob diese auffällige »Abwesenheit allen Interesses an der äußeren Welt – sowohl der Szenerie als auch der Gestalten« – auf Kurzsichtigkeit beruht, ohne die Frage zu entscheiden. Aber die *vergleichende* Lektüre ihrer Werke läßt erkennen, daß gerade darin ein künstlerisches Prinzip besteht, durch das sie den Roman von der »Langeweile der Wirklichkeit« befreit, denn zum einen überläßt sie der Fantasie der Leser die Schaffung der äußeren Welt weitgehend und regt dadurch seine geistige Tätigkeit beim Lesen an. Tatsächlich ist die Suggestionskraft der Austenschen Texte so stark, daß beim Umsetzen des Textes in Erlebnis die genauere Ausmalung der äußeren Welt eher stören würde. Schon die Erwähnung, daß Miss Bates klein ist, ist eigentlich zuviel. Nur das zur Geschichte Notwendige erscheint, und daher beschränkt sich das Weglassen auch nicht nur auf Äußeres, das sich durch Kurzsichtigkeit erklären ließe. In *Überredung* nehmen die Leser an einem Konzert teil, auf dessen Programm die Autorin keinerlei Mühe verwendet. Sie interessiert sich dabei lediglich für die menschlichen Beziehungen und die aus ihnen resultierenden Spannungen, verlegt die Szene aber als Konzert in eine gesellschaftliche Situation, die den Menschen nicht die Freiheit über ihre Bewegungen und Äußerungen erlaubt, so daß die Konventionen Zwang schaffen, der zu Mißverständnissen führt. Zum anderen aber befreit gerade die Beschänkung auf die psychischen Ereignisse die Erzählung vom bloßen Füllwerk, das bei anderen Autorinnen der Zeit viel umfangreicher ist. Jane Austens Werk führt im zeitgenössischen Kontext einen Reinigungs- und Vertiefungsprozeß durch, der beweist, wie stark sie den Roman als künstlerische Herausforderung begriff. Die Einsicht in die szenische und dialogische Kraft und Originalität Jane Austens, die Wirklichkeit fast ohne beschreibendes und theoretisches Beiwerk vor den Lesern entstehen zu lassen, also vorzuführen, statt zu beschreiben, ist schon früh gesehen worden. Schon Scott sprach davon, »daß sie den Charakter der redenden Figuren mit dramatischer Wirkung sich entwikkeln läßt«, und der Romancier Thomas Henry Lister schrieb 1830:

> Sie verwendet [bei ihren Gestalten] keine ausführlichen Beschreibungen, keine philosophischen Analysen, keine antithetische Balance zwischen ihren guten und schlechten Eigenschaften. Sie tut kaum etwas anderes, als sie handeln und sprechen zu lassen.

Ähnlich klingen J. K. Kirks Kommentare von 1853, die auch deshalb interessant sind, weil sie die erste amerikanische Stimme über Jane Austen darstellen. Er sagt, ihr Talent sei »wesentlich dramatisch. Die Autorin selbst ist niemals sichtbar, sie sieht nicht einmal von hinten durch den Vorhang. Ihre Gestalten werden nicht beschrieben; sie stellen sich in Handlung und Sprache selber dar.« Richard Simpson hat es 1870 noch konzentrierter gefaßt: Eine Jane Austensche Figur entfaltet sich »nicht in statuesker Ruhe, nicht als Plastik ohne Bewegung, sondern als dramatische Szene, als lebende Geschichte.«

(3) Lewes bewundert die künstlerische Zweckdienlichkeit der gestalterischen Mittel Jane Austens. Er hat dieses Lob mehrmals wiederholt: »Kein Künstler kann ihr das Wasser reichen in dem, was wir die ›Ökonomie der Mittel‹ nennen können, also die Verwendung der Mittel zu einem Zweck ohne Hilfe von äußeren und überflüssigen Elementen.«

Es sind drei weibliche Stimmen, die im 19. Jahrhundert im Vergleich mit den bewundernden Männern bei aller Anerkennung auch auf die Beschränkungen von Jane Austens Werk hingewiesen und zuerst die kritische Kühle ihrer Sicht der Gesellschaft wahrgenommen haben. Aber damit nicht der Eindruck erweckt wird, als habe es zu dieser Zeit keine männlichen negativen Kritiker Jane Austens gegeben, sei wenigstens auf Mark Twain hingewiesen, der nur bittere Worte über sie gesprochen und vor allem die gesellschaftliche Wohlanständigkeit, die Atmosphäre des Salons in ihren Romanen beanstandet hat, die bei ihm unerwünscht christliche Assoziationen auslöste. Er fand mit einem etwas gequälten Witz, eine Bibliothek, in der Jane Austens Bücher fehlten, mache eine gute Bibliothek aus einer, die gar keine Bücher enthalte.

Charlotte Brontë, die Verfasserin des erfolgreichen Romans *Jane Eyre* (1847), der Geschichte einer armen Waise, die als Gouvernante der Liebe zu ihrem Brotherrn verfällt, das verbrecherische Geheimnis seines Lebens entdeckt (er hält seine wahnsinnige Frau gefangen und wäre bereit gewesen, Jane in Bigamie zu heiraten) und ihn schließlich nach vielen Entbehrungen als blinden Mann heiratet, ist die Vertreterin der Kritik an der mangelnden Leidenschaft in Jane Austens Werk. Es ist ironisch, daß sie ihre Beanstandungen zunächst ausgerechnet in zwei Briefen an Jane Austens Bewunderer Lewes aussprach:

> Warum schätzen Sie Jane Austen so? [. . .] Ich hatte *Stolz und Vorurteil* nicht gesehen, bevor ich Ihren Satz las und mir daraufhin das Buch besorgte. Und was fand ich? Das exakte, daguerreotypierte Porträt eines alltäglichen Gesichts: einen sorgfältig eingezäunten, hochkultivierten Garten mit sauberen Rändern und zarten Blumen, aber keinen Blick auf eine strahlende, lebhafte Physiognomie, kein offenes Land, keine frische Luft, keinen blauen Hügel, keinen klaren Bach. Ich würde durchaus nicht gerne mit ihren Damen und Herren in ihren eleganten, aber einschränkenden Häusern leben. Sie beschäftigt sich nicht halb so viel mit dem menschlichen Herzen wie den menschlichen Augen, Mündern, Händen und Füßen.

Wenn man Charlotte Brontës eigenen Roman kennt, kann man sich des Verdachts nicht erwehren, daß ihr Vorwurf, »die Leidenschaften sind [Jane Austen] völlig fremd«, auf einer Verwechslung von Melodramatik und starken Emotionen beruht. Aber Charlotte Brontë ist nicht die einzige, die von der starken gesellschaftlichen Geprägtheit der Jane Austenschen Gestalten auf deren Leidenschaftslosigkeit geschlossen hat. Solche Äußerungen berücksichtigen wohl doch die Verpflichtungen zu wenig, die ein bestimmter Romantyp einem Autor auferlegt. Der Gesellschaftsroman ist kein Roman der Leidenschaften, die in ihm gerade in soziale Situationen kanalisiert dargestellt werden.
Charlotte Brontës Kolleginnen Julia Kavanagh und Margaret Oliphant haben in *English Women of Letters* (1862) bzw. in dem Aufsatz »Miss Austen and Miss Mitford« in *Blackwood's Edinburgh Magazine* (1870) nicht nur die Passionslosigkeit von Jane Austens Romangestalten beklagt, sondern vor allem auf die Kühle der Autorin hingewiesen, die »kalte Blicke auf das Leben« werfe und »weiblichen Zynismus« offenbare. Die zweite Formulierung stammt von Mrs. Oliphant, die findet, Jane Austen halte nicht viel von der Menschheit, und sich nicht vorstellen kann, »daß so ruhige, kalte und bittere Bücher je populär werden könnten«.

Wenn gerade zu dieser Zeit aber Jane Austens literarischer Kurswert zu steigen begann, bis ihr Ruhm bei der Fachwissenschaft und ihre Popularität beim Lesepublikum im 20. Jahrhundert ungeahnte Höhen erreichten, dann deshalb, weil die Nachkommen ihrer Geschwister, beginnend mit Edward Austen-Leighs *Memoir* von 1870, das schon 1871 in zweiter Auflage erschien, eine Person hinter dem Namen auf den Titelblättern der neueren Ausgaben enthüllten und daher biographisches Interesse hervorriefen. So verdienstvoll die Veröffentlichung der Familienerinnerungen und der Briefe Jane Austens ist, so bedenklich waren diese Bücher für Jane Austens Image, denn die familiäre Pietät, die John Halperin sehr nüchtern als »Familientradition von schützender Scheinheiligkeit« und als »zuckersüße Darstellung der Schriftstellerin« bezeichnet, etablierte nun das Bild einer Art Märchengestalt, die ihr Leben in makelloser Reinheit und himmlischer Menschenliebe geführt hatte, und verharmloste damit ihre Rolle als Gesellschaftsanalytikerin und -kritikerin. Nur besteht das Problem darin, daß es außerhalb dieser Familiendokumente nahezu keinerlei Wissen über Jane Austen gibt. Zu verklärender Sicht ist heute allerdings kein Anlaß mehr. Uns ist mit der Suche nach der Wahrheit mehr gedient als mit dem Spinnen von Legenden. Jane Austens Ruhm und Ruf ist viel zu solide etabliert, als daß sie darauf angewiesen wäre. J. B. Priestley hat gesagt: Jane Austen »hat wahrscheinlich mehr englischsprachigen Menschen Entzücken bereitet als irgendeine Frau, die je gelebt hat«. Hoffen wir, daß das unterdessen in bescheidenerem Maß auch für deutsche Leser gilt.

Zweiter Teil

Eine Auswahl aus den nachgelassenen Werken, den Briefen und Dokumenten

Liebe und Freundschaft

Ein Roman in einer Reihe von Briefen

Madame la Comtesse De Feuillide
ist dieser Roman gewidmet
von ihrer untertänigen Dienerin
der Autorin

»Um Freundschaft betrogen, um Liebe gebracht.«

Erster Brief. Isabella an Laura

Wie oft hast Du mir auf meine wiederholten Bitten, meiner Tochter eine ausführliche Schilderung der Mißgeschicke und Abenteuer Deines Lebens zu geben, geantwortet: »Nein, meine Freundin, ich werde Deinem Wunsch nicht nachkommen, solange ich in Gefahr bin, die furchtbaren Erfahrungen noch einmal durchzumachen.« Ist diese Zeit nicht jetzt gekommen? Du wirst heute 55. Wenn eine Frau je vor der entschlossenen Nachstellung von Liebhabern und der grausamen Verfolgung von uneinsichtigen Vätern sicher ist, dann doch wohl in diesem Alter.

Isabella

Zweiter Brief. Laura an Isabella

Obwohl ich Dir nicht darin zustimmen kann, daß mir so unverdientes Unglück, wie ich es erfahren habe, nicht noch einmal zustoßen kann, will ich doch die Neugier Deiner Tochter befriedigen, um mir den Vorwurf der Uneinsichtigkeit und des bösen Willens zu ersparen. Möge die Standhaftigkeit, mit der ich all das Mißgeschick meines bisherigen Lebens ertragen habe, ihr von Nutzen sein bei dem Unglück, das sie zu ihrer Zeit vielleicht befallen wird.

Laura

Dritter Brief. Laura an Marianne

Als Tochter meiner engsten Freundin hast Du, finde ich, ein Anrecht darauf, meine unglückselige Geschichte kennenzulernen, zu deren Erzählung Deine Mutter mich schon so oft aufgefordert hat. Mein Vater stammte aus Irland und lebte in Wales; meine Mutter war die uneheliche Tochter eines schottischen Adligen und einer italienischen Opernsängerin – ich wurde in Spanien geboren und erhielt meine Erziehung in einem Kloster in Frankreich.

Als ich das 18. Lebensjahr erreicht hatte, wurde ich von meinen Eltern ins väterliche Haus zurück nach Wales gerufen. Unser Besitz lag in einer der romantischsten Gegenden des Usketals. Wenn auch meine Reize jetzt erheblich verblaßt sind und durch das mir widerfahrene Mißgeschick gelitten haben, war ich früher einmal schön. Aber so hübsch ich war – meine äußere Ansehnlichkeit war nur der geringste meiner zahlreichen Vorzüge. Ich besaß alle meinem Geschlecht erreichbaren Fertigkeiten und Kenntnisse. Schon im Kloster übertraf mein Wissen immer meine jeweiligen Lektionen, meine Talente waren für mein Alter unglaublich, und binnen kurzem übertraf ich meine Lehrer.

Was immer meinem Geist zur Zierde gereichen konnte, hatte er erworben; in ihm gaben sich alle lobenswerten Tugenden und alle edlen Empfindungen ein Stelldichein.

Ein Zartgefühl, das von jedem Mißgeschick meiner Freunde, meiner Bekannten und vor allem meiner selbst allzu leicht in tiefste Mitleidenschaft gezogen wurde, war mein einziger Fehler – wenn man es denn einen Fehler nennen kann. Aber ach, wie anders heute! Obwohl mein eigenes Mißgeschick mich nicht weniger rührt als damals, lassen mich die Leiden anderer nun völlig kalt. Auch meine Fertigkeiten und Kenntnisse lassen allmählich nach – ich kann nicht mehr so gut singen und so graziös tanzen wie damals, und das Menuet de la cour habe ich völlig vergessen.

Adieu Laura

Vierter Brief. Laura an Marianne

Unsere Nachbarschaft war nicht zahlreich, denn sie bestand nur aus Deiner Mutter. Sie hat Dir sicher schon erzählt, daß ihre Eltern sie in ärmlichen Umständen zurückgelassen hatten und sie sich daraufhin aus finanziellen Gründen in Wales niederließ. Dort begann unsere Freundschaft. Isabella war damals 21; obwohl ihre Erscheinung und ihre Umgangsformen angenehm waren, besaß sie (unter uns gesagt) nicht einen Bruchteil meiner Schönheit oder meiner Fertigkeiten und Kenntnisse. Isabella war in der Welt herumgekommen. Sie hatte zwei Jahre in einem der führenden Pensionate Londons verbracht, sich vierzehn Tage in Bath aufgehalten und einmal in Southampton zu Abend gegessen. »Hüte dich, meine Laura«, sagte sie oft, »vor der faden Nichtigkeit und dem öden Müßiggang der Hauptstadt Englands, hüte dich vor dem unsinnigen Luxus von Bath und vor dem stinkenden Fisch von Southampton.«

»Ach!« rief ich, »wie soll ich diesen Übeln aus dem Weg gehen, wenn ich sie doch nie erleben werde? Welche Aussicht besteht, daß ich je den Müßiggang Londons, den Luxus von Bath oder den stinkenden Fisch von Southampton kosten werde? Ich, die dazu verurteilt ist, die Zeit der Schönheit und Jugend in einer bescheidenen Hütte im Usketal zu vergeuden.«

Ach, ich ahnte damals noch nicht, daß es mir bestimmt war, die bescheidene Hütte bald schon mit den trügerischen Freuden der Welt zu vertauschen.

Adieu Laura

Fünfter Brief. Laura an Marianne

Eines Abends im Dezember, als mein Vater, meine Mutter und ich im häuslichen Gespräch um unseren Kamin versammelt waren, wurden wir plötzlich durch ein heftiges Klopfen an der Tür unserer ländlichen Hütte in großes Erstaunen versetzt.

Mein Vater schreckte auf. »Was ist das für ein Geräusch«, sagte er. »Es klingt wie ein lautes Rütteln an der Tür«, erwiderte meine Mutter. »Ja, wirklich«, rief ich. »Den Eindruck habe ich auch«, sagte mein Vater, »es rührt anscheinend wirklich von der ungewöhnlichen Heftigkeit, mit der jemand gegen unsere völlig arglose Tür vorgeht.« »Ja«, rief ich, »mir kommt es fast so vor, als ob jemand um Einlaß bittet.« »Das gehört nicht zur Sache«, antwortete er. »Wir dürfen uns kein Urteil anmaßen, was die Ursache des Klopfens ist, obwohl auch ich einigermaßen überzeugt bin, daß tatsächlich jemand an der Tür rüttelt.«

Hier unterbrach ein zweites Rütteln meinen Vater mitten in seinen Worten und jagte meiner Mutter und mir einen Schreck ein.

»Ob wir nicht doch lieber nachsehen, wer es ist?« fragte sie, »die Dienerschaft ist nicht zu Hause.« »Das ist ganz meine Meinung«, sagte ich. »Ja, wirklich«, fügte mein Vater hinzu, »ganz unbedingt.« »Sollen wir jetzt hingehen?« fragte meine Mutter. »Je eher, desto besser«, antwortete er. »Ach, wir wollen keine Zeit verschwenden«, rief ich.

Ein drittes, noch heftigeres Rütteln traf unser Ohr. »Es klopft bestimmt jemand an die Tür«, sagte meine Mutter. »Das glaube ich auch«, erwiderte mein Vater. »Vielleicht ist die Dienerschaft schon nach Hause gekommen«, sagte ich, »ich meine, ich höre die Tür gehen.« »Das wäre mir sehr lieb«, rief mein Vater, »denn ich brenne darauf zu wissen, wer es ist.«

Ich hatte recht mit meiner Vermutung, denn in diesem Augenblick trat Mary ein und erklärte, ein junger Gentleman

und sein Diener seien an der Tür, die sich verirrt hätten, ganz durchgefroren seien und darum bäten, sich an unserem Feuer wärmen zu dürfen.
»Wollen wir sie nicht hereinbitten?« fragte ich. »Du hast doch nichts dagegen, meine Liebe?« fragte mein Vater. »Aber ganz und gar nicht«, erwiderte meine Mutter.
Ohne weitere Befehle abzuwarten, verließ Mary auf der Stelle das Zimmer und kehrte gleich darauf mit dem schönsten und liebenswürdigsten jungen Mann zurück, den ich je gesehen hatte. Den Diener behielt sie gleich bei sich.
Mein zartfühlendes Gemüt war durch die Leiden des unglücklichen jungen Mannes schon erheblich angegriffen; und kaum sah ich ihn, da spürte ich, daß Glück oder Elend meines künftigen Lebens nur von ihm abhingen.

Adieu Laura

Sechster Brief. Laura an Marianne

Der edle junge Mann berichtete uns, daß sein Name Lindsay sei – aus bestimmten Gründen aber werde ich seine Identität hinter dem Pseudonym Talbot verbergen. Er erzählte uns, daß er der Sohn eines englischen Barons sei, seine Mutter schon seit vielen Jahren nicht mehr lebe und er eine mittelgroße Schwester habe. »Mein Vater«, fuhr er fort, »ist ein gemeiner und geiziger Schuft – aber nur so vertrauten Freunden wie Ihnen würde ich seine Schwächen je verraten. Ihre Tugenden, mein liebenswürdiger Polydore«, wandte er sich an meinen Vater, »und Ihre, liebe Claudia, und Ihre, meine reizende Laura, verführen mich dazu, Ihnen mein Herz ganz zu öffnen.« Wir verneigten uns. »Geblendet vom falschen Glanz seines Reichtums und vom eitlen Pomp seines Titels, bestand mein Vater darauf, daß ich meine Hand Lady Dorothea reiche. ›Nein niemals‹, rief ich. ›Lady Dorothea ist reizend und bezaubernd; sie ist mir lieber als jede andere Frau. Aber nehmen Sie zur Kenntnis, Sir, daß ich es verachte, entsprechend Ihren Wünschen zu heiraten. Nein, niemals soll man von mir sagen, daß ich mich dem Wunsch meines Vaters gebeugt habe.‹«

Wir bewunderten alle die edle Männlichkeit seiner Antwort. Er fuhr fort. »Sir Edward war erstaunt. So hochgesinnten Widerstand gegen seinen Willen hatte er anscheinend nicht erwartet. ›Wo, in drei Teufels Namen, Edward, hast du bloß dieses sinnlose Gefasel aufgeschnappt? Du hast wohl zu viel Romane gelesen, wie?‹ Ich ließ mich nicht zu einer Antwort herab; es wäre unter meiner Würde gewesen. Ich bestieg mein Pferd und machte mich, gefolgt von meinem treuen William, auf den Weg zu meiner Tante.

Das Haus meines Vaters liegt in Bedfordshire, das meiner Tante in Middlesex, und obwohl ich mir schmeichle, in Geographie einigermaßen bewandert zu sein, fand ich mich plötzlich, ich weiß nicht, wie es geschah, am Eingang dieses schönen Tals, das sich anscheinend in Südwales befindet, als ich gerade erwartete, bei meiner Tante einzutreffen.

Als ich ein Weilchen am Ufer der Uske entlanggewandert war, ohne zu wissen, wohin ich mich wenden sollte, begann ich aufs bitterste und erbarmungswürdigste mein grausames Schicksal zu beklagen. Es war jetzt völlig dunkel, nicht ein einziger Stern leuchtete, um meine Schritte zu lenken, und ich weiß nicht, was aus mir geworden wäre, wenn ich nicht schließlich in der mich umfangenden Düsternis ein fernes Licht gesehen hätte, das ich beim Näherkommen als Ihr wohltuendes Feuer erkannte. Getrieben von dem vielen auf mich einstürzenden Mißgeschick, nämlich Angst, Kälte, Hunger, zögerte ich nicht, um Einlaß zu bitten, der mir schließlich auch gewährt wurde; und nun, meine anbetungswürdige Laura«, fuhr er fort und nahm meine Hand, »wann darf ich hoffen, die einzige Belohnung, die ich für all das schmerzliche Leiden begehre, das ich während der ganzen Zeit meiner Liebe zu Ihnen ausgestanden habe, zu empfangen? Ach, wann werden Sie mich mit Ihrer Hand belohnen?«

»Auf der Stelle, lieber, reizender Edward«, erwiderte ich. »Wir lassen uns sogleich von meinem Vater trauen, der ein theologisches Studium absolviert hat, obwohl er nie ordiniert worden ist.«

Adieu Laura

Siebter Brief. Laura an Marianne

Wir blieben noch ein paar Tage nach unserer Trauung im Usketal. Nach einem herzzerreißenden Abschied von meinem Vater, meiner Mutter und meiner Isabella begleitete ich Edward zu seiner Tante nach Middlesex. Phillippa empfing uns beide mit Ausdrücken zärtlichster Liebe. Meine Ankunft war für sie eine höchst angenehme Überraschung, da sie nicht nur nichts von meiner Heirat mit ihrem Neffen ahnte, sondern auch gar nicht wußte, daß es auf der Welt einen Menschen wie mich gab.

Augusta, Edwards Schwester, war bei unserer Ankunft gerade zu Besuch bei ihr. Sie entsprach genau dem Bild, das ihr Bruder uns von ihr entworfen hatte – sie war mittelgroß. Sie empfing uns mit der gleichen Überraschung, wenn auch nicht der gleichen Herzlichkeit wie Phillippa. Ihr Verhalten mir gegenüber zeigte eine unangenehme Kälte und abweisende Zurückhaltung, die mich bedrückte und erstaunte. Nichts von dem interessanten Zartgefühl und der liebenswürdigen Sympathie in ihrem Verhalten und ihrer Ausdrucksweise mir gegenüber, die unser erstes Zusammentreffen doch hätte auszeichnen sollen. Ihre Worte waren weder freundlich noch zärtlich; sie öffnete ihre Arme nicht, um mich ans Herz zu drücken, obwohl meine doch ausgestreckt waren, sie zu umfangen.

Eine kurze Unterhaltung zwischen Augusta und ihrem Bruder, die ich zufällig hören konnte, verstärkte meine Abneigung gegen sie noch und überzeugte mich davon, daß ihr Herz ebensowenig für die zarten Bande der Liebe wie für den herzlichen Umgang mit Freunden geschaffen war.

»Aber glaubst du denn, daß mein Vater sich je mit dieser unklugen Verbindung versöhnen wird?« fragte Augusta. »Augusta«, erwiderte der edle junge Mann, »ich dachte, du würdest besser von mir denken, als ernsthaft zu glauben, daß ich mich je so grenzenlos erniedrigen würde, dem Urteil meines Vaters bei meinen Entscheidungen Gewicht und Bedeutung zuzumessen. Sag mir, Augusta, sag mir in aller Aufrichtigkeit, hast du es seit meinem 15. Lebensjahr je erlebt, daß ich ihn bei der geringsten Kleinigkeit um seine Ansicht gebeten oder um seinen Rat gefragt habe?«
»Edward«, erwiderte sie, »du bist in deinem Selbstlob entschieden zu zurückhaltend. Seit deinem 15. Lebensjahr! Mein lieber Bruder, ich spreche dich von dem Vorwurf frei, freiwillig seit deinem fünften Lebensjahr je etwas zum Wohlbefinden deines Vaters beigetragen zu haben. Aber ich werde trotzdem die Befürchtung nicht los, daß du sehr bald gezwungen sein wirst, dich dazu . . . herabzulassen, wie du es wohl nennen würdest, bei Sir Edward, auf seine Freigebigkeit bauend, um Unterstützung für deine Frau nachzusuchen.«
»Niemald, niemals, Augusta, werde ich mich so weit erniedrigen«, sagte Edward, »um Unterstützung nachzusuchen! Was für Unterstützung könnte er meiner Laura bieten?«
»Nur etwas, was weiter nicht der Rede wert ist: Speise und Trank«, antwortete sie. »Speise und Trank!« erwiderte mein Mann auf seine entschieden würdige, aber verächtliche Art, »und glaubst du denn wirklich, ein so erhabener Geist wie der meiner Laura sei darauf angewiesen, von so gewöhnlicher und geschmackloser Unterstützung wie Speise und Trank zu leben?« »Ich kenne keine andere, die so wirksam ist«, setzte Augusta dagegen. »Und hast du denn nie die Qual der Liebeswonne gespürt, Augusta?« erwiderte mein Edward. »Ist dein Gaumen denn so vulgär und verdorben, daß er nicht von Liebe leben kann? Kannst du dir nicht vorstellen, daß man mit dem Gegenstand seiner zärtlichsten Zuneigung trotz der verzweifeltsten Armut in Luxus lebt?« »Du machst dich wirklich lächerlich«, sagte Augusta, »wie soll man mit dir

darüber diskutieren; aber vielleicht siehst du mit der Zeit ein, daß ...«
Hier hinderte mich der Eintritt einer ausgesprochen schönen jungen Frau durch die Tür, an der ich lauschte, das Gespräch zu Ende zu hören. Sie wurde mir als Lady Dorothea vorgestellt, und daher verließ ich auf der Stelle meinen Posten und folgte ihr in den Salon, denn ich erinnerte mich sehr wohl, daß sie die Dame war, die der grausame und unbeugsame Baron meinem Edward als Frau vorgeschlagen hatte.
Obwohl Lady Dorotheas Besuch offiziell Phillippa und Augusta galt, hatte ich doch einigen Grund zu der Annahme (immerhin wußte sie von Edwards Heirat und Ankunft), daß sein Zweck hauptsächlich darin bestand, mich zu sehen.
Ich merkte bald, daß sie in ihrer Erscheinung zwar reizend und elegant und in ihren Umgangsformen zwanglos und höflich war, aber im Hinblick auf Zartgefühl, Empfindsamkeit und Einfühlsamkeit doch zu der untergeordneten Klasse von Menschen zählte, der auch Augusta angehörte.
Sie blieb nur eine halbe Stunde, aber weder vertraute sie mir ihrerseits im Verlauf ihres Besuchs irgendwelche geheimen Gedanken an, noch bat sie mich darum, ihr meine anzuvertrauen. Du wirst deshalb leicht begreifen, meine liebe Marianne, daß ich für Lady Dorothea keine intensive Zuneigung oder tiefe Anhänglichkeit empfinden konnte.

Adieu Laura

Achter Brief. Laura an Marianne (Fortsetzung)

Lady Dorothea hatte uns noch nicht lange verlassen, da wurde, ebenso unerwartet wie die Lady, ein weiterer Besuch angekündigt. Es war Sir Edward, der, durch Augusta von der Heirat ihres Bruders benachrichtigt, zweifellos kam, um ihm Vorwürfe zu machen, daß er sich ohne sein Wissen mir angetraut hatte. Da aber Edward seine Absicht im voraus erkannte, näherte er sich ihm schon beim Betreten des Zim-

mers mit heldenhaftem Mut und sprach ihn folgendermaßen an:
›Sir, ich kenne den Grund Ihrer Reise hierher. Sie sind in der niederträchtigen Absicht gekommen, mir Vorwürfe zu machen, daß ich ohne Ihre Zustimmung eine unlösliche Bindung mit meiner Laura eingegangen bin. Diese Tat aber, Sir, gereicht mir zur Ehre. Niemals habe ich auf so triumphale Weise das Mißfallen meines Vaters erregt!‹
Damit nahm er meine Hand, führte mich, während Sir Edward, Phillippa und Augusta zweifellos voller Bewunderung in Gedanken seiner unerschrockenen Tapferkeit nachhingen, aus dem Zimmer zur Kutsche seines Vaters, die noch vor dem Eingang stand und in der wir uns unverzüglich der Verfolgung Sir Edwards entzogen.
Die Postillions hatten zunächst nur Befehl erhalten, die Straße nach London zu nehmen, aber sobald wir in Ruhe darüber nachgedacht hatten, befahlen wir ihnen, nach M. . . zu fahren, dem Besitz von Edwards engstem Freund, der nur ein paar Meilen entfernt lag.
Wir erreichten M. . . in wenigen Stunden und wurden nach der gehörigen Anmeldung auf der Stelle zu Sophia, der Frau von Edwards Freund, vorgelassen. Stell Dir meine Freude vor, als ich nun, nachdem ich ganze drei Wochen keine richtige Freundin gehabt hatte (denn so nenne ich Deine Mutter), eine vor mir sah, die den Namen wirklich verdiente. Sophia war etwas über mittelgroß und von eleganter Erscheinung. Ihre reizenden Züge strahlten eine gewisse sanfte Trägheit aus, die ihre Schönheit erhöhte. Dadurch zeichnete sie sich aus. Sie war ganz Zartgefühl und Empfindsamkeit. Wir flogen einander in die Arme, und nachdem wir Schwüre treuer Freundschaft bis ans Ende unserer Tage getauscht hatten, eröffneten wir einander auf der Stelle die tiefsten Geheimnisse unseres Herzens. Bei dieser höchst reizvollen Beschäftigung wurden wir durch den Eintritt von Augustus, Edwards Freund, unterbrochen, der gerade von einem einsamen Spaziergang zurückkam.

Niemals habe ich eine so rührende Szene wie die Wiederbegegnung von Edward und Augustus gesehen. ›Mein Leben! Meine Seele!‹ rief der erstere. ›Mein anbetungswürdiger Engel!‹ erwiderte der letztere, als sie sich gegenseitig in die Arme flogen. Es war zu herzzerreißend für Sophia und mich: Wir fielen abwechselnd auf dem Sofa in Ohnmacht.

Adieu Laura

Neunter Brief. Von derselben an dieselbe

Gegen Ende des Tages erhielten wir folgenden Brief von Phillippa:

»Sir Edward ist äußerst empört über Eure unvermittelte Abreise. Er hat Augusta mit nach Bedfordshire zurückgenommen. So gern ich wieder Eure reizende Gesellschaft genießen würde, so wenig kann ich mich entschließen, Euch derjenigen so lieber und werter Freunde zu entreißen. Wenn Euer Besuch bei ihnen zu Ende ist, werdet Ihr hoffentlich zurückkehren in die Arme

Eurer Phillippa«

Wir beantworteten diesen herzlichen Brief mit ein paar angemessenen Zeilen und versicherten der Schreiberin nach unserem Dank für ihre freundliche Einladung, daß wir dieser bestimmt nachkommen würden, wenn immer wir nicht mehr wüßten, wohin wir uns sonst wenden sollten. Obwohl eine so dankbare Antwort auf ihre Einladung jedem vernünftigen Menschen die reinste Freude bereitet hätte, gebärdete sie sich – ich weiß nicht, warum – launenhaft und war über unser Betragen ungehalten; und ein paar Wochen später heiratete sie, entweder um sich für unser Verhalten zu rächen oder um ihrer Einsamkeit zu entfliehen, einen jungen und ungebildeten Mitgiftjäger. Obwohl wir uns durchaus bewußt waren, daß dieser unbedachte Schritt uns vermutlich die Erbschaft kosten würde, die zu erwarten Phillippa uns wiederholt Anlaß gegeben hatte, wußten wir, was wir unserer Würde

schuldig waren, und es kam kein einziger Seufzer über unsere Lippen. Und doch hatte unser zartes Gemüt aus Furcht, daß dieser Schritt sich als Quelle grenzenlosen Elends für die betrogene Braut herausstellen würde, beim Empfang der Nachricht stark gelitten.
Die herzlichen Bitten von Augustus und Sophia, ihr Haus ein für allemal als unser Zuhause zu betrachten, bewegten uns leicht zu dem Entschluß, sie nie wieder zu verlassen. In der Gesellschaft meines Edwards und dieses liebenswürdigen Paares verbrachte ich die glücklichste Zeit meines Lebens. Wir füllten unsere Zeit aufs angenehmste und mit wechselseitigen Versicherungen unserer Freundschaft und Schwüren unserer unwandelbaren Liebe, in der wir uns vor Unterbrechungen durch aufdringliche und unangenehme Besucher um so sicherer fühlten, als Augustus und Sophia beim Zuzug in die Gegend darauf bedacht gewesen waren, alle Nachbarn wissen zu lassen, daß ihnen an ihrer Gesellschaft nichts liege, weil ihr Glück ausschließlich in ihrer ungestörten Zweisamkeit bestehe. Aber ach! Meine liebe Marianne, das Glück, das ich damals erlebte, war zu vollkommen, als daß es hätte dauern können. Ein schwerer und unerwarteter Schlag zerstörte ein für allemal unser ganzes Glück. Da Du aufgrund meiner Beschreibung von Augustus und Sophia schon überzeugt bist, daß sie das glücklichste Paar der Welt waren, brauche ich sicher nicht mehr hinzuzufügen, daß ihre Verbindung gegen den ausdrücklichen Wunsch ihrer grausamen und ehrgeizigen Eltern zustande gekommen war, die mit hartnäckiger Ausdauer, aber vergebens versucht hatten, sie zur Ehe mit einem Partner zu zwingen, den sie verabscheuten; aber mit heroischem Mut, der des Berichtens und der Bewunderung wahrlich wert ist, hatten sich beide beharrlich geweigert, sich einer so despotischen Gewalt zu unterwerfen.
Als sie sich durch eine heimliche Ehe aufs edelmütigste von den Fesseln der elterlichen Autorität befreit hatten, schworen sie sich, den guten Ruf, den sie sich in der Welt durch diese Tat erworben hatten, niemals dadurch aufs Spiel zu setzen,

daß sie etwa auf mögliche Versöhnungsvorschläge ihrer Väter eingingen – einer solchen schweren Prüfung ihrer rühmlichen Unabhängigkeit waren sie allerdings nie ausgesetzt.
Sie waren erst ein paar Monate verheiratet, als unser Besuch bei ihnen begann, und während dieser Zeit konnten sie einen angemessenen Lebensunterhalt von der beträchtlichen Summe Geldes bestreiten, die Augustus ein paar Tage vor seiner Vereinigung mit Sophia geschickt aus dem Schreibtisch seines unwürdigen Vaters entwendet hatte.
Unser Aufenthalt vergrößerte ihre Ausgaben erheblich, obwohl die Mittel, mit denen sie sie bestritten, damals schon beinahe erschöpft waren. Aber in ihrer ganzen Erhabenheit verachteten es diese göttlichen Wesen, auch nur einen Gedanken an ihre finanziellen Sorgen zu verschwenden, und wären bei der Zumutung, ihre Schulden zu bezahlen, schlicht errötet. Aber ach! Wie wurde solch uneigennütziges Verhalten belohnt! Der schöne Augustus wurde verhaftet, und damit war unser Untergang besiegelt. Ein so heimtückischer Verrat durch das gnadenlose Vorgehen der amtlichen Instanzen wird Deiner zartfühlenden Seele, meine liebste Marianne, ebenso nahegehen, wie es damals das empfindsame Gemüt von Edward, Sophia und Deiner Laura und sogar von Augustus selbst erschütterte. Um die unvergleichliche Barbarei voll zu machen, teilte man uns mit, daß im Haus bald eine Pfändung stattfinden würde. Ach! Was konnten wir anderes tun als das, was wir taten! Wir seufzten und fielen auf dem Sofa in Ohnmacht.

Adieu Laura

Zehnter Brief. Laura (Fortsetzung)

Als wir uns von den herzzerreißenden Äußerungen unseres Kummers einigermaßen wieder erholt hatten, bat uns Edward, darüber nachzudenken, welche Schritte wir in unserer unglücklichen Lage nun am besten unternehmen könnten, während er sich zu seinem eingekerkerten Freund begab, um dessen Schicksal zu beklagen. Wir versprachen es ihm, und er machte sich nach London auf den Weg. Wir kamen während seiner Abwesenheit seinem Wunsch getreulich nach, und nach tiefgründigen Überlegungen kamen wir zu dem Ergebnis, es sei am besten, das Haus aufzugeben, da wir jeden Augenblick erwarteten, daß die Gerichtsvollzieher Besitz von ihm ergreifen würden. Wir warteten deshalb mit der größten Ungeduld auf Edwards Rückkehr, um ihm das Resultat unserer Überlegungen mitzuteilen. Aber kein Edward erschien. Umsonst zählten wir die leeren Stunden seiner Abwesenheit – umsonst brachen wir in Tränen aus – umsonst seufzten wir – kein Edward kam. Es war ein zu grausamer, ein zu unerwarteter Schlag für unser zartes Gemüt. Wir waren ihm nicht gewachsen. Wir konnten nur in Ohnmacht fallen. Schließlich nahm ich alle Willenskraft zusammen, derer ich Herr war, und erhob mich. Ich packte ein paar notwendige Kleidungsstücke für Sophia und mich ein, schleppte sie zur Kutsche, die ich bestellt hatte, und so machten wir uns unverzüglich nach London auf den Weg. Da Augustus' Behausung nur knapp zwölf Meilen von London entfernt war, kamen wir nach recht kurzer Zeit dort an; kaum hatten wir den Stadtteil Holborn erreicht, da ließ ich eines der vorderen Fenster herunter und fragte alle anständig aussehenden Passanten, an denen wir vorüberkamen, ob sie meinen Edward gesehen hatten. Aber da wir zu schnell fuhren, als daß sie Antwort auf meine immer wiederholte Frage hätten geben können, erfuhr ich wenig, ja eigentlich gar nichts über seinen Verbleib. »Wohin soll ich fahren?« fragte der Postillion. »Nach Newgate, schmucker junger Mann«, erwiderte ich, »um Augustus zu besuchen.« »Nein, nein«, rief Sophia, »ich kann nicht nach Newgate fahren, ich bin dem Anblick meines so grausam eingesperrten Augustus nicht gewachsen. Schon der Bericht seiner Qualen hat mich erheblich erschüttert – sein Anblick würde meiner zartfühlenden Seele vollends den Rest geben.« Da mir die Berechtigung ihrer Ängste außerordentlich einleuchtete, erhielt der Postillion sofort den

Befehl, aufs Land zurückzufahren. Du bist vielleicht einigermaßen erstaunt, meine liebste Marianne, daß ich damals bei den erlittenen Qualen, entblößt von allen finanziellen Mitteln und ohne jede Behausung, nicht ein einzigesmal an meinen Vater und meine Mutter oder an meine väterliche Hütte im Usketal zurückdachte. Um Dir diese scheinbare Vergeßlichkeit verständlich zu machen, muß ich Dir nun eine unbedeutende Kleinigkeit über sie mitteilen, die ich bisher nie erwähnt habe. Der Tod meiner Eltern ein paar Wochen nach meiner Abreise ist der Umstand, auf den ich hier anspiele. Durch ihr Ableben wurde ich die rechtliche Erbin ihres Hauses und ihres Vermögens. Aber ach! Das Haus hatte ihnen nie gehört, und ihr Vermögen bestand nur aus einer wechselseitigen Lebensversicherung. Das ist die Verworfenheit der Welt! Zu Deiner Mutter wäre ich mit Vergnügen zurückgekehrt, hätte ihr mit Freuden meine reizende Sophia vorgestellt und den Rest meines Lebens in der lieben Gesellschaft beider im Usketal in heiterer Zurückgezogenheit verbracht, hätte der Ausführung dieses so anziehenden Plans nicht ein Hindernis im Weg gestanden, und das waren Heirat und Umzug Deiner Mutter in einen entfernten Teil Irlands.

Adieu Laura

Elfter Brief. Laura (Fortsetzung)

»Ich habe einen Verwandten in Schottland«, sagte Sophia zu mir, als wir London verließen, »der bestimmt nicht zögern würde, mich bei sich aufzunehmen.« »Soll ich dem Jungen befehlen, dorthin zu fahren?« fragte ich. Aber sie rief mich sofort zur Besinnung und sagte: »Ach, ich fürchte, die Strecke ist für die Pferde zu weit.« Aus Scheu, mich ausschließlich auf meine beschränkte Kenntnis der Stärke und Ausdauer von Pferden zu verlassen, wandte ich mich jedoch an den Postillion, der in der Angelegenheit völlig mit mir übereinstimmte. Wir beschlossen deshalb, die Pferde in der nächsten Stadt zu wechseln und den Rest des Weges mit der

Eilkutsche zurückzulegen. Nach unserer Ankunft im letzten Gasthaus, in dem wir Station machen wollten und das nur ein paar Meilen von dem Haus von Sophias Verwandtem entfernt war, schickten wir ihm aus Scheu, ihm unsere Gesellschaft unvorbereitet und unangekündigt aufzudrängen, ein paar höchst gewählte und gutformulierte Zeilen mit einem kurzen Bericht unserer verzweifelten und traurigen Lage und unserer Absicht, einige Monate bei ihm in Schottland zu verbringen. Unmittelbar nach dem Absenden dieses Briefes trafen wir Anstalten, ihm in eigener Person zu folgen, und waren im Begriff, die Kutsche zu besteigen, als unsere Aufmerksamkeit durch eine auf den Hof der Gaststätte fahrende Kutsche mit dem Wappen eines Barons und einem Vierergespann gelenkt wurde. Ein an Jahren erheblich fortgeschrittener Gentleman entstieg ihr. Bei seinem Anblick wurde mein zartes Gemüt gleich aufs wunderbarste berührt, und ehe ich noch einen zweiten Blick auf ihn geworfen hatte, flüsterte mir eine innere, ihm wohlgesonnene Stimme zu, daß er mein Großvater sei.

In der festen Überzeugung, mich dabei einfach nicht irren zu können, sprang ich sogleich aus der Kutsche, die ich gerade bestiegen hatte, folgte dem ehrwürdigen Fremden in das Gastzimmer, das man ihm angewiesen hatte, warf mich vor ihm auf die Knie und flehte ihn an, mich als seine Enkelin anzuerkennen. Er fuhr auf, musterte mich aufmerksam, zog mich zu sich empor, warf seine großväterlichen Arme um mich und rief: »Dich anerkennen! Aber ja, du liebes Ebenbild meiner Laurina und der Tochter meiner Laurina, du süßes Abbild meiner Claudia und der Mutter meiner Claudia, ich erkenne dich als Tochter der einen und Enkelin der anderen an.« Während unserer zärtlichen Umarmung betrat Sophia, erstaunt über mein voreiliges Aussteigen, auf der Suche nach mir das Zimmer. Kaum hatte der ehrwürdige Edelmann einen Blick auf sie geworfen, da rief er mit dem Ausdruck größten Erstaunens: »Noch eine Enkelin! Ja, ja, ich sehe es, du bist das Kind der ältesten Tochter meiner Laurina; deine Ähnlichkeit mit der schönen Mathilde beweist es zur Genüge.« »Ja«, erwiderte Sophia, »sowie ich Sie erblickte, flüsterte mir mein natürlicher Instinkt zu, daß wir irgendwie miteinander verwandt sein müssen, aber ob Sie mein Großvater oder meine Großmutter sind, konnte ich so schnell nicht entscheiden.« Er umarmte auch sie, und während sie sich in den Armen hielten, öffnete sich die Tür des Gastzimmers, und ein wunderbar schöner junger Mann trat ein. Bei seinem Anblick fuhr Lord St. Clair auf, trat ein paar Schritte zurück und sagte mit erhobenen Händen: »Noch ein Enkel! Was für ein unerwartetes Glück! Innerhalb von drei Minuten ebenso viele Nachkommen zu entdecken! Das ist doch Philander, der Sohn der liebenswerten Bertha, der dritten Tochter meiner Laurina. Jetzt fehlt nur noch Gustavus in unserer Runde, um meine Vereinigung mit Laurinas Enkeln vollständig zu machen.« »Und hier ist er«, sagte ein anmutiger junger Mann, der in diesem Augenblick das Zimmer betrat, »hier ist der Gustavus, den Sie zu sehen wünschen. Ich bin der Sohn Agathas, der vierten und jüngsten Tochter Ihrer Laurina.« »Das sehe ich«, antwortete Lord St. Clair, »aber sag mir«, fuhr er fort und blickte ängstlich zur Tür, »sag mir, habe ich noch andere Enkel hier im Haus?« »Nein, gnädiger Herr.« »Dann werde ich ohne allen weiteren Aufschub für euch sorgen. Hier sind vier Banknoten zu je 50 Pfund. Nehmt sie und vergeßt nie, daß ich meine Pflicht als Großvater getan habe.« Er verließ auf der Stelle das Zimmer und unmittelbar danach auch das Haus.

Adieu Laura

Zwölfter Brief. Laura (Fortsetzung)

Du kannst Dir vorstellen, wie überrascht wir von der plötzlichen Abreise Lord St. Clairs waren. »Ehrloser Ahnherr!« rief Sophia. »Unwürdiger Großvater!« sagte ich; und auf der Stelle fielen wir uns in die Arme und – in Ohnmacht. Wie lange wir in dieser Haltung verharrten, weiß ich nicht, aber als wir wieder zu uns kamen, fanden wir uns allein – ohne Gustavus, Philander oder die Banknoten. Als wir gerade unser unglückseliges Geschick beklagten, öffnete sich die Tür des Gastzimmers, und man kündigte »Macdonald« an. Es war Sophias Onkel. Die Eile, mit der er uns unmittelbar nach Erhalt unserer Zeilen zu Hilfe kam, sprach so zu seinen Gunsten, daß ich nicht zögerte, ihn schon beim ersten Anblick einen verständnisvollen und liebenswürdigen Freund zu nennen. Aber ach, er verdiente die Bezeichnung durchaus nicht, denn obwohl er uns erzählte, wie nahe ihm unser Mißgeschick gehe, hatte ihm die Lektüre des Briefes, seinen eigenen Worten nach zu urteilen, weder einen einzigen Seufzer entlockt, noch ihn dazu veranlaßt, die uns so widrigen Gestirne auch nur ein einzigesmal zu verfluchen. Er erklärte Sophia, daß seine Tochter sie in Macdonald Hall mit ihm erwarte und es ihm ein Vergnügen sei, mich als Freundin seiner Nichte ebenfalls dort zu begrüßen. Nach Macdonald Hall also machten wir uns auf den Weg und wurden dort mit großer Freundlichkeit von Janetta, Macdonalds Tochter und Herrin des Hauses, empfangen. Janetta war erst 15 und wäre bei ihrer natürlichen Gutmütigkeit und ihrem empfänglichen Herzen und liebevollen Naturell, wenn diese Anlagen nur vernünftig gefördert worden wären, eine Zierde der Menschheit gewesen; aber unglücklicherweise mangelte es ihrem Vater an dem hochgesinnten Gemüt, das so vielversprechende Anlagen zu schätzen gewußt hätte. Er hatte daher auf jede denkbare Weise versucht, zu verhindern, daß ihre Entwicklung mit ihren Jahren Schritt hielt. Ja, es war ihm gelungen, den natürlichen Adel ihres Herzens so weit zu zerstören, daß sie sich von ihm überreden ließ, die Werbung eines jungen Mannes *seiner* Wahl anzunehmen. In ein paar Monaten sollte die Hochzeit sein, und Graham hielt sich bei unserer Ankunft im Haus auf. *Wir* durchschauten seinen Charakter auf Anhieb. Er war ein Mann ganz und gar nach Macdonalds Herzen. Er galt als zartfühlend, gebildet und umgänglich; über solche Banalitäten maßten wir uns kein Urteil an, aber da wir überzeugt waren, daß er kein empfindsames Gemüt hatte, *Werthers Leiden* nicht kannte und auch seine Haarfarbe von Kastanienbraun denkbar weit entfernt war, zweifelten wir nicht daran, daß Janetta nichts für ihn empfand, jedenfalls nichts für ihn empfinden durfte. Vor allem die Tatsache, daß er die Wahl ihres Vaters war, sprach so entschieden gegen ihn, daß allein schon dieser Umstand, selbst wenn er Janetta in jeder anderen Beziehung verdient hätte, in ihren Augen als Ablehnungsgrund hätte genügen müssen. Wir waren entschlossen, ihr diese Bedenken im richtigen Licht darzustellen, und hatten nicht die mindesten Zweifel, daß wir bei einem von Natur so gutmütigen Mädchen, dessen Irrtümer in diesem Fall nur auf einem Mangel an Zutrauen in ihr eigenes Urteil und in ihre durchaus angebrachte Verachtung für das Urteil ihres Vaters beruhten, auf Verständnis stoßen würden. Sie erfüllte unsere heißesten Wünsche und Hoffnungen tatsächlich aufs schönste; es kostete uns keinerlei Mühe, sie zu überzeugen, daß sie Graham unmöglich lieben könne und es ihre Pflicht sei, ihrem Vater den Gehorsam aufzukündigen. Einzig unsere Versicherung, daß sie sich unbedingt mit einem anderen Mann verbinden müsse, stieß auf einen gewissen Widerstand ihrerseits. Eine Zeitlang bestand sie darauf, keinen anderen jungen Mann zu kennen, für den sie irgend etwas empfinde; aber auf unsere Versicherung, daß es das nicht gebe, sagte sie schließlich, am ehesten sei ihr noch Kapitän M'Kenzie sympathisch. Dieses Geständnis entsprach völlig unseren Wünschen; wir zählten ihr M'Kenzies gute Eigenschaften auf, versicherten ihr, daß sie ihn leidenschaftlich liebe, und baten sie um Auskunft, ob er ihr seine Liebe schon erklärt habe.

»Er hat sie mir nicht nur nicht erklärt; ich habe auch keinerlei Grund zu der Annahme, daß er mich überhaupt liebt«, sagte Janetta. »Daß er dich anbetet«, erwiderte Sophia, »kann gar keinem Zweifel unterliegen. Es muß sich um wechselseitige Zuneigung handeln. Hat er dich je bewundernd angestarrt, deine Hand zärtlich gedrückt, unfreiwillig eine Träne vergossen und plötzlich das Zimmer verlassen?« »Niemals, soweit ich mich erinnere«, erwiderte sie. »Er hat das Zimmer immer verlassen, wenn sein Besuch zu Ende war, ist aber niemals besonders unvermittelt und ohne Verbeugung aufgebrochen.« »Nein, meine Liebe«, sagte ich, »du mußt dich irren, denn es ist völlig ausgeschlossen, daß er dich je ohne Verwirrung, Niedergeschlagenheit und Übereilung verlassen hat. Denk doch nur einen Augenblick nach, Janetta, dann wirst du merken, wie absurd die Annahme ist, daß er je eine Verbeugung gemacht oder sich wie ein normaler Mensch benommen hat.« Als wir diesen Punkt zu unserer Zufriedenheit geregelt hatten, wandten wir uns dem Problem zu, wie wir M'Kenzie über Janettas vorteilhaften Eindruck von ihm informieren sollten. Schließlich einigten wir uns darauf, ihn mit der Tatsache durch einen anonymen Brief bekannt zu machen, den Sophia folgendermaßen verfaßte:

»Oh, glücklicher Verehrer der schönen Janetta! Oh, beneidenswerter Herr über das Herz derjenigen, deren Hand einem anderen versprochen ist, warum zögerst Du das Geständnis Deiner Liebe zu der reizenden Angebeteten hinaus? Oh, bedenke, daß all die süßen Träume in wenigen Wochen zu Ende geträumt sein werden, weil dann ihr Vater in seiner Grausamkeit das unglückliche Opfer dem abscheulichen und verachteten Graham antrauen wird. Ach, warum willst Du Janettas und Dein eigenes Elend grausam verlängern, indem Du es hinauszögerst, ihr den Plan zu eröffnen, den Du zweifellos schon lange im Herzen hegst? Eine heimliche Trauung wird euch unverzüglich euer großes Glück bescheren!«

Beim Empfang dieser Zeilen eilte der liebenswerte M'Kenzie, dessen Bescheidenheit, wie er uns hinterher gestand, der einzige Grund für die lange Verheimlichung seiner leidenschaftlichen Neigung zu Janetta gewesen war, auf den Flügeln der Liebe nach Macdonald Hall und stellte derjenigen, die sie inspirierte, seine Zuneigung so überzeugend dar, daß Sophia und ich nach ein paar weiteren Begegnungen der beiden die

Genugtuung hatten, sie nach Gretna Green[1] aufbrechen zu sehen – nach dem Ort, den sie zur Feier ihrer Trauung jedem anderen vorgezogen hatten, obwohl er von Macdonald Hall ziemlich weit entfernt war.

Adieu Laura

Dreizehnter Brief. Laura (Fortsetzung)

Erst etwa zwei Stunden nach ihrer Abreise regte sich bei Macdonald oder Graham ein gewisser Verdacht. Und auch dann brachte nur der folgende kleine Unfall sie auf die Fährte. Eines Tages öffnete Sophia zufällig eine private Schatulle in Macdonalds Bibliothek mit einem ihrer eigenen Schlüssel und entdeckte, daß er hier seine wichtigen Papiere aufbewahrte, und darunter auch einige Banknoten von erheblichem Wert. Diese Entdeckung teilte sie mir mit; und da wir uns einig waren, daß es einem so niederträchtigen Schuft wie Macdonald nur recht geschehe, wenn man ihn um sein womöglich auf unehrliche Weise erworbenes Geld erleichtere, beschlossen wir, eine oder mehrere Banknoten der Schatulle zu entnehmen, wenn eine von uns sich zufällig wieder einmal in dem Zimmer aufhalten sollte. Diesen vorteilhaften Plan hatten wir schon mehrmals erfolgreich in die Tat umgesetzt, aber ach!, am Tag von Janettas Flucht, als Sophia heldenmütig die fünfte Banknote aus der Schatulle nahm und in ihre eigene Geldbörse steckte, wurde sie plötzlich und auf unverschämte Weise durch den Eintritt ausgerechnet Macdonalds in ihrer Beschäftigung gestört. Sophia (obwohl von Natur ganz gewinnende Sanftheit, konnte sie, wenn die Gelegenheit es erforderte, durchaus auf der Würde ihres Geschlechtes bestehen) setzte unverzüglich eine strenge Miene auf und verlangte, wobei sie dem unerschrockenen Eindringling einen wütenden Blick zuwarf, in gebieterischem Ton zu wissen,

1 Da man in Schottland bis 1857 nicht die Zustimmung der Eltern zur Heirat brauchte, flohen häufig junge Paare aus England dorthin und ließen sich in Gretna Green unmittelbar hinter der Grenze trauen.

weshalb er ihre Ruhe auf so unerhörte Weise gestört habe. Ohne auch nur einen Versuch zu unternehmen, das ihm vorgeworfene Verbrechen zu rechtfertigen, nahm sich der schamlose Macdonald nun seinerseits heraus, Sophia den skandalösen Vorwurf zu machen, ihn auf unrechtliche Weise um sein Geld zu betrügen. Sie war in ihrer Würde verletzt. »Schurke«, rief sie, indem sie schnell die Banknote in die Schatulle zurücklegte, »wie können Sie es wagen, mich einer Handlung anzuklagen, deren bloßer Gedanke mich schon erröten läßt?« Der schamlose Schurke war immer noch nicht überzeugt und fuhr fort, die vollkommen zu Recht empörte Sophia in solch bodenloser Sprache zu beschimpfen, daß er zu guter Letzt ihre von Natur zur Nachgiebigkeit neigende Sanftheit so unerhört reizte, daß sie sich zur Rache herausgefordert fühlte und ihm Janettas Flucht und unseren Anteil daran mitteilte. In dieser Phase ihrer Auseinandersetzung betrat ich das Zimmer und war, wie Du Dir denken kannst, ganz wie Sophia von den unbegründeten Anschuldigungen des böswilligen und verachtenswerten Macdonald betroffen. »Gemeiner Schuft«, rief ich, »wie können Sie es wagen, so rücksichtslos den makellosen Ruf solch einer strahlenden Reinheit zu beflecken? Warum verdächtigen Sie dann nicht auch gleich mich der Mittäterschaft?« »Seien Sie unbesorgt, Madam«, erwiderte er, »ich verdächtige Sie durchaus und muß Sie deshalb beide bitten, spätestens in einer halben Stunde mein Haus zu verlassen.«

»Wir gehen mit Vergnügen«, antwortete Sophia, »wir verabscheuen Sie schon lange von Herzen, und nur unsere Freundschaft mit Ihrer Tochter konnte uns dazu bewegen, uns so lange unter Ihrem Dach aufzuhalten.«

»Sie haben Ihre Freundschaft zu meiner Tochter in der Tat auf höchst eindrucksvolle Weise dadurch bewiesen, daß Sie sie in die Arme eines charakterlosen Mitgiftjägers getrieben haben«, erwiderte er.

»Ja«, rief ich, »inmitten all unseres Unglücks wird uns die Gewißheit ein Trost sein, daß wir die uns von ihrem Vater erwiesene Freundlichkeit durch diese eine Freundschaftsbezeigung mehr als wettgemacht haben.«

»Wahrhaftig, das muß Ihnen bei Ihrer erhabenen Gesinnung eine wahre Genugtuung sein«, sagte er.

Sobald wir unsere Garderobe und unsere Wertsachen eingepackt hatten, verließen wir Macdonald Hall und setzten uns nach einer Wanderung von anderthalb Meilen am Ufer eines klaren, durchsichtigen Baches nieder, um unsere erschöpften Glieder auszuruhen. Der Ort war zum Nachdenken wie geschaffen. Ein Hain aus hochgewachsenen Ulmen schützte uns nach Osten; ein Beet aus hochgewachsenen Nesseln schirmte uns nach Westen. Vor uns lief der murmelnde Bach und hinter uns die Landstraße. Wir waren in nachdenklicher Stimmung und durchaus dazu aufgelegt, ein so schönes Fleckchen Erde zu genießen. Das Schweigen, das eine Zeitlang zwischen uns geherrscht hatte, wurde schließlich durch meinen Ausruf unterbrochen: »Was für eine liebliche Szenerie! Ach, warum sind nicht Edward und Augustus hier, um ihre Schönheit mit uns zu genießen?«

»Ach, meine geliebte Laura«, rief Sophia, »um der Barmherzigkeit willen, ruf mir nicht die unglückliche Lage meines eingekerkerten Mannes ins Gedächtnis zurück! Ach, was gäbe ich nicht, das Schicksal meines Augustus zu erfahren! Zu wissen, ob er noch in Newgate sitzt oder schon am Galgen hängt! Aber leider wird mir meine Überempfindlichkeit niemals erlauben, mich nach ihm zu erkundigen. Ach nein, ich beschwöre dich, sprich nie wieder seinen geliebten Namen vor mir aus. Es greift mich zu sehr an. Ich kann ihn nicht nennen hören, es schmerzt mich zu sehr.«

»Verzeih mir, meine Sophia, daß ich dich unwillentlich so verletzt habe«, erwiderte ich und bat sie, den Gegenstand wechselnd, die edle Majestät der Ulmen zu bewundern, die uns vor dem östlichen Zephir schützten. »Ach, meine Laura«, erwiderte sie, »vermeide doch um Himmels willen ein so trübseliges Thema. Verletze nicht wieder mein Zartgefühl durch Bemerkungen über die Ulmen. Sie erinnern mich an Augustus. Er war wie sie: würdevoll. Er besaß die edle Majestät, die du an ihnen bewunderst.«

Ich schwieg aus Furcht, ihr unwillentlich durch Gesprächsthemen, die sie an Augustus erinnern konnten, noch mehr Kummer zuzufügen.

»Warum sagst du nichts, meine Laura?« bemerkte sie nach kurzer Pause. »Ich kann dieses Schweigen nicht ertragen, du darfst mich nicht meinen eigenen Gedanken überlassen; sie kehren immer wieder zu Augustus zurück.«

»Was für ein wundervoller Himmel!« sagte ich. »Wie reizvoll wechselt dort das azurne Blau mit zarten Streifen Weiß!«

»Ach, meine Laura«, erwiderte Sophia, warf einen flüchtigen Blick zum Himmel und wandte ihn dann wieder ab. »Quäl mich doch nicht so! Wie kannst du meine Aufmerksamkeit auf einen Gegenstand lenken, der mich so grausam an Augustus' blauweiß gestreifte Satinweste erinnert. Berühre doch aus Mitleid mit deiner armen Freundin nicht ein so schmerzliches Thema.« Was konnte ich tun? Übersensibel, wie sie war, war Sophias seelische Verfassung damals so angegriffen und ihr Schmerz um Augustus so akut, daß ich aus Furcht, auf irgendeine unvorhergesehene Weise ihrer hochempfindlichen Natur zu nahe zu treten, wenn ich ihre Gedanken auf ihren Mann lenkte, nicht wagen durfte, überhaupt ein Gespräch zu beginnen. Aber Schweigen wäre grausam gewesen; sie hatte mich gebeten zu sprechen.

Aus diesem Dilemma befreite mich glücklicherweise ein höchst willkommener Unfall. Auf der summenden Straße hinter uns stürzte der leichte Wagen eines Gentlemans um. Es war ein ausgesprochen glücklicher Unfall, da er Sophias Aufmerksamkeit von den trübseligen Betrachtungen ablenkte, denen sie sich vorher hingegeben hatte. Wir erhoben uns sofort und liefen denen zu Hilfe, die nur ein paar Augenblicke vorher noch sozusagen »auf stolzen Rossen« in einer modisch eleganten und gutgefederten Kalesche gesessen hatten, aber nun, gefällt wie eine Eiche, im Staub lagen. »Wie regen nicht dieser umgestürzte Wagen und das Leben Kardinal Wolseys[2] ein tiefer veranlagtes Gemüt zum Nachdenken über die ungewissen Freuden dieser Welt an!« sagte ich zu Sophia, als wir dem Kampfplatz entgegeneilten.

Sie hatte nicht Zeit, mir zu antworten, denn unsere Aufmerksamkeit wurde nun ganz von dem gräßlichen Schauspiel vor unseren Augen in Anspruch genommen. Zwei höchst elegant gekleidete Gentlemen zogen zuerst unsere Blicke auf sich. Wir näherten uns ihnen – es waren Edward und Augustus! Ja, liebste Marianne, es waren unsere Ehemänner. Sophia kreischte und fiel zu Boden. Ich schrie und wurde wahnsinnig. So blieben wir beide minutenlang unserer Sinne beraubt, und als wir wieder zu uns kamen, verließen sie uns gleich wieder. Ein und eine Viertelstunde lang dauerte dieser unglückselige Zustand: Sophia fiel immer wieder in Ohnmacht, und ich wurde immer wieder wahnsinnig. Schließlich brachte uns ein Stöhnen des hilflosen Edward (der als einziger noch Lebenszeichen von sich gab) zu Sinnen. Hätten wir vorher annehmen können, daß einer von ihnen noch am Leben sein würde, dann wären wir mit unserem Schmerz sicher etwas sparsamer umgegangen; aber da wir beim ersten Anblick der Meinung gewesen waren, daß sie dahin waren, blieb uns nichts anderes übrig, als uns so aufzuführen. Kaum hatten wir deshalb das Stöhnen meines geliebten Edwards vernommen, da verschoben wir fürs erste unsere Klagen, eilten zu dem geliebten jungen Mann, knieten jede an einer Seite von ihm nieder und flehten ihn an, nicht zu sterben. »Laura«, sagte er, indem er seine nun brechenden Augen auf mich richtete, »ich fürchte, die Kalesche ist umgestürzt.« Ich war überglücklich, ihn bei Bewußtsein zu finden.

»Ach, sag mir, Edward«, rief ich, »sag mir, bevor du stirbst, ich flehe dich an, was euch zugestoßen ist seit dem unglückseligen Tag, an dem man Augustus verhaftete und wir getrennt wurden.«

2 Thomas Wolsey (1472–1530), Kanzler König Heinrichs VIII. von England, der 1527 in Ungnade fiel.

»Das will ich«, sagte er, seufzte tief und verschied. Sophia fiel auf der Stelle wieder in Ohnmacht. *Mein* Schmerz war vernehmlicher, meine Stimme stockte, meine Augen starrten ins Leere, mein Gesicht wurde blaß wie der Tod, und meine Sinneswahrnehmungen waren entschieden beeinträchtigt.

»Sprich mir nicht von Kaleschen«, sagte ich und irrte fantasierend und Unzusammenhängendes faselnd umher. »Reich mir eine Geige. Ich will ihm etwas vorspielen und ihm seine trübseligen Stunden versüßen. Bewahrt euch, ihr sanften Nymphen, vor Amors scharfen Pfeilen, bergt euch vor Jovis verletzendem Geschoß. Sieh dort, den Fichtenhain, ich sehe eine Hammelkeule, man sagt mir, er sei nicht tot, aber man will mich täuschen, man hat ihn verwechselt – mit einer Gurke.« So bejammerte ich in lautem Wehklagen Edwards Tod. Ich fantasierte zwei Stunden lang und hätte auch dann nicht abgelassen, wenn nicht Sophia aus ihrer Ohnmacht erwacht wäre und mich inständig gebeten hätte, doch zu bedenken, daß die Nacht nun hereinbreche und feuchte Nebel sich über das Land senkten. »Und wohin sollen wir gehen«, fragte ich, »um uns vor beidem zu schützen?« »Zu der weißen Hütte dort«, erwiderte sie und deutete auf ein sauberes Häuschen, das mitten in einem Ulmenhain stand und das ich bisher gar nicht bemerkt hatte. Ich stimmte zu, und wir gingen auf der Stelle hin. Wir klopften an die Tür, sie wurde von einer alten Frau geöffnet. Auf unsere Bitte, uns ein Nachtquartier zu gewähren, antwortete sie, ihr Haus sei nur klein, habe nur zwei Schlafzimmer, aber wir könnten gern in einem davon übernachten. Wir waren damit einverstanden und folgten der guten Frau ins Haus, wo uns der Anblick eines gemütlichen Feuers sogleich in behagliche Stimmung versetzte. Sie war Witwe und hatte nur eine Tochter, die gerade erst 17 war – ein schönes Alter, aber ach!, sie war ziemlich gewöhnlich und hieß obendrein Bridget. Von ihr war daher nichts zu erwarten. Man konnte ihr erhabene Gedanken, zartfühlende Empfindungen oder ein empfindsames Gemüt einfach nicht zutrauen. Sie war nichts als ein gutmütiges, höfliches und entgegenkommendes junges Mädchen. Dagegen ließ sich weiter nichts einwenden, aber uns konnte sie nichts als Abscheu einflößen.

Adieu Laura

Vierzehnter Brief. Laura (Fortsetzung)

Wappne Dich, meine liebenswerte junge Freundin, mit all dem Gleichmut, den Du aufbringen kannst. Nimm all den Mut zusammen, den Du besitzt, denn ach!, bei der Lektüre der folgenden Blätter wird Dein Zartgefühl aufs äußerste auf die Probe gestellt werden. Ach, was war das Mißgeschick, das ich bisher durchgemacht hatte und Dir schon berichtet habe, gegen das, das ich Dir nun beichten muß. Obwohl der Tod meines Vaters, meiner Mutter und meines Mannes meine zarte Konstitution fast schon überfordert hatten, war das im Vergleich zu dem Mißgeschick, das ich nun erzählen muß, ein bloßes Kinderspiel. Am Morgen nach unserer Ankunft in dem Häuschen klagte Sophie über einen heftigen Schmerz in ihren zarten Gliedern, der von unangenehmem Kopfweh begleitet war. Sie führte ihn auf eine Erkältung zurück, die sie sich am Abend vorher während ihrer ständigen Ohnmachtsanfälle an der frischen Luft zugezogen hatte, als der Abendtau sich senkte. Das, fürchtete ich, war nur zu wahrscheinlich, denn wie hätte ich sonst von einer solchen Unpäßlichkeit verschont bleiben können, wenn man nicht annahm, daß die körperlichen Anstrengungen, die ich bei meinen wiederholten Wahnsinnsanfällen durchgemacht hatte, mein Blut so wirkungsvoll in Wallung gebracht hatten, daß ich gegen die kühlen Abenddünste immun war, während Sophia, die regungslos am Boden lag, ihnen völlig wehrlos ausgeliefert war? Ihre Krankheit machte mir große Sorge, denn so unbedeutend sie Dir vorkommen mag – mir flüsterte mein instinktives Zartgefühl zu, daß sie am Ende ihren Tod bedeuten würde.

Ach, meine Befürchtungen waren nur zu berechtigt; sie wurde nach und nach immer schwächer, und meine Sorge um sie nahm täglich zu. Schließlich war sie ganz und gar ans Bett gefesselt, das uns unsere verständnisvolle Wirtin zur Verfügung gestellt hatte. Ihre Schwäche verwandelte sich in galoppierende Schwindsucht und raffte sie innerhalb weniger Tage dahin. Bei all meinen Klagen um sie (und Du kannst sie Dir gar nicht heftig genug vorstellen) gewährte mir doch die Überlegung Trost, daß ich ihr während ihrer Krankheit alle erdenkliche Aufmerksamkeit hatte zukommen lassen. Ich hatte jeden Tag an ihrem Bett geweint, hatte ihr reizendes Gesicht mit meinen Tränen genetzt und ihre schönen Hände ständig in den meinen gehalten. »Meine liebste Laura«, sagte sie ein paar Stunden vor ihrem Tod zu mir, »laß dir mein unglückliches Ende eine Warnung sein und vermeide das unkluge Verhalten, das schuld daran ist. Hüte dich vor Ohnmachtsanfällen. Obwohl sie bei passender Gelegenheit durchaus erfrischend und wohltuend sind, zerrütten sie doch die Gesundheit, wenn man sie übertreibt und sich ihnen zur falschen Jahreszeit hingibt ... Mein Schicksal soll dir eine Lehre sein ... Ich sterbe als Märtyrerin des Schmerzes über den Verlust Augustus' ... Eine einzige unheilvolle Ohnmacht kostete mich das Leben ... Hüte dich vor Ohnmachten, meine Laura ... Ein Wahnsinnsanfall ist bei weitem nicht so schädlich ... Er ist ein Labsal für den Körper und in Maßen auf lange Sicht ausgesprochen gesundheitsfördernd ... Werde wahnsinnig, sooft du willst, aber falle nicht in Ohnmacht.«

Das waren die letzten Worte, die sie zu mir sprach. Das war der Rat, den sie in ihrer Todesstunde der von Schmerz zerrissenen Laura gab, die sich treulich daran gehalten hat.

Als ich meiner tief betrauerten Freundin zum frühen Grab das Geleit gegeben hatte, verließ ich (und zwar spät am Abend) das verabscheute Dorf, in dem sie gestorben war und in dessen Nähe mein Mann und Augustus umgekommen waren. Ich war noch nicht weit gegangen, als ich von einer

Postkutsche eingeholt wurde, in der ich, entschlossen, nach Edinburgh zu fahren, wo ich eine mitleidige Freundin zu finden hoffte, die mich aufnehmen und in meinem Kummer trösten würde, auf der Stelle Platz nahm.

Es war beim Einsteigen so dunkel, daß ich die Zahl meiner Mitreisenden nicht unterscheiden konnte, aber es waren eine ganze Menge. Ohne allerdings weiter auf sie zu achten, überließ ich mich ganz meinen trübseligen Gedanken. Allgemeines Schweigen herrschte – ein Schweigen, das durch nichts unterbrochen wurde als durch das Schnarchen eines Passagiers.

»Was für ein ungebildeter Flegel der Mann sein muß!« dachte ich bei mir. »Was für einen völligen Mangel an feiner Lebensart er haben muß, daß er unser Zartgefühl durch so tierische Geräusche verletzt! Er schreckt bestimmt vor keiner Übeltat zurück. Es gibt sicher kein Verbrechen, das einem solchen Mann zu finster ist.« Das waren meine Selbstgespräche, und zweifellos auch die meiner Mitreisenden.

Schließlich erlaubte mir die Morgendämmerung den gewissenlosen Schurken deutlicher zu erkennen, der auf so geräuschvolle Art mein Zartgefühl verletzt hatte. Es war Sir Edward, der Vater meines verstorbenen Mannes. Neben ihm saß Augusta, und bei den Passagieren in meiner Reihe handelte es sich um Deine Mutter und Lady Dorothea. Stell Dir meine Überraschung vor, als ich mich mitten unter alten Freunden wiederfand. Aber so groß mein Erstaunen war, es wurde noch größer, als ich aus dem Fenster sah und Phillippas Mann mit Phillippa an seiner Seite auf dem Kutschbock erblickte; und als ich mich umsah, erkannte ich auf dem rückwärtigen Außensitz Philander und Gustavus. »O Himmel!« rief ich, »kann es sein, daß ich so unerwartet von meinen nächsten Verwandten und Freunden umgeben bin?« Diese Worte weckten die Mitreisenden aus dem Schlaf, und alle Augen richteten sich plötzlich auf die Ecke, in der ich saß. »Oh, meine Isabel«, fuhr ich fort und warf mich ihr über Lady Dorothea hinweg in die Arme, »drücke deine unglückliche Laura wieder an den Busen. Ach, als wir uns im Usketal trennten, war ich glücklich vereint mit dem besten aller Edwards. Damals hatte ich Vater und Mutter und noch keinerlei Mißgeschick erfahren. Aber nun habe ich alle verloren – außer dir.«

»Was!« unterbrach mich Augusta, »ist mein Bruder etwa tot? Sag uns um Himmels willen, was aus ihm geworden ist.« »Ja, kalte und herzlose Nymphe«, erwiderte ich, »das vom Glück verlassene Schwein, dein Bruder, ist nicht mehr, und du kannst dich nun in dem Glanz sonnen, die Erbin von Sir Edwards Vermögen zu sein.«

Obwohl ich sie seit dem Tag, an dem ich ihr Gespräch mit meinem Edward belauscht hatte, verabscheute, kam ich ihrem und Sir Edwards Wunsch nach, ihnen die ganze trostlose Affäre zu berichten. Sie waren regelrecht schockiert. Sogar das steinharte Herz Sir Edwards und das gefühllose Augustas waren von der unglücklichen Geschichte heftig gerührt. Auf Wunsch Deiner Mutter erzählte ich ihnen dann auch alles andere Ungemach, das mir seit unserer Trennung zugestoßen war: Augustus' Einkerkerung und Edwards Verschwinden, unsere Ankunft in Schottland, unser unerwartetes Zusammentreffen mit unserem Großvater und unseren Vettern, unseren Aufenthalt in Macdonald Hall, den einzigartigen Dienst, den wir Janetta erwiesen hatten, den Undank ihres Vaters dafür, sein unmenschliches Benehmen, seinen unerklärlichen Verdacht und sein barbarisches Verhalten, als er uns zwang, sein Haus zu verlassen, unsere Klagen über den Verlust Edwards und Augustus' und schließlich den traurigen Tod meiner geliebten Gefährtin.

Mitleid und Staunen malten sich während meiner ganzen Erzählung auf dem Gesicht Deiner Mutter, aber mit unendlichem Bedauern über ihr mangelndes Zartgefühl muß ich leider sagen, daß das zweite bei weitem überwog. Ja, mehr noch, denn obwohl ich doch während der ganzen langen Reihe meiner Mißgeschicke und Abenteuer völlig schuldlos gewesen war, nahm sie sich heraus, mein Benehmen in vielen Situationen, in die ich geraten war, tadelnswert zu finden. Da ich mir aber völlig bewußt war, immer so gehandelt zu haben, daß mein Zartgefühl und meine Bildung meiner weiblichen Würde Ehre machten, achtete ich kaum auf ihre Worte und bat sie, meine Neugier zu befriedigen und mir zu sagen, wie sie hierhergekommen sei, statt meinen makellosen Ruf durch ungerechtfertigte Vorwürfe zu gefährden. Sobald sie meinem diesbezüglichen Wunsch nachgekommen war und mir einen detaillierten Bericht all dessen gegeben hatte, was ihr seit unserer Trennung zugestoßen war (soweit Du die Einzelheiten noch nicht kennst, wird Deine Mutter sie Dir mitteilen), richtete ich an Augusta dieselbe Bitte bezüglich ihres, Sir Edwards und Lady Dorotheas Schicksal.

Sie erzählte mir, in ihrer Begeisterung für die Schönheiten der Natur habe Gilpins *Tour ins schottische Hochland* ihre Neugier so gereizt, die liebliche Landschaft dieser Gegend zu erforschen, daß sie ihren Vater zu einer Reise nach Schottland und ihre Mutter zum Mitkommen bewegt habe. Sie waren erst ein paar Tage vorher in Edinburgh angekommen, hatten von dort aus täglich in der Postkutsche Ausflüge in die Umgebung gemacht und befanden sich gerade auf dem Rückweg von einem dieser Ausflüge. Dann fragte ich nach Phillippa und ihrem Mann und erfuhr, daß dieser ihr ganzes Vermögen verschwendet hatte und nun seinen Lebensunterhalt durch ein Talent verdiente, das er immer in besonders ausgeprägtem Maß besessen hatte, nämlich durch das Kutschieren; und so hatte er außer ihrem Wagen, den er in eine Postkutsche umgewandelt hatte, ihren gesamten Besitz verkauft und war mit ihr, um allen früheren Bekanntschaften aus dem Weg zu gehen, nach Edinburgh gefahren, von wo aus er nun jeden zweiten Tag eine Fahrt nach Sterling unternahm. Phillippa war ihrem undankbaren Mann noch immer herzlich zugetan, ihm nach Schottland gefolgt und begleitete ihn meist auf seinen kleinen Ausflügen nach Sterling. »Nur um ihnen ein bißchen Geld zukommen zu lassen«, fuhr Augusta fort, »fährt mein Vater seit unserer Ankunft unentwegt in ihrer Kutsche, um die landschaftlichen Schönheiten zu bewundern – denn es wäre zweifellos viel interessanter gewesen, das Hochland in einer Eilkutsche zu besichtigen, statt jeden zweiten Tag in einer engen, unbequemen Postkutsche von Edinburgh nach Sterling und von Sterling nach Edinburgh zu fahren.« Ich konnte ihre Gefühle durchaus nachempfinden und beschuldigte insgeheim Sir Edward, auf diese Weise das Vergnügen seiner Tochter einer albernen alten Frau zu opfern, deren Dummheit, einen so jungen Mann zu heiraten, bestraft zu werden verdiente. Sein Benehmen allerdings entsprach völlig seiner Persönlichkeit, denn was konnte man schon von einem Mann erwarten, der auch nicht ein Fünkchen Zartgefühl besaß, Mitgefühl kaum kannte und obendrein schnarchte?

Adieu Laura

Fünfzehnter Brief. Laura (Fortsetzung)

Nach unserer Ankunft in der Stadt, in der wir frühstücken sollten, entschloß ich mich, mit Philander und Gustavus zu sprechen. Ich ging deshalb, sobald ich ausgestiegen war, zu den rückwärtigen Außensitzen, erkundigte mich teilnahmsvoll nach ihrer Gesundheit und teilte ihnen meine Befürchtungen über ihre unangenehme Lage mit. Sie schienen zunächst ziemlich verwirrt über mein Auftauchen, denn ohne Zweifel fürchteten sie, von mir für das Geld, das unser Großvater mir gegeben hatte und das sie mir ungerechtfertigterweise entwendet hatten, zur Rechenschaft gezogen zu werden. Aber als sie merkten, daß ich auf die Sache gar nicht zurückkam, baten sie mich, auch auf dem Rücksitz Platz zu nehmen, damit wir uns dort in aller Ruhe unterhalten konnten. Ich setzte mich deshalb zu ihnen, und während die anderen grünen Tee und Butterbrote hinunterschlangen, ließen wir uns auf unsere kultiviertere und gefühlsbetontere Weise eine vertrauliche Unterhaltung schmecken. Ich erzählte ihnen alles, was ich im Laufe meines Lebens durchgemacht hatte, und sie ihrerseits berichteten mir auf meine Bitte alle Abenteuer ihres Lebens.

»Wir sind, wie Sie schon wissen, die Söhne der beiden jüngsten Töchter, die Lord St. Clair mit Laurina, einer italienischen Ballettänzerin, hatte. Unsere Mütter konnten beide nicht eindeutig feststellen, wer unsere Väter waren, obwohl man annimmt, daß Philander der Sohn eines Maurers namens Phillip Jones und mein Vater ein Heumacher aus Edinburgh namens Gregory Staves ist. Aber das hat nicht viel zu bedeuten, denn da unsere Mütter ja nie mit ihnen verheiratet waren, ist unser einer uralten und reinblütigen Familie entstammendes Blut dadurch nicht entehrt. Bertha (Philanders Mutter) und Agatha (meine eigene Mutter) lebten immer zusammen. Sie waren beide nicht sehr reich, ihr gemeinsames Vermögen hatte ursprünglich 9000 Pfund betragen, aber da sie ihren Lebensunterhalt davon bestritten, war es, als wir 15 waren, auf 900 zusammengeschmolzen. Diese 900 Pfund bewahrten sie in dem Bedürfnis, sie immer zur Hand zu haben, in der Schublade eines der Tische auf, die in unserem Wohnzimmer standen. Ob nun wegen des Umstandes, daß sie so leicht wegzunehmen waren, oder aus dem Wunsch, unabhängig zu sein, oder aus einem Übermaß an Zartgefühl (durch das wir uns immer ausgezeichnet haben), weiß ich nicht zu sagen – jedenfalls nahmen wir bei Erreichen des 15. Lebensjahres die 900 Pfund und liefen davon. Einmal im Besitz dieses Schatzes, beschlossen wir, ihn auf vernünftige Weise zu verwalten und ihn weder sinnlos noch verschwenderisch auszugeben. Zu diesem Zweck teilten wir ihn in neun gleiche Teile, von denen wir den ersten für Lebensmittel, den zweiten für Getränke, den dritten für den Haushalt, den vierten für den Wagen, den fünften für Pferde, den sechsten für Personal, den siebten für Vergnügungen, den achten für Kleidung und den neunten für Silberschnallen verwenden wollten. Als wir so unsere Ausgaben für die nächsten zwei Monate geplant hatten (denn so lange sollten die 900 Pfund reichen), eilten wir nach London und machten uns das Vergnügen, sie in sieben Wochen und einem Tag auszugeben, also in sechs Tagen weniger, als wir beabsichtigt hatten. Sobald wir uns nun von der Bürde des vielen Geldes befreit hatten, begannen wir zu überlegen, ob wir nicht zu unseren Müttern nach Hause zurückkehren sollten, aber da wir zufällig hörten, daß sie inzwischen verhungert waren, gaben wir den Plan auf und beschlossen, uns einer Wanderbühne anzuschließen, da wir immer eine Neigung zum Theater gehabt hatten. Wir boten daher unsere Dienste einer Truppe an und wurden angenommen; sie war allerdings recht klein, denn sie bestand nur aus dem Manager, seiner Frau und uns. Auf diese Weise waren jedoch nicht so viele Honorare zu zahlen. Der einzige Nachteil bestand darin, daß es so wenig Stücke gab, die wir bei unserem Mangel an Schauspielern aufführen konnten. Aber durch solche Kleinigkeiten ließen wir uns nicht aus der Fassung bringen. Eine unserer weit und breit bewunderten Aufführungen war *Macbeth*, worin wir regelrecht glänzten. Der Manager behielt sich den Banquo immer selbst vor, seine Frau spielte Lady Macbeth, ich die drei Hexen und Philander übernahm alle anderen Rollen. Die Wahrheit zu gestehen, dieses Trauerspiel war nicht nur das beste, sondern auch das einzige, das wir je aufführten; und als wir es überall in England und Wales dargeboten hatten, kamen wir hierher nach Schottland, um es auch im übrigen Großbritannien zu zeigen. Wir hielten uns zufällig in der Stadt auf, wohin Sie auch kamen und wo Sie Ihren Großvater trafen. Wir waren im Hof der Raststätte, als seine Kutsche vorfuhr; und da wir am Wappen erkannten, wem sie gehörte, und wir wußten, daß Lord St. Clair unser Großvater war, einigten wir uns, den Versuch zu wagen, ihn durch die Enthüllung unseres Verwandtschaftsverhältnisses um einiges Geld zu erleichtern. Sie wissen, wie gut der Versuch glückte. Sobald wir die 200 Pfund in der Tasche hatten, verließen wir die Stadt, überließen es unserem Manager und seiner Frau, *Macbeth* allein aufzuführen, und machten uns nach Sterling auf den Weg, wo wir unser kleines Vermögen mit großem Eklat ausgaben. Nun sind wir auf dem Weg zurück nach Edinburgh, um in der Schauspielkunst höhere Aufgaben anzustreben. Und das, meine liebe Cousine, ist unsere Geschichte.«

Ich dankte dem liebenswerten jungen Mann für seinen unterhaltsamen Bericht, ließ sie nach guten Wünschen für ihr künftiges Wohlergehen und Glück auf ihren Rücksitzen allein und kehrte zu meinen anderen Freunden zurück, die mich schon ungeduldig erwarteten.

Meine Abenteuer gehen nun ihrem Ende entgegen, meine liebste Marianne, oder jedenfalls vorläufig.

Als wir in Edinburgh ankamen, teilte mir Sir Edward seinen Wunsch mit, daß ich als Witwe seines Sohnes aus seiner Hand pro Jahr 400 Pfund annehmen möge. Ich dankte verbindlich, konnte aber nicht umhin hinzuzufügen, daß der unsympathische Baron die Summe wohl mehr der Witwe Edwards als der kultivierten und liebenswerten Laura anbot.

Ich ließ mich schließlich in einem romantischen Dorf im schottischen Hochland nieder, wo ich noch heute lebe und mich ungestört von nichtssagenden Besuchen in melancholischer Einsamkeit ununterbrochen den Klagen über den Tod meines Vaters, meiner Mutter, meines Mannes und meiner Freundin hingeben kann. Augusta ist schon seit mehreren Jahren mit Graham verbunden, einem Mann, der ausgezeichnet zu ihr paßt; sie hat ihn während ihres Aufenthalts in Schottland kennengelernt.

Sir Edward hat in der Hoffnung, einen Erben für seinen Titel und seinen Besitz zu erhalten, etwa gleichzeitig Lady Dorothea geheiratet. Der Wunsch ist ihm in Erfüllung gegangen.

Philander und Gustavus haben sich durch Aufführungen in Edinburgh solchen Ruhm erworben, daß sie ans Londoner Theater »Covent Garden« übergesiedelt sind, wo sie noch immer unter den angenommenen Namen Lewis und Quick[3] auftreten.

3 Berühmte Schauspieler der Zeit: William »Gentleman« Lewis (1748?–1811) und John Quick (1748–1831).

Phillippa deckt schon lange der kühle Rasen, aber ihr Mann fährt immer noch seine Postkutsche zwischen Edinburgh und Sterling hin und her.

Adieu, meine liebste Marianne Laura

Finis 13. Juni 1790

Das Geheimnis

Ein unvollendetes Lustspiel

Widmung an Pastor George Austen

Sir,
ich erbitte Ihre Gönnerschaft für das folgende
Lustspiel, das, so schmeichle ich mir,
obwohl unvollendet, ein mindestens
ebenso großes Geheimnis ist wie viele andere.
Ich bin, Sir, Ihre ergebene Dienerin

die Autorin

Dramatis personae

Herren	Damen
Oberst Elliot	Fanny Elliot
Sir Edward Spangle	Mrs. Humbug
Der alte Humbug	und
Der junge Humbug	Daphne
und	
Corydon	

1. Szene

Ein Garten.

Corydon tritt auf.

CORYDON. Aber still! Man unterbricht mich.

Der alte Humbug und sein Sohn treten im Gespräch auf.

ALTER H. Deshalb möchte ich, daß du meinen Rat befolgst. Siehst du ein, daß er berechtigt ist?

JUNGER H. Sir, ich werde Ihrem Rat unbedingt folgen.
ALTER H. Dann wollen wir ins Haus zurückkehren.
Gehen ab.

2. Szene

Ein Zimmer in Humbugs Haus.

Mrs. Humbug und Fanny mit einer Handarbeit.

MRS. H. Sie verstehen mich also, meine Liebe.
FANNY. Vollkommen, Madam, fahren Sie bitte fort.
MRS. H. Ach, meine Geschichte ist zu Ende, denn ich habe über das Thema weiter nichts zu sagen.
FANNY. Ah, hier ist Daphne.
Daphne tritt auf.
DAPHNE. Meine liebe Mrs. Humbug, wie geht es Ihnen? Ach, Fanny, alles ist aus.
FANNY. Wirklich!
MRS. H. Das tut mir aber leid.
FANNY. Dann hat es also gar nichts genutzt, daß ich . . .
DAPHNE. Überhaupt nichts.
MRS. H. Und was soll nun werden aus . . .
DAPHNE. Das ist alles geregelt. (*Sie flüstert mit Mrs. Humbug.*)
FANNY. Und wie hat man sich entschieden?
DAPHNE. Das will ich Ihnen sagen. (*Sie flüstert mit Fanny.*)
MRS. HUMBUG. Und wird er nun . . .?
DAPHNE. Ich will Ihnen alles erzählen, was ich über die Sache weiß. (*Sie flüstert mit Mrs. Humbug und Fanny.*)
FANNY. Also! Nun, wo ich alles weiß, will ich gehen.
MRS. H. und DAPHNE. Ich auch.

3. Szene

Als der Vorhang sich öffnet, sieht man Sir Edward Spangle, in eleganter Haltung auf dem Sofa zurückgelehnt, schlafend dasitzen.

Oberst Elliot tritt auf.

OBERST. Meine Tochter ist, wie ich sehe, nicht hier ... Dort liegt Sir Edward... Soll ich ihn in das Geheimnis einweihen? ... Nein, er hält bestimmt nicht dicht ... Aber er schläft und hört mich nicht ... Ich kann es also wagen. *Er geht auf Sir Edward zu, flüstert ihm etwas ins Ohr und geht ab.*

Ende des ersten Aufzugs.

Die drei Schwestern

Ein Roman

Erster Brief. Miss Stanhope an Mrs. . . .

Meine liebe Fanny,

ich bin überglücklich, denn Mr. Watts hat mir einen Heiratsantrag gemacht. Es ist der erste, den ich je erhalten habe, und ich weiß mich vor Freude darüber gar nicht zu lassen. Wie werde ich über die Duttons triumphieren! Ich habe zwar nicht vor, ihn anzunehmen, jedenfalls ist mir gar nicht danach. Aber da ich nicht ganz sicher bin, habe ich ihm eine zweideutige Antwort gegeben und ihn dann allein gelassen. Und nun, meine liebe Fanny, bitte ich Dich um Rat, ob ich den Antrag annehmen soll oder nicht. Damit Du Dir aber ein Bild von seinen äußeren Vorzügen und seiner finanziellen Lage machen kannst, will ich Dir einen Eindruck davon vermitteln. Er ist schon ein recht alter Mann, ungefähr 32, sehr gewöhnlich, ja, so gewöhnlich, daß ich ihn einfach nicht ansehen kann. Er ist ganz unerträglich, und ich hasse ihn über alles in der Welt. Er hat ein riesiges Vermögen und würde mir einen erheblichen Teil davon hinterlassen; aber andererseits ist er sehr gesund. Kurz und gut, ich weiß nicht, was ich tun soll. Wenn ich ihn zurückweise – so hat er mir deutlich zu verstehen gegeben – dann wird er Sophie seine Hand antragen, und wenn sie ihn zurückweist, Georgina, und ich könnte es einfach nicht ertragen, wenn eine von ihnen eher heiratet als ich. Wenn ich ihn nehme, werde ich für den Rest meines Lebens unglücklich sein, das weiß ich genau, denn er ist immer schlecht gelaunt und mürrisch, außerordentlich eifersüchtig und so geizig, daß man einfach nicht mit ihm unter einem Dach leben kann. Er hat mir gesagt, er wolle mit Mama sprechen, aber ich habe darauf bestanden, daß er das nicht tut, denn dann zwingt sie mich womöglich, ihn gegen meinen Willen zu heiraten. Aber wahrscheinlich hat er es trotzdem getan, denn er tut nie, worum man ihn bittet. Ich glaube, ich nehme ihn doch. Es wäre ein solcher Triumph, eher als Sophie, Georgina und die Duttons zu heiraten. Und er hat mir versprochen, zu der Gelegenheit eine neue Kutsche anzuschaffen. Nur sind wir wegen der Farbe in Streit geraten, denn ich bestand darauf, daß sie blau mit silbernen Punkten wird, und er wollte unbedingt eine einfache schokoladenbraune; und um mich noch mehr zu ärgern, sagte er dann noch, daß die Federung nicht anders sein wird als bei seiner jetzigen. Ich nehme ihn doch lieber nicht. Er hat gesagt, er kommt morgen wieder und holt sich meine endgültige Antwort. Ich glaube, ich nehme ihn lieber doch, solange ich die Wahl habe. Ich weiß, die Duttons werden mich beneiden, und ich kann dann Sophie und Georgina zu all den Winterbällen begleiten. Aber was nützt mir das, wenn er mich höchstwahrscheinlich nicht gehen läßt, denn ich weiß, er haßt Bälle, und was er selber haßt, davon kann er sich auch nicht vorstellen, daß andere es mögen; und außerdem redet er dauernd davon, daß Frauen immer zu Hause bleiben sollen und solche Sachen. Ich glaube, ich nehme ihn doch nicht; ich würde ihn auf jeden Fall zurückweisen, wenn ich sicher wäre, daß keine meiner Schwestern ihn nimmt und er dann seine Hand nicht womöglich den Duttons anbietet. Das Risiko kann ich nicht eingehen, und wenn er also verspricht, die Kutsche nach meinen Wünschen anfertigen zu lassen, dann nehme ich ihn doch; wenn nicht, kann er allein darin ausfahren – ohne mich. Ich hoffe, Du billigst meinen Entschluß; etwas Besseres fällt mir nicht ein. Ich bin Deine Dich liebende

Mary Stanhope

Zweiter Brief. Von derselben an dieselbe

Liebe Fanny,

ich hatte meinen letzten Brief gerade versiegelt, als meine Mutter heraufkam und sagte, sie wolle etwas Wichtiges mit mir besprechen.

»Ah, ich weiß, was du meinst«, sagte ich. »Der alte Trottel, Mr. Watts, hat dir alles erzählt, obwohl ich ihn gebeten habe, es nicht zu tun. Aber du kannst mich nicht zwingen, ihn zu nehmen, wenn ich es nicht will.«

»Ich will dich ja gar nicht zwingen, mein Kind, ich möchte nur wissen, wie du dich entschieden hast, und dir nahelegen, dich so oder so zu entscheiden, damit Sophie ihn haben kann, wenn du ihn nicht willst.«

»Oh nein«, erwiderte ich schnell, »Sophie braucht sich keine Mühe zu geben, ich heirate ihn auf jeden Fall selber.«

»Wenn das dein fester Entschluß ist«, sagte meine Mutter, »warum hast du dann Angst, daß ich dich zu einer Entscheidung zwingen will?«

»Warum? Weil ich noch nicht ganz sicher bin, ob ich ihn nehme oder nicht.«

»Ein so merkwürdiges Mädchen habe ich noch nie erlebt. Was du im einen Augenblick sagst, willst du im nächsten ungesagt machen. Sag mir ein für allemal, ob du beabsichtigst, Mr. Watts zu heiraten oder nicht.«

»Aber Mama, wie kann ich es dir sagen, wenn ich es selber noch nicht weiß?«

»Dann bitte ich dich, es bald zu wissen, sehr bald, denn Mr. Watts sagt, er läßt sich nicht hinhalten.«

»Das hängt von mir ab.«

»Nein, das tut es nicht, denn wenn du ihm nicht morgen, wenn er bei uns Tee trinkt, deine endgültige Antwort gibst, will er Sophie einen Antrag machen.«

»Dann werde ich aller Welt sagen, daß er sich mir gegenüber unmöglich benommen hat.«

»Und was soll das nützen? Mr. Watts wird von aller Welt schon so lange verachtet, daß es ihm nichts mehr ausmacht.«

»Wenn ich bloß einen Vater oder einen Bruder hätte, dann könnten sie ihn fordern.«

»Das wäre schlau von ihnen, denn Mr. Watts würde auf der

Stelle weglaufen, und deshalb mußt und wirst du ihn bis morgen abend erhört oder zurückgewiesen haben.«

»Aber warum muß er denn, wenn ich ihn nicht nehme, meinen Schwestern einen Antrag machen?«

»Warum? Weil er sich mit unserer Familie verbinden will und sie schließlich auch so hübsch sind wie du.«

»Aber will ihn Sophie heiraten, Mama, wenn er ihr einen Antrag macht?«

»Höchstwahrscheinlich. Warum sollte sie auch nicht? Wenn sie ihn aber nicht will, dann muß eben Georgina es tun, denn ich bin entschlossen, mir eine so günstige Gelegenheit, eine meiner Töchter vorteilhaft zu verheiraten, nicht entgehen zu lassen. Also, nutze deine Zeit gut; ich überlasse dich deiner eigenen Entscheidung.« Und damit ging sie. Das einzige, was mir nun einfällt, ist, Sophie und Georgina zu fragen, ob sie ihn nehmen, wenn er ihnen einen Antrag macht; und wenn sie nein sagen, dann bin ich entschlossen, ihn auch nicht zu nehmen, denn ich hasse ihn mehr, als Du Dir vorstellen kannst. Und wenn er dann eine von den Duttons heiratet, habe ich jedenfalls den Triumph, ihn vorher zurückgewiesen zu haben. Also, adieu, meine liebe Freundin.

Immer Deine Mary

Dritter Brief. Georgina Stanhope an Miss XXX

Meine liebe Anne,

Sophie und ich haben unserer älteren Schwester gerade einen Streich gespielt. Wir fühlen uns zwar nicht ganz wohl dabei, aber wenn so etwas durch die Umstände verzeihlich werden kann, dann in diesem Fall. Unser Nachbar, Mr. Watts, hat Mary einen Antrag gemacht – einen Antrag, der ihr Kopfzerbrechen bereitete, denn obwohl sie gerade ihn überhaupt nicht ausstehen kann (und da ist sie keineswegs die einzige), würde sie ihn doch eher heiraten, als es darauf ankommen zu lassen, daß er Sophie oder mir einen Antrag macht, womit er ihr im Falle ihrer

Ablehnung gedroht hat, denn Du mußt wissen, daß das arme Kind es für das größte überhaupt denkbare Unglück hält, wenn eine von uns früher heiratet als sie; und um das zu verhindern, würde sie mit Freuden auch eine ihr nur Elend bereitende Ehe mit Mr. Watts in Kauf nehmen. Vor einer Stunde kam sie zu uns, um uns auszuhorchen. Sie wollte wissen, wie wir uns zu der Geschichte stellen, damit sie dementsprechend ihre Entscheidung treffen könnte. Kurz bevor sie zu uns kam, hatte unsere Mutter uns davon erzählt und uns darauf hingewiesen, daß sie um jeden Preis in unserer Familie eine Frau für ihn finden möchte. »Und deshalb«, sagte sie, »muß Sophie ihn nehmen, wenn Mary ihn nicht will, und wenn Sophie ihn nicht will, dann Georgina.« Die arme Georgina! Wir machten beide keinen Versuch, den Entschluß unserer Mutter umzustoßen, denn bedauerlicherweise liegt ihr im allgemeinen mehr daran, daß Entschlüsse strikt eingehalten als auf sinnvolle Weise gefaßt werden. Sobald sie gegangen war, brach ich aber das Schweigen, um Sophie zu versichern, ich erwartete, falls Mary Mr. Watts ablehnen sollte, nicht von ihr, daß sie aus lauter Rücksicht auf mich ihr Glück durch eine Heirat mit ihm opferte, wozu sie ihre Gutmütigkeit und schwesterliche Liebe womöglich verleiten könnten.

»Wir wollen darauf bauen«, erwiderte sie, »daß Mary ihn nicht zurückweist. Aber wie kann ich hoffen, daß meine Schwester womöglich einen Mann nimmt, der sie niemals glücklich machen wird?«

»Darauf besteht nicht die geringste Hoffnung, aber sein Vermögen, sein Name, sein Haus, seine Kutsche werden sie glücklich machen, und ich zweifle nicht, daß Mary ihn heiraten wird. Und warum sollte sie auch nicht? Er ist erst 32 – das richtige Alter zum Heiraten für einen Mann. Er ist zwar ziemlich gewöhnlich, aber schließlich, was ist Schönheit bei einem Mann; er muß nur eine elegante Erscheinung sein und intelligent aussehen, das genügt.«

»Das stimmt alles, Georgina, aber Mr. Watts Erscheinung ist unglücklicherweise ungewöhnlich vulgär, und seine Züge sind ausgesprochen stumpfsinnig.«

»Und was seine schlechte Laune angeht, dafür war er immer bekannt; aber vielleicht hat sich die Welt in ihrem Urteil geirrt. Er hat eben ein ehrliches, offenes Naturell, wie es sich für einen Mann gehört. Man sagt, er ist geizig; wir werden es Besonnenheit nennen. Man sagt, er ist mißtrauisch. Aber das entspringt nur seiner Leidenschaftlichkeit, die bei der Jugend immer verzeihlich ist, kurz und gut, ich sehe keinen Grund, warum er deshalb nicht ein ausgezeichneter Ehemann werden und Mary glücklich machen sollte.«

Sophie lachte; ich fuhr fort: »Ob Mary ihn allerdings nehmen wird, darüber bin ich mir noch nicht im klaren. Mein Entschluß ist gefaßt. Ich würde Mr. Watts auch dann nicht heiraten, wenn Bettelngehen meine einzige Alternative wäre. Bei all seinen Mängeln! Ein so abschreckendes Aussehen und keine einzige gute Eigenschaft, die es wettmachen könnte. Sein Vermögen ist zwar groß, aber so riesig doch auch wieder nicht! 3000 pro Jahr! Was sind 3000 pro Jahr? Das ist nur sechsmal so viel wie das Einkommen unserer Mutter. Das kann mich nicht locken.«

»Aber für Mary ist es natürlich ein ganz hübsches Vermögen«, sagte Sophie und lachte wieder.

»Für Mary! Ja, ich würde mich freuen, wenn sie es so gut träfe.«

Und so machte ich zum größten Vergnügen meiner Schwester weiter, bis Mary, anscheinend in großer Erregung, ins Zimmer trat. Sie setzte sich. Wir machten vor dem Feuer Platz für sie. Sie wußte offenbar nicht, wie sie beginnen sollte, und sagte schließlich in einiger Verwirrung: »Sag mal, Sophie, liegt dir daran zu heiraten?«

»Zu heiraten! Nein, keineswegs. Aber warum fragst du? Kennst du jemanden, der mir einen Antrag machen will?«

»Ich? Nein, wie sollte ich? Aber darf man nicht eine einfache Frage stellen?«

»So einfach nun auch wieder nicht«, sagte ich. Sie hielt inne, besann sich einen Augenblick und fuhr dann fort: »Würdest du gern Mr. Watts heiraten, Sophie?«
Ich blinzelte Sophie zu und antwortete für sie: »Wer würde nicht überglücklich sein, einen Mann mit 3000 pro Jahr zu heiraten?«
»Stimmt«, erwiderte sie, »stimmt genau. Du würdest ihn also nehmen, wenn er dir einen Antrag machte, Georgina – du auch, Sophie?«
Sophie mochte nicht gerne lügen und ihre Schwester betrügen; sie vermied daher ersteres und ersparte sich durch Zweideutigkeit ein schlechtes Gewissen: »Ich würde genauso handeln wie Georgina.«
»Also schön«, sagte Mary mit triumphierendem Funkeln in den Augen, »ich *habe* einen Antrag von Mr. Watts erhalten.«
Wir waren natürlich völlig überrascht: »Oh, nimm ihn nicht an«, sagte ich, »dann nimmt er vielleicht mich.«
Kurz und gut, Mary fiel auf meinen Trick herein und ist nun entschlossen, ihn zu nehmen, um unser angebliches Glück zu verhindern, das ihr doch in Wirklichkeit völlig gleichgültig war. Aber ich fühle mich eigentlich doch schuldig, und Sophie hat noch mehr Gewissensbisse. Tröste uns, meine liebe Anne, schreib uns und sag uns, daß Du unser Verhalten billigst. Denk in Ruhe darüber nach. Es wird Mary aber wirklich Freude machen, eine verheiratete Frau zu sein und uns in der Öffentlichkeit begleiten zu können; und das soll sie auch, denn ich fühle mich verpflichtet, soviel wie möglich zu ihrem Glück in der Lage beizutragen, zu der ich sie überredet habe. Sie werden vermutlich eine neue Kutsche anschaffen, die sie selig machen wird; und wenn wir Mr. Watts dazu überreden können, seine leichte, gutgefederte Kalesche instand zu setzen, ist sie überglücklich. All diese Dinge wiegen natürlich in Sophies und meinen Augen häusliches Elend nicht auf. Denk an all diese Dinge und verurteile uns nicht.

Freitag. Gestern abend war Mr. Watts bei uns zum Tee eingeladen. Sobald seine Kutsche vorfuhr, ging Mary ans Fenster.

»Kannst du dir so etwas vorstellen, Sophie?« sagte sie, »der alte Trottel will, daß seine neue Kutsche genau dieselbe Farbe hat wie die alte und auch die gleiche Federung. Aber das kommt nicht in Frage. Ich werde mich durchsetzen. Und wenn er sie nicht so gut wie die der Duttons federn und sie blau mit silbernen Punkten streichen läßt, nehme ich ihn nicht. Nein, das tue ich nicht! Hier kommt er. Ich weiß, er wird wieder schlecht gelaunt sein und nicht ein einziges freundliches Wort für mich haben und sich auch nicht wie ein Verliebter benehmen.« Dann setzte sie sich wieder hin, und Mr. Watts trat ein.

»Meine Damen, Ihr ergebenster ...« Wir begrüßten ihn, und er setzte sich. »Schönes Wetter, meine Damen.« Dann wandte er sich an Mary. »Also, Miss Stanhope, ich hoffe, Sie haben sich endlich zu einem Entschluß durchgerungen und werden so gütig sein, mir mitzuteilen, ob Sie sich dazu *herablassen* wollen, mich zu heiraten oder nicht.«

»Ich finde, Sir«, sagte Mary, »Sie hätten auf etwas höflichere Art fragen können. Ich weiß nicht, ob ich Sie nehmen werde, wenn Sie sich so merkwürdig betragen.«

»Mary!« sagte meine Mutter. »Wieso, Mama, wenn er so unausstehlich ist ...«

»Pst, pst, Mary, sei nicht so unfreundich zu Mr. Watts.«

»Aber ich bitte Sie, Madam, Miss Stanhope soll sich keine Gewalt antun. Sie brauchen sie nicht dazu anzuhalten, höflich zu sein. Wenn ihr nicht daran liegt, meinen Antrag anzunehmen, kann ich ihn an anderer Stelle wiederholen; ich habe durchaus keine besondere Vorliebe für Mary. Es ist mir ganz gleich, welche der drei Schwestern ich heirate.«

Hat man je einen solchen Lumpen gesehen! Sophie wurde rot vor Ärger, und ich war richtig wütend.

»Also gut«, sagte Mary gereizt, »dann nehme ich Sie, wenn es unbedingt sein muß.«

»Ich dächte doch, Miss Stanhope, wenn einem eine finanzielle Versorgung, wie ich sie vorgeschlagen habe, angeboten wird, dann tut das der Neigung, meinen Antrag anzunehmen, keinen Abbruch.«
Mary murmelte etwas, und da ich am nächsten bei ihr saß, konnte ich es hören: »Was nützt einem eine große Erbschaft, wenn Männer ewig leben?« Und dann fügte sie vernehmlicher hinzu: »Vergessen Sie nicht das Nadelgeld, 200 pro Jahr.«
»175, Madam.«
»Nein, nein, Sir, 200«, sagte meine Mutter.
»Und vergessen Sie auch nicht, daß ich eine neue Kutsche bekomme, die so gefedert ist wie die der Duttons und blau mit silbernen Punkten; und ich erwarte ein Reitpferd, eine Garnitur von feiner Spitze und eine riesige Anzahl von höchst kostbaren Juwelen. Unerhörte Diamanten, und Perlen. Rubine, Smaragde und Halsbänder ohne Zahl. Sie werden Ihre Kalesche instand setzen, die cremefarben und rundherum mit einem Kranz von silbernen Blumen bemalt sein muß. Sie werden vier der schönsten Füchse Englands dazu kaufen, und Sie werden mich jeden Tag darin ausfahren. Und das ist noch nicht alles. Sie werden Ihr Haus ganz und gar nach meinem Geschmack neu einrichten, Sie werden zwei zusätzliche Diener einstellen, die ausschließlich mir zur Verfügung stehen, und zwei Kammerzofen zu meiner Bedienung. Sie werden mir ganz und gar meinen Willen lassen und ein guter Ehemann sein.«
Hier hielt sie inne, ich glaube, um Luft zu holen.
»All das kann meine Tochter mit Fug und Recht erwarten, Mr. Watts.«
»Und es ist nur recht und billig, Mrs. Stanhope, daß Ihre Tochter darin enttäuscht wird.« Er wollte fortfahren, aber Mary hinderte ihn daran: »Sie werden mir ein elegantes Gewächshaus bauen und es mit Pflanzen ausstatten, Sie werden mich jeden Winter in Bath, jedes Frühjahr in London, jeden Sommer auf Reisen und jeden Herbst in einem Kurort verbringen lassen, und den Rest des Jahres, wenn wir zu

Hause sind (Sophie und ich lachten), werden Sie immer abwechselnd Tanzfeste und Maskenbälle geben. Sie werden dazu einen Saal anbauen lassen und ein Theater für private Aufführungen. Das erste Stück, das wir aufführen, wird *Welches ist der richtige Mann?*[1] sein, und ich selbst spiele die Lady Bell Bloomer.«

»Und darf ich fragen, Miss Stanhope«, sagte Mr. Watts, »worin Ihre Gegenleistung für all diese Dinge besteht?«

»Gegenleistung? Na, Sie können erwarten, mir eine Freude gemacht zu haben.«

»Es wäre wirklich merkwürdig, wenn das nicht der Fall wäre. Sie sind zu anspruchsvoll für mich, und ich muß mich an Miss Sophie wenden, die vielleicht nicht ganz so anspruchsvoll ist.«

»Da irren Sie sich ganz entschieden, Sir«, sagte Sophie, »denn obwohl ich nicht ganz dieselben Wünsche habe wie meine Schwester, bin ich doch durchaus so anspruchsvoll wie sie, denn ich erwarte vor allem, daß mein Mann immer ausgeglichen und gutgelaunt ist, bei all seinen Handlungen mein Glück im Auge hat und mich treu und innig liebt.«

Mr. Watts starrte sie an. »Sie haben wirklich höchst eigenartige Ideen, meine liebe junge Dame. Schlagen Sie sie sich aus dem Kopf, bevor Sie heiraten, sonst müssen Sie es hinterher tun.«

Meine Mutter machte unterdessen Mary Vorhaltungen, die merkte, daß sie zu weit gegangen war; und daher wandte sie sich, als Mr. Watts im Begriff war, mich anzusprechen, offenbar um mir einen Antrag zu machen, in halb unterwürfigem, halb gekränktem Ton an ihn: »Sie irren sich, Mr. Watts, wenn Sie annehmen, ich meinte es ernst mit all diesen Forderungen. Aber eine neue Kutsche muß ich haben.«

»Ja, Sir, Sie müssen zugeben, daß Mary darauf ein Recht hat.«

»Mrs. Stanhope, ich beabsichtige und habe immer beabsich-

1 Komödie (1782) von Hannah Cowley (1743–1809).

tigt, zu meiner Hochzeit eine neue Kutsche anzuschaffen. Aber sie wird die Farbe meiner jetzigen haben.«

»Ich finde, Mr. Watts, Sie sollten meinem Kind das Kompliment machen, in solchen Dingen ihren Geschmack zu Rate zu ziehen.«

Damit wollte Mr. Watts sich nicht einverstanden erklären; er bestand eine Zeitlang auf schokoladenbraun, während Mary ebenso unnachgiebig auf blau mit silbernen Punkten beharrte. Schließlich allerdings schlug Sophie vor, die Kutsche solle, um Mr. Watts entgegenzukommen, dunkelbraun und, um Mary entgegenzukommen, gut gefedert sein und eine silberne Leiste haben. Darauf einigte man sich schließlich, wenn auch auf beiden Seiten widerstrebend, da beide eigentlich vorgehabt hatten, nicht nachzugeben. Dann wandten wir uns anderen Dingen zu, und man einigte sich darauf zu heiraten, sobald die Formalitäten erledigt waren. Mary lag außerordentlich daran, eine Ausnahmegenehmigung zu beantragen, und Mr. Watts sprach von einem regulären Aufgebot. Schließlich einigte man sich auf das Einhalten der üblichen Formalitäten. Mary soll den gesamten Familienschmuck erhalten, der aber wohl ziemlich wertlos ist, und Mr. Watts hat versprochen, ihr ein Reitpferd zu kaufen; aber als Gegenleistung soll sie drei Jahre darauf verzichten, nach London oder überhaupt irgendwohin zu reisen. Sie soll weder ein Gewächshaus noch ein Theater oder eine Kalesche erhalten und muß mit *einer* Kammerzofe und ohne einen zusätzlichen Diener auskommen. Es nahm den ganzen Abend in Anspruch, diese Dinge zu regeln; Mr. Watts speiste mit uns und ging erst um 12. Sobald er gegangen war, rief Mary: »Gott sei Dank! Endlich ist er fort! Wie ich ihn hasse!« Umsonst hielt ihr Mama vor, wie ungehörig es von ihr sei, ihren zukünftigen Mann so wenig zu lieben, aber sie hörte nicht auf, von ihrer Abneigung gegen ihn zu sprechen und zu hoffen, ihn nie wiederzusehen. Das wird eine schöne Hochzeit werden! Adieu, meine liebe Anne.

Herzlich Deine Georgina Stanhope

Vierter Brief. Von derselben an dieselbe

Liebe Anne,

in dem Wunsch, alle über ihre bevorstehende Hochzeit zu informieren, und vor allem in dem Bedürfnis, ihren Triumph über die Duttons auszukosten, wie sie es nennt, bat uns Mary, heute vormittag mit ihr nach Stoneham zu gehen. Da wir nichts anderes vorhatten, stimmten wir gerne zu und genossen den schönen Spaziergang – soweit das in Marys Begleitung möglich war, denn deren Unterhaltung bestand ausschließlich darin, den Mann zu beschimpfen, den sie demnächst heiraten will, und sich eine blaue Kutsche mit silbernen Punkten zu wünschen. Als wir bei den Duttons ankamen, fanden wir die beiden Mädchen im Ankleidezimmer mit einem ausgesprochen gutaussehenden jungen Mann, der uns natürlich vorgestellt wurde. Es ist der Sohn von Sir Henry Brudenell aus Leicestershire. Einen so schönen Mann wie Mr. Brudenell habe ich noch nie gesehen; wir waren alle drei von ihm außerordentlich eingenommen. Mary zersprang beim Eintreten ins Ankleidezimmer fast im Bewußtsein ihrer aufregenden Rolle und in dem Wunsch, allen davon zu berichten, und brachte es, als wir uns gesetzt hatten, nicht über sich, länger hintanzuhalten. Sie wandte sich daher sehr bald an Kitty.

»Findest du nicht, daß es besser ist, alle Juwelen neu fassen zu lassen?«

»Besser wofür?«

»Wofür? Na, für meine Erscheinung bei dem großen Ereignis!«

»Ich bitte um Entschuldigung, aber ich verstehe dich wirklich nicht. Von was für Juwelen sprichst du, und bei welchem Ereignis willst du erscheinen?«

»Beim ersten Ball nach meiner Hochzeit natürlich.«

Du kannst Dir ihr Erstaunen vorstellen. Erst wollten sie es gar nicht glauben, aber als wir die Geschichte bestätigten, blieb ihnen nichts anderes übrig. »Und mit wem?« war natürlich die erste Frage. Mary tat verschämt und antwortete leicht verwirrt und mit niedergeschlagenen Augen: »Mr. Watts.« Aber das mußte ausdrücklich von uns bestätigt werden, denn daß jemand mit Marys Schönheit und Vermögen (ausreichend, wenn auch klein) freiwillig Mr. Watts heiraten würde, wollte ihnen einfach nicht in den Kopf. Da wir nun schon einmal beim Thema waren und Mary sich im Mittelpunkt der allgemeinen Aufmerksamkeit fand, verlor sie alle Befangenheit und wurde freimütig und mitteilsam.

»Mich wundert, daß ihr noch nicht davon gehört habt, denn im allgemeinen sprechen solche Dinge sich doch schnell in der Nachbarschaft herum.«

»Wirklich!« sagte Jemima. »Wir hatten nicht die leiseste Ahnung von der Angelegenheit. Besteht der Plan schon lange?«

»Wie? O ja, seit Mittwoch.«

Alle lächelten, besonders Mr. Brudenell.

»Ihr müßt wissen, Mr. Watts ist so in mich verliebt, daß es seinerseits ganz und gar eine Liebesheirat ist.«

»Nicht nur seinerseits, hoffe ich«, sagte Kitty.

»Wie? Wenn eine Seite so verliebt ist, ist Liebe auf der anderen nicht nötig. Aber ich habe weiter nichts gegen ihn, obwohl er natürlich ausgesprochen gewöhnlich ist.«

Mr. Brudenell starrte sie an, die Miss Dutton lachten, und Sophie und ich schämten uns von Herzen für unsere Schwester. Sie fuhr fort: »Wir werden uns eine neue Kutsche anschaffen und wahrscheinlich unsere Kalesche instand setzen.«

Wir wußten ja, daß das nicht stimmte, aber das arme Kind war von dem Gedanken, die Anwesenden davon zu überzeugen, so angetan, daß ich ihr ein so harmloses Vergnügen nicht rauben wollte. Sie sprach weiter: »Mr. Watts wird mir den Familienschmuck überreichen, der, nehme ich doch an, von erheblichem Wert ist.« Ich konnte nicht umhin, Sophie zuzuflüstern: »Das nehme ich nicht an.«

»Der Schmuck ist sicher in einem Zustand, daß er neu gefaßt werden muß, bevor man ihn tragen kann. Ich werde ihn nicht vor dem ersten Ball tragen, zu dem ich nach meiner Hochzeit gehe. Wenn Mrs. Dutton nicht hingehen sollte, darf *ich* euch hoffentlich begleiten; ich nehme Sophie und Georgina ohnehin mit.«

»Das ist sehr nett von dir«, sagte Kitty, »und da du die Absicht hast, junge Damen unter deine Fittiche zu nehmen, würde ich dir raten, Mrs. Edgecumbe zu überreden, daß sie dich ihre sechs Töchter begleiten läßt. Mit ihnen, deinen beiden Schwestern und uns wird dein Entree dann höchst wirkungsvoll sein.«

Wir mußten alle über Kittys Bemerkung lächeln – außer Mary, die den Sinn gar nicht verstand und nur kühl antwortete, so viele Mädchen würde sie nicht gern begleiten. Sophie und ich bemühten uns, das Thema zu wechseln, hatten aber damit nur vorübergehend Erfolg, denn Mary sorgte dafür, daß sich die Aufmerksamkeit wieder auf sie und ihre bevorstehende Hochzeit richtete. Mir tat es um meiner Schwester willen leid, daß es Mr. Brudenell anscheinend Spaß machte, ihr aufmerksam zuzuhören und sie sogar durch Fragen und Bemerkungen zu ermutigen, denn es war offensichtlich, daß er lediglich darauf aus war, sich über sie lustig zu machen. Ich fürchte, er fand sie einfach lächerlich. Es gelang ihm sehr gut, ernst zu bleiben, aber man konnte leicht sehen, welche Mühe es ihn kostete. Schließlich aber war er anscheinend erschöpft und von dem Gespräch mit ihr so angewidert, daß er sich uns zuwandte und vor unserem Aufbruch von Stoneham die letzte halbe Stunde mit ihr kaum noch sprach. Kaum waren wir aus dem Haus, da fingen wir gemeinsam an, Mr. Brudenells Erscheinung und Benehmen zu loben.

Zu Hause fanden wir Mr. Watts vor.

»Also, Miss Stanhope«, sagte er, »Sie sehen, ich bin wie ein richtiger Verehrer gekommen, um Ihnen den Hof zu machen.«

»Na, das hätten Sie mir doch nicht zu *sagen* brauchen. Ich weiß ja schließlich, warum Sie kommen.«
Sophie und ich verließen in dem Glauben, im Weg zu sein, falls eine Liebesszene stattfinden sollte, das Zimmer. Wir waren daher überrascht, daß Mary uns fast auf dem Fuße folgte.
»Und ist die Liebesszene so schnell vorbei?« fragte Sophie.
»Liebesszene!« erwiderte Mary. »Wir haben uns gezankt. Watts ist ein solcher Trottel! Hoffentlich sehe ich ihn nie wieder.«
»Das wirst du wohl oder übel müssen«, sagte ich, »denn er speist heute abend bei uns. Aber worum ging es denn bei eurem Streit?«
»Wie? Ich habe ihm lediglich erzählt, daß ich heute vormittag einen viel hübscheren Mann gesehen habe, und da machte er mir gleich eine große Szene und nannte mich einen Drachen, und da bin ich nur geblieben, um ihm zu sagen, daß ich ihn für einen Schuft halte, und dann gegangen.«
»Kurz und zärtlich«, sagte Sophie. »Aber Mary, wie wollt ihr euch nun wieder vertragen?«
»Er muß sich entschuldigen. Aber wenn er es täte, würde ich ihm trotzdem nicht verzeihen.«
»Dann würde ja sein Nachgeben gar nichts nützen.«
Wir zogen uns um und kehrten dann ins Wohnzimmer zurück, wo Mama und Mr. Watts sich lebhaft unterhielten. Anscheinend hatte er sich gerade über das Benehmen ihrer Tochter beklagt, und sie hatte ihn überredet, es nicht weiter ernst zu nehmen. Deshalb empfing er Mary mit all seiner gewohnten Zuvorkommenheit, und nach kurzen Seitenhieben auf die Kalesche und das Gewächshaus verging der Abend in großer Harmonie und Freundlichkeit. Watts fährt nun nach London, um die Vorbereitungen zur Hochzeit zu beschleunigen.

Ich bin Deine zärtliche Freundin Georgina Stanhope

Plan eines Romans

nach Vorschlägen von verschiedenen Personen [in Klammern, von wem der Vorschlag jeweils stammt]

Handlung spielt auf dem Land, Heldin Tochter eines Geistlichen (Mr. Gifford), und zwar eines, der sich nach einem erlebnisreichen Leben zurückgezogen und trotz eines nur kleinen Vermögens mit einem Vikariat abgefunden hat. Er – der denkbar hervorragendste Mann, Charakter, Temperament und Umgangsformen vollkommen, ohne die geringsten Fehler oder Eigenarten, die ihn daran hindern könnten, seiner Tochter von morgens bis abends der unterhaltsamste Gefährte zu sein. Auch die Heldin absolut fehlerlos (Fanny Knight), voller Güte, Zärtlichkeit und Empfindsamkeit, wenn auch nicht gerade geistreich (Mary Cooke), mit hervorragender Erziehung (Fanny Knight), guter Kenntnis moderner Sprachen und überhaupt in jeder Hinsicht eine überaus gebildete junge Frau, wobei sie sich besonders in der Musik, ihrer Lieblingsbeschäftigung, auszeichnet, Klavier und Harfe gleich gut spielt und erstklassig singt. Von bemerkenswert schöner Erscheinung, mit dunklen Augen (Mary Cooke) und runden Wangen. Das Buch beginnt mit der Beschreibung von Vater und Tochter, die in kultivierter Sprache und im Ton hoher, ernster Empfindsamkeit lange Gespräche miteinander führen. Der Vater läßt sich auf Wunsch seiner Tochter überreden, die Ereignisse seines Lebens zu berichten. Diese Erzählung nimmt den größeren Teil des ersten Bandes ein, da sie außer den Umständen seiner Liebe zu ihrer Mutter und beider Heirat auch folgendes enthält: seine Fahrten zur See als Kaplan eines an einem Hof angesehenen Marineoffiziers (Mr. Clarke), sein eigenes späteres Leben am Hof, das ihn mit den verschiedensten Menschen zusammenbringt und ihn in viele

interessante Situationen verwickelt. Die Erzählung schließt mit seiner Ansicht, wie vorteilhaft die Abschaffung des Kirchenzehnten wäre und wie er seine eigene Mutter, die tief betrauerte Großmutter der Heldin, selbst beerdigt hat, nachdem der Hohepriester der Gemeinde, in der sie starb, sich geweigert hatte, ihren Überresten die ihnen gebührende letzte Ehre zu erweisen. Der Vater muß sich sehr für Literatur interessieren, ein begeisterter Leser sein, immer nur sein eigener Feind, zugleich überaus gewissenhaft in der Wahrnehmung seiner Pflichten als Pastor, das Musterbeispiel des vorbildlichen Gemeindepfarrers (Mr. Sherer). Um die Freundschaft der Heldin bewirbt sich in der Nachbarschaft eine junge Frau, begabt und lebensklug (Mary Cooke), mit blauen Augen und hellem Teint, aber da sie sehr geistreich ist, schreckt die Heldin vor der Bekanntschaft mit ihr zurück. Aus dieser Exposition entwickelt sich die Geschichte und enthält eine bemerkenswerte Anzahl von Abenteuern.
Heldin und Vater nie mehr als vierzehn Tage (viele Kritiker) zusammen an einem Ort, da er aus seinem Vikariat durch die niederträchtigen Machenschaften eines herzlosen jungen Mannes getrieben wird, der hoffnungslos in die Heldin verliebt ist und sie mit unbezähmbarer Leidenschaft verfolgt. Kaum in *einem* europäischen Land zur Ruhe gekommen, werden sie schon gezwungen, es zu verlassen und sich in ein anderes zu begeben; immer machen sie neue Bekanntschaften, und immer müssen sie sich wieder von ihnen trennen. Auf diese Weise wird natürlich eine große Anzahl von Personen geschildert, aber sie erscheinen nie gleichzeitig; die Handlung bewegt sich immer von einer Menschengruppe zur anderen; alle Guten sind in jeder Hinsicht vollkommen (Mary Cooke) – Mängel und Schwächen haben ausschließlich die Verworfenen, die so durch und durch verkommen und niederträchtig sind, daß sie kaum noch menschliche Züge haben. Schon früh in der Geschichte, im Verlauf ihrer ersten Flucht von Land zu Land, muß die Heldin den Helden treffen – ein Muster an Vollkommenheit natürlich (Fanny Knight),

nur durch sein übergroßes Zartgefühl davon abgehalten, ihr einen Antrag zu machen. Wo immer sie sich hinbegibt, verliebt sich jemand in sie; wiederholt werden ihr Heiratsanträge gemacht, aber sie verweist die Bewerber immer an ihren Vater, voller Zorn, daß sie sich nicht zunächst einmal an ihn gewandt haben (Mrs. Pearse von Chilton Lodge). Immer wieder Entführung durch Antihelden, aber immer wieder Rettung entweder durch Vater oder durch Helden; oft darauf angewiesen, sich und ihren Vater durch ihre Fertigkeiten zu erhalten und für ihren Lebensunterhalt zu arbeiten; ständig übervorteilt und um ihren Verdienst betrogen, zum Skelett abgemagert und hin und wieder am Verhungern. Zu guter Letzt aus der zivilisierten Gesellschaft ausgestoßen, wird ihnen auch in der bescheidensten Hütte eine ärmliche Unterkunft verweigert, so daß ihnen schließlich nur noch die Flucht nach Kamtschatka übrigbleibt, wo der arme Vater völlig erschöpft sein Ende herannahen fühlt, sich auf den Boden wirft, seinem verzweifelten Kind vier oder fünf Stunden lang gute Ratschläge und väterliche Ermahnungen gibt und dann mit einem letzten Ausbruch literarischer Begeisterung, untermischt mit Anklagen gegen die Empfänger von Kirchenzehnten, verscheidet. Heldin eine Zeitlang untröstlich, bewegt sich aber schließlich mühselig wieder in ihr Heimatland zurück, wobei sie mindestens zwanzigmal den Anschlägen des Antihelden nur knapp entgeht. Da läuft sie, um eine Ecke fliehend, um ihm zu entkommen, rechtzeitig dem Helden selbst in die Arme, der gerade die Skrupel überwunden hat, die ihm bisher Fesseln anlegten, und sich in diesem Augenblick auf die Suche nach ihr begeben wollte. Die zärtlichste und vollkommenste Aufklärung findet statt, und sie werden glücklich vereinigt. Das ganze Buch hindurch bewegt sich die Heldin in höchst eleganter Gesellschaft und lebt auf großem Fuß (Fanny Knight). Der Titel des Werkes soll nicht *Emma* sein (Mrs. Craven), sondern so ähnlich wie *Verstand und Gefühl* und *Stolz und Vorurteil* (Mrs. H. Sanford).

Sanditon

Kapitel 1

Auf dem Weg von Tunbridge nach dem zwischen Hastings und Eastbourne gelegenen Teil der Küste von Sussex wurde die Kutsche eines Herrn und einer Dame, die geschäftlich unterwegs und daher gezwungen waren, die Hauptstraße zu verlassen und einen ausgesprochen holprigen Weg entlangzufahren, umgeworfen, als sie sich eine teilweise steinige und teilweise sandige Steigung hinaufquälte. Der Unfall trug sich unmittelbar jenseits des einzigen Herrenhauses in der Nähe des Weges zu – eines Hauses, das der Kutscher beim Abbiegen von der Straße gleich als geeignetes Ziel erkannt und mit höchst unwilligen Blicken hinter sich zurückgelassen hatte. Er hatte genörgelt, so auffällig mit den Schultern gezuckt und seine Pferde so bemitleidet und gezügelt, daß er sich dem Verdacht ausgesetzt hätte, den Wagen absichtlich umgestürzt zu haben (zumal dieser nicht seinem Herrn gehörte), wenn der Weg nicht unbestreitbar erheblich schlechter geworden wäre, sobald man an dem besagten Gebäude vorüber war. Mit höchst kennerhaft-unheilverkündender Miene deutete er an, daß höchstens die Räder eines Karrens auf *dem* Weg sicher vorwärtskommen würden. Der Sturz war durch ihr langsames Tempo und die Enge des Wegs abgefangen worden; und als der Herr aus der Kutsche geklettert war und seiner Gefährtin herausgeholfen hatte, glaubten sie zunächst außer dem Schock und ein paar Quetschungen nichts abbekommen zu haben. Aber der Herr hatte sich beim Hinausklettern den Fuß verstaucht; und da er das sehr bald spürte, sah er sich schnell gezwungen, in seinen Vorwürfen an den Kutscher und den Beglückwünschungen an seine Frau und sich selbst innezuhalten und sich wegen seines Unvermögens, sich noch länger auf den Beinen zu halten, auf eine Bank zu setzen.

»Hier stimmt etwas nicht«, sagte er und betastete seinen Knöchel. »Aber mach dir nichts daraus, meine Liebe (er sah sie lächelnd an). Es hätte ja an keiner besseren Stelle passieren können. Glück im Unglück! Vielleicht genau das Richtige. Da läßt sich leicht Linderung schaffen. *Dort* liegt, glaube ich, meine Rettung.« Und er deutete auf die gepflegt aussehende Ecke eines Häuschens, das man in einiger Entfernung romantisch mitten im Wald auf einer stattlichen Anhöhe liegen sehen konnte. »Sieht *das* nicht aus, als wäre es das Gesuchte?«

Seine Frau hoffte das von Herzen, stand aber, zu Tode erschrocken und unfähig, etwas zu tun, einfach da, bis der Anblick einiger nun zu Hilfe kommender Personen sie einigermaßen wieder aufrichtete. Der Unfall war beim Heuen auf einer Wiese neben dem Herrenhaus, das sie passiert hatten, beobachtet worden, und die sich nähernden Personen waren ein gut und gesund aussehender Mann in mittleren Jahren von vornehmer Erscheinung – der Besitzer des Hauses, der sich gerade zufällig bei den Heumachern aufhielt – und drei oder vier der kräftigsten von den Leuten, die ihr Herr zu seiner Begleitung herbeigerufen hatte, ganz zu schweigen von all den Männern, Frauen und Kindern, die sich in geringer Entfernung sonst noch auf der Wiese befanden. Mr. Heywood – so hieß der Besitzer – näherte sich mit Worten der höflichsten Begrüßung, der Besorgnis über den Unfall, des kaum verhehlten Erstaunens, daß jemand es gewagt hatte, den Weg mit einer Kutsche zu befahren, und der Hilfsbereitschaft. Seine Freundlichkeit wurde höflich und dankbar erwidert; und während ein oder zwei der Männer dem Kutscher dabei behilflich waren, den Wagen wieder aufzurichten, sagte der Reisende:

»Sie sind zu liebenswürdig, Sir, und ich nehme Sie beim Wort. Meine Knöchelverletzung ist zwar sicher nur leicht, aber in solchen Fällen ist es immer am besten, ohne Verzögerung ärztlichen Rat einzuholen; und da die Straße anscheinend augenblicklich in einem Zustand ist, der mir nicht

erlaubt, mich zum Arzt zu begeben, wäre ich Ihnen dankbar, wenn Sie einen dieser guten Leute zu ihm schickten.«
»Zum Arzt, Sir!« erwiderte Mr. Heywood. »Ich fürchte, Sie werden hier in der Gegend keinen Arzt finden, aber ich vertraue darauf, daß wir auch ohne ihn ausgezeichnet zurechtkommen.«
»Aber, Sir, wenn *er* nicht verfügbar ist, kann sein Partner sich ebensogut, wenn nicht besser, des Falls annehmen. Ja, ich würde seinen Partner sogar lieber konsultieren, ich würde die Hilfe seines Partners vorziehen. Einer dieser guten Leute kann ihn doch sicher in drei Minuten erreichen. Ich brauche gar nicht zu fragen, ob ich das Haus sehen kann (er blickte auf das Häuschen), denn außer an Ihrem eigenen sind wir an keinem vorbeigekommen, das einem Gentleman gehören könnte.«
Mr. Heywood sah ihn ganz erstaunt an und erwiderte: »Wie, Sir! Glauben Sie, daß ein Arzt in dem Häuschen wohnt? Ich versichere Ihnen, wir haben weder einen Arzt noch einen Partner in der Gemeinde.«
»Entschuldigen Sie, Sir«, antwortete der andere. »Ich erwecke ungern den Eindruck, als wolle ich Ihnen widersprechen, aber wegen der Größe der Gemeinde oder aus irgendeinem anderen Grund wissen Sie womöglich selbst gar nicht ... Halt! Kann ich mich im Ort irren? Ich bin doch in Willingden? Dies ist doch Willingden?«
»Ja, Sir, dies ist Willingden, das steht fest.«
»Dann, Sir, kann ich Ihnen beweisen, daß Sie einen Arzt in der Gemeinde haben – ob Sie es wissen oder nicht. Hier, Sir (er nahm seine Brieftasche heraus), wollen Sie so freundlich sein, einen Blick auf diese Anzeige zu werfen, die ich erst gestern morgen selbst in London aus der *Morning Post* und der *Kentish Gazette* ausgeschnitten habe. Dann sind hoffentlich auch Sie überzeugt, daß ich nichts Unsinniges behaupte. Sie sehen, es handelt sich bei der Anzeige um die Auflösung einer ärztlichen Partnerschaft, Sir, in Ihrer eigenen Gemeinde: ›ausgedehnter Patientenkreis ... tadelloser Cha-

rakter ... ausgezeichnete Referenzen ... möchte seine eigene Praxis aufmachen...‹. Hier finden Sie alles, Wort für Wort, Sir.« Und er hielt ihm die beiden kleinen länglichen Zeitungsausschnitte hin.

»Sir«, sagte Mr. Heywood mit einem heiteren Lächeln, »auch wenn Sie mir alle in einer Woche in ganz Großbritannien gedruckten Zeitungen zeigten, würden Sie mich nicht davon überzeugen, daß es in Willingden einen Arzt gibt, denn da ich seit meiner Geburt hier lebe, als Junge und Mann schon 57 Jahre, müßte ich von einer solchen Person doch wissen. Jedenfalls wage ich zu behaupten, daß seine Praxis nicht sehr lebhaft sein kann. Wenn allerdings öfter Gentlemen in Kutschen diesen Weg entlangzufahren versuchten, wäre es für einen Arzt keine schlechte Investition, oben auf der Anhöhe ein Haus zu erwerben. Das Häuschen ist aber in Wirklichkeit trotz seines gepflegten Aussehens aus der Entfernung auch nur ein anspruchsloses Zweifamilienhaus wie die anderen in der Gemeinde; mein Schäfer wohnt in der einen Hälfte und drei alte Frauen in der anderen.«

Er nahm die Zeitungsausschnitte, während er sprach, überflog sie und fügte dann hinzu: »Ich glaube, Sir, ich kann Ihren Irrtum aufklären. Der Ort stimmt nicht. Es gibt in dieser Grafschaft zwei Willingden, und Ihre Anzeige bezieht sich auf das andere, auf Great Willingden oder Willingden Abbots, das sieben Meilen entfernt liegt – jenseits von Battle, mitten im Weald[1]. Und wir, Sir (Stolz sprach aus seinen Worten), liegen nicht im Weald.«

»Nicht direkt im Weald vielleicht, Sir«, erwiderte der Fremde erheitert. »Wir haben immerhin eine halbe Stunde gebraucht, um Ihren Hügel hinaufzukommen. Ja, Sir, Sie haben sicher recht, und ich habe einen unglaublich dummen Fehler gemacht. Alles geschah so schnell. Die Anzeigen sind mir erst in der letzten halben Stunde unseres Londoner Aufenthalts ins Auge gefallen, als in der Eile alles durcheinanderging, wie

1 Bewaldete Hochebene in Südostengland, die Teile von Kent und Sussex einnimmt.

das immer bei einem kurzen Aufenthalt der Fall ist. Man kommt ja immer erst dazu, sich den Geschäften zu widmen, wenn die Kutsche schon vor der Tür steht; ich ließ es deshalb bei einer kurzen Frage bewenden, und als ich merkte, daß wir nur eine oder zwei Meilen an einem Willingden vorbeifahren würden, habe ich weiter keine Auskünfte eingeholt ... Meine Liebe (zu seiner Frau), es tut mir sehr leid, dir diese Unannehmlichkeiten bereitet zu haben. Aber mach dir wegen meines Knöchels keine Sorgen. Er schmerzt nicht, solange ich mich still verhalte; und sobald es diesen guten Leuten gelungen ist, die Kutsche wieder aufzurichten und die Pferde umzuwenden, ist es wohl das beste, bis zur Hauptstraße den Rückzug anzutreten und nach Hailsham und von dort ohne weitere Umwege nach Hause zu fahren. Von Hailsham sind wir dann in zwei Stunden zu Hause; und wenn wir erst zu Hause sind, haben wir Hilfe ja vor der Tür. Ein wenig von unserer kräftigeren Meeresluft wird meinen Fuß schnell wieder in Ordnung bringen, verlaß dich darauf, meine Liebe, das Meer ist genau das Richtige dafür. Salzluft und Bäder, etwas Besseres kann es gar nicht geben. Ich spüre es schon jetzt.«

Hier unterbrach ihn Mr. Heywood aufs freundlichste, bat ihn inständig, nicht ans Weiterfahren zu denken, bevor der Knöchel untersucht sei und man eine Erfrischung zu sich genommen habe, und drang überaus freundlich in sie, für beides mit seinem Haus vorliebzunehmen. »Wir haben«, sagte er, »alle gängigen Mittel für Verstauchungen und Schürfungen im Haus, und für die Freude, die es meiner Frau und meinen Töchtern machen würde, Ihnen und dieser Dame auf jede denkbare Weise behilflich zu sein, verbürge ich mich.«

Ein stechender Schmerz bei dem Versuch, seinen Fuß zu bewegen, veranlaßte den Reisenden, dem Gedanken an die Wohltat unmittelbarer Hilfe mehr abzugewinnen als bisher. Er beriet sich daher mit den Worten »Also, meine Liebe, ich glaube, es wäre besser für uns« kurz mit seiner Frau, wandte sich dann wieder Mr. Heywood zu und sagte: »Bevor wir

Ihre Gastfreundschaft in Anspruch nehmen, Sir, und um den ungünstigen Eindruck auszulöschen, den das ›Hindernisrennen‹, in dem Sie uns finden, womöglich auf Sie gemacht hat, erlauben Sie, daß wir uns Ihnen vorstellen. Mein Name ist Parker, Mr. Parker aus Sanditon; diese Dame ist meine Frau, Mrs. Parker. Wir sind auf dem Heimweg von London. Obwohl unsere Familie schon lange vor mir Grundbesitz in der Gemeinde Sanditon hatte, ist mein Name vermutlich in dieser Entfernung von der Küste unbekannt, aber Sanditon selbst ... von Sanditon hat jeder gehört ... der beliebteste ... als junger und aufstrebender Kurort zweifellos der beliebteste, den man an der Küste von Sussex finden kann, der von der Natur verwöhnteste und wohl bald auch von den Urlaubern am meisten besuchte.«

»Ja, ich habe von Sanditon gehört«, erwiderte Mr. Heywood. »Alle fünf Jahre hört man von irgendeinem neuen Kurort, der an der Küste entsteht oder in Mode kommt. Wie man es fertigbringt, auch nur die Hälfte davon zu füllen, ist ein wahres Wunder! Wo sich nur Leute mit genug Geld oder Zeit finden, sie zu besuchen! Es hat nichts als Nachteile für die Umgebung, die Lebensmittelpreise steigen, und die Armen sind dann zu gar nichts mehr zu gebrauchen, finden Sie nicht auch, Sir?«

»Durchaus nicht, Sir, durchaus nicht«, rief Mr. Parker lebhaft, »ganz im Gegenteil, glauben Sie mir. Eine gängige Vorstellung, aber ganz falsch. Vielleicht trifft das für die großen Kurorte wie Brighton, Worthing oder Eastbourne zu, aber nicht für ein kleines Dorf wie Sanditon, das schon durch seine Größe davor gefeit ist, irgendwelchen Zivilisationsübeln Vorschub zu leisten, während andererseits das Wachstum des Ortes, die Bauten, die Bepflanzung, die Nachfrage nach allem und der Treffpunkt der besten Gesellschaft, der regelmäßigen, soliden, unter sich bleibenden, durch und durch ehrenwerten und angesehenen Familien, die überall eine wahre Wohltat sind, Arbeitsmöglichkeiten für die Armen schaffen und für sie alle möglichen Bequemlichkeiten und Verbesserungen mit sich bringen. Nein, Sir, glauben Sie mir, Sanditon ist kein Ort . . .«

»Ich habe nichts gegen irgendwelche bestimmten Orte, Sir«, antwortete Mr. Heywood, »ich finde nur, unsere Küste ist voll genug. Aber sollten wir nicht lieber Hilfe für Sie . . .«

»Unsere Küste voll genug«, wiederholte Mr. Parker, »darin ließe sich vielleicht eine gewisse Übereinstimmung zwischen uns erzielen, denn es sind durchaus genug Kurorte. Unsere Küste ist gut bedient, mehr ist nicht nötig. Für Finanzen und Geschmack aller ist gesorgt. Und all die guten Leute, die die Zahl noch zu vergrößern suchen, lassen sich auf etwas ganz Unsinniges ein und werden sich bald selber in den Netzen ihrer eigenen trügerischen Kalkulationen gefangen haben. Aber ein Ort wie Sanditon, Sir, das darf ich sagen, war nötig, war einfach unerläßlich. Er war dazu von der Natur bestimmt, hier hat sie auf höchst intelligente Weise gesprochen. Die beste, klarste Seebrise an der Küste und dafür berühmt, dazu ausgezeichnete Bademöglichkeiten, feiner, harter Sandstrand, tiefes Wasser zehn Meter vom Ufer, kein Watt, kein Tang, keine schleimigen Felsen. Nie war ein Ort unmißverständlicher von der Natur zum Kurort für die Kränklichen bestimmt, haargenau der Ort, auf den Tausende gewartet haben. Genau die richtige Entfernung von London, genau eine ganze Meile näher als Eastbourne. Überlegen Sie nur, was für ein Vorteil es ist, Sir, auf einer langen Reise eine ganze Meile einzusparen. Und Brinshore, Sir, woran Sie vermutlich denken . . . die Versuche von zwei oder drei Spekulanten im vergangenen Jahr, dieses kümmerliche, in der Mitte zwischen langweiligem Marschland, düsterem Moor und den ständigen Ausdünstungen einer riesigen Fläche von faulendem Tang liegende Dorf Brinshore aufzuwerten, kann nur mit ihrer eigenen Enttäuschung enden. Was im Namen des gesunden Menschenverstandes soll Brinshore wohl empfehlen? Höchst ungesunde Luft, die Straßen sprichwörtlich unbefahrbar, das Wasser beispiellos brackig, und keine gute Tasse Tee im Umkreis von drei Meilen zu haben;

und was den Boden angeht – so hart und unfruchtbar, daß man kaum Kohl darauf anbauen kann. Glauben Sie mir, Sir, das ist eine wahrheitsgetreue Beschreibung von Brinshore, kein bißchen übertrieben, und wenn Sie etwas anderes gehört haben ...«

»Sir, ich habe von dem Ort in meinem ganzen Leben nicht gehört«, sagte Mr. Heywood. »Ich wußte gar nicht, daß es ihn überhaupt gibt.«

»Das wußten Sie nicht! Da hast du es, meine Liebe (er wandte sich begeistert an seine Frau), da siehst du, wie es ist. So steht es um Brinshores Ruhm! Dieser Herr wußte nicht einmal, daß es einen solchen Ort gibt. Also, Sir, ich glaube, man kann auf Brinshore wahrhaftig die Zeile des Dichters Cowper in seiner Beschreibung der frommen Dorfbewohnerin anwenden, von der, im Gegensatz zu Voltaire, ›nie jemand eine halbe Meile von zu Haus gehört‹[2] hat.«

»Von Herzen gern, Sir, wenden Sie alle Verse an, die Sie wollen, aber ich möchte, daß etwas auf Ihren Knöchel angewendet wird; und nach dem besorgten Blick Ihrer Gattin zu urteilen, ist sie ganz meiner Meinung und würde bedauern, noch mehr Zeit zu verlieren. Aber hier kommen meine Mädchen, um für sich und ihre Mutter zu sprechen. (Man konnte zwei oder drei vornehm aussehende junge Damen in Begleitung von ebenso vielen Zofen aus dem Haus kommen sehen.) Ich fing schon an, mich zu wundern, daß *sie* von dem Trubel noch nichts gehört haben sollten. In einem so abgelegenen Ort wie unserem sorgt ein solches Ereignis immer für Aufregung. Also, Sir, nun wollen wir sehen, wie wir Sie am besten ins Haus transportieren.«

2 Zitat aus William Cowpers reflektierendem Gedicht *Truth* (1781), wo der Dichter in Vers 301–336 den reichen, berühmten, aber letzten Endes in seiner Gottlosigkeit bedauernswerten Voltaire mit der armen, aber frommen Hüttenbewohnerin vergleicht:

He prais'd, perhaps, for ages yet to come;
She never heard of half a mile from home;
He, lost in errors, his vain heart prefers;
She, safe in the simplicity of her's.

Die jungen Damen traten hinzu und unterstützten das Angebot ihres Vaters mit angemessenen Worten und auf eine so unaffektierte Weise, daß die Fremden sich herzlich eingeladen fühlten. Und da Mrs. Parker außerordentlich daran gelegen war, ihrem Mann Linderung zu verschaffen, und auch dieser selbst ihr unterdessen durchaus nicht abgeneigt war, ließen sie es bei ein paar Einwänden bewenden – zumal sich nun, nach dem Aufrichten der Kutsche, herausstellte, daß diese beim Umstürzen auf der untenliegenden Seite solchen Schaden erlitten hatte, daß an eine Weiterfahrt gar nicht zu denken war. Mr. Parker wurde daher ins Haus getragen, und seine Kutsche in eine leerstehende Scheune geschoben.

Kapitel 2

Die so merkwürdig begonnene Bekanntschaft sollte sich weder als kurz noch als unwichtig erweisen. Ganze vierzehn Tage wurden die Reisenden in Willingden festgehalten, da sich Mr. Parkers Verstauchung als zu schwer für einen früheren Transport herausstellte. Er war in ausgezeichnete Hände gefallen. Die Heywoods waren eine durch und durch ehrenwerte Familie und erwiesen dem Ehepaar jede erdenkliche Aufmerksamkeit. *Er* wurde bedient und gepflegt und *sie* aufgeheitert und mit unermüdlicher Freundlichkeit getröstet; und all diese Hilfe und Gastfreundschaft wurde aufs angemessenste angenommen; und da guter Wille auf der einen und Dankbarkeit auf der anderen Seite sich die Waage hielten und es auf beiden in keiner Hinsicht an angenehmen Umgangsformen mangelte, entwickelte sich in den vierzehn Tagen zwischen ihnen allmählich eine richtige Freundschaft. Mr. Parkers Persönlichkeit und Lebensgeschichte lagen bald vor aller Augen. Was er von sich selber wußte, erzählte er bereitwillig, denn er war ein sehr mitteilsamer Mensch; und wo er sich über sich selbst nicht im klaren war, enthielten seine Beiträge zum Gespräch für alle Heywoods mit guter Beobachtungsgabe immer noch genügend Hinweise. So erkannten sie in ihm einen Fanatiker durch und durch, wenn das Thema auf Sanditon kam – Sanditon, der Erfolg Sanditons als kleiner, modischer Kurort war anscheinend der Inhalt seines Lebens. Noch vor ein paar Jahren war es ein stilles Dorf ohne jeden Ehrgeiz gewesen, aber als es sich ihm und dem anderen bedeutenden Grundbesitzer, einer Dame, durch einige natürliche Vorzüge seiner Lage und einige zufällige Umstände als gewinnträchtiges Spekulationsobjekt anbot, hatten sie sich dafür eingesetzt und geplant und gebaut und sein Lob gesungen und soviel davon hergemacht, daß es so etwas wie jungen Ruhm erworben hatte; und nun konnte Mr. Parker kaum noch an etwas anderes denken. Die Tatsachen, die er auf direktere Weise im Gespräch vor ihnen ausbreitete, waren folgende:

Er war ungefähr 35 und glücklich verheiratet . . . sieben Jahre schon sehr glücklich verheiratet, und hatte vier reizende Kinder zu Hause; er entstammte einer angesehenen Familie und besaß ein ausreichendes, wenn auch nicht übermäßiges Vermögen; er übte keinen Beruf aus, da er als ältester Sohn den Grundbesitz übernehmen konnte, den zwei oder drei Generationen vor ihm verwaltet und vermehrt hatten; er hatte zwei Brüder und zwei Schwestern, alle unverheiratet und finanziell unabhängig, der ältere der beiden ersteren war sogar durch eine Erbschaft aus einer Seitenlinie ebensogut versorgt wie er selbst. Auch den Grund, warum er die Hauptstraße verlassen hatte, nämlich die Suche nach einem annoncierenden Arzt, legte er selbst dar: Er hatte keineswegs die Absicht gehabt, seinen Knöchel zu verstauchen oder sich sonstwie zum Nutzen des Arztes Schaden zuzufügen, und auch nicht (wie Mr. Heywood zunächst angenommen hatte), sich ihm als Partner anzubieten; er war lediglich von dem Wunsch getrieben worden, einen Mediziner für Sanditon zu gewinnen, was er aufgrund der Anzeige in Willingden zu erreichen hoffte. Er war überzeugt, daß der Vorzug, einen Mediziner am Ort zu haben, Aufstieg und Gedeihen des Ortes fördern, ja, vermutlich allerlei neue Kurgäste anziehen würde; sonst fehlte es an nichts. Er hatte allen Grund zu der Annahme, daß im letzten Jahr *eine* Familie – vermutlich aber erheblich mehr – nur deshalb davor zurückgeschreckt war, es mit Sanditon zu versuchen; und von seinen Schwestern, die traurige Invaliden waren und die er in diesem Sommer liebend gern nach Sanditon locken würde, konnte man kaum erwarten, daß sie sich an einen Ort wagen würden, wo ihnen nicht jederzeit medizinischer Rat zur Verfügung stand. Alles in allem war Mr. Parker offensichtlich ein liebenswerter, häuslicher Mann, der an seiner Frau, seinen Kindern und seinen Geschwistern hing und herzensgut war. Er war tolerant, von nobler Gesinnung, umgänglich, von Natur optimistisch und besaß mehr Einbildungs- als Urteilskraft. Und Mrs. Parker war ebenso offensichtlich eine friedliche, liebenswerte, ausgeglichene Frau, wie geschaffen für einen Mann von großer Intelligenz, aber durchaus nicht geeignet, ihren Mann durch die kühlere Überlegung zu ergänzen, die er gelegentlich vermissen ließ. Sie war so ausschließlich auf seinen Rat angewiesen, daß sie in dieser Hinsicht völlig nutzlos war, ganz gleich, ob er nun sein Vermögen aufs Spiel setzte oder sich den Knöchel verstauchte. Sanditon war für ihn wie eine zweite Familie mit Frau und vier Kindern, kaum weniger Herzensangelegenheit und zweifellos weitaus fesselnder. Er konnte unaufhörlich davon reden. Tatsächlich hatte der Ort jedes Recht, hohe Ansprüche an ihn zu stellen. Er verkörperte nicht nur seinen Geburtsort, seinen Besitz und sein Heim, sondern auch seine Goldmine, seine Lotterie, sein Spekulationsobjekt und sein Steckenpferd, sein Hauptinteresse, seine Hoffnung und seine Zukunft. Er brannte darauf, seine guten Freunde aus Willingden dorthin zu locken, und seine Bemühungen waren ebenso dankerfüllt und uneigennützig wie eindringlich. Er wollte sie zu dem Versprechen eines Besuchs bewegen – er wollte so viele Mitglieder der Familie, wie sein Haus aufnehmen konnte, dazu überreden, ihm sobald wie möglich nach Sanditon zu folgen; und bei ihrer unbezweifelbaren Gesundheit sah er voraus, daß ihnen allen das Meer guttun würde. Ja, er war sicher, daß es niemandem wirklich gutgehen könne, niemand sich auf Dauer (trotz des momentanen *Anscheins* von Wohlbefinden durch den zufälligen Erfolg von körperlicher oder geistiger Aktivität) eines guten Gesundheitszustandes erfreuen könne, ohne jährlich einen mindestens sechswöchigen Aufenthalt am Meer zu verbringen. Seeluft und Seebad *zusammen* versagten nahezu nie, da das eine oder das andere jedem Magen-, Lungen- oder Blutleiden gewachsen war. Sie waren ein unfehlbares Mittel gegen Krämpfe, Lungenleiden, Zweifel, Gallenschäden und Rheumatismus. Niemand konnte sich an der See eine Erkältung holen, niemand litt unter Lustlosigkeit, niemand litt unter Schwäche. Luft und Bad heilten, beruhigten, entspannten, stärkten und kräftigten; sie waren, bald das eine und bald das andere, offenbar genau das, was man brauchte. Wenn die Seebrise versagte, schuf das Seebad unweigerlich Abhilfe, und wo das Baden nicht zuträglich war, war die Seeluft allein anscheinend von der Natur als Heilmittel wie geschaffen. Aber seine Beredsamkeit richtete nichts aus. Mr. und Mrs. Heywood verreisten nie. Da sie früh geheiratet und eine große Familie hatten, bewegten sie sich schon lange ausschließlich in einem kleinen Umkreis; ihre Gewohnheiten waren eingefahrener, als ihr Alter vermuten ließ. Außer zwei jährlichen Reisen nach London, um seinen Aktiengewinn in Empfang zu nehmen, wagte sich Mr. Heywood nie weiter, als seine Füße oder sein erfahrenes altes Pferd ihn trugen; und Mrs. Heywoods Abenteuer bestanden lediglich darin, in der alten Kutsche, die bei ihrer Heirat neu gewesen war und zum zehnten Geburtstag ihres ältesten Sohnes neu bezogen worden war, ihre Nachbarn zu besuchen. Sie hatten Grundbesitz – genug, um ihnen, hätte ihre Familie eine annehmbare Größe nicht überschritten, einen großzügigen Lebensstil mit Luxus und Reisen zu erlauben – genug, um sich eine neue Kutsche und bessere Straßen, hin und wieder sogar einen Monat bei den Mineralquellen von Tunbridge leisten zu können; aber Ernährung, Erziehung und Ausstattung von 14 Kindern erforderten ein sehr ruhiges, regelmäßiges, gut geplantes Leben und zwangen sie, seßhaft und gesund in Willingden zu leben. Wozu Klugheit sie zuerst gezwungen hatte, das war nun durch Gewohnheit zur Annehmlichkeit geworden. Sie verreisten nie und sagten das mit einem gewissen Stolz. Aber weit entfernt, das auch ihren Kindern zuzumuten, waren sie froh, wenn sie ihnen, so oft wie möglich, Reisen in die Welt ermöglichen konnten. *Sie* blieben zu Hause, damit ihre Kinder hinauskamen; und während sie einerseits ihr Haus außerordentlich gemütlich machten, begrüßten sie andererseits für ihre Söhne und Töchter jede Gelegenheit, nützliche Verbindungen herzustellen oder angesehene Bekanntschaften zu machen. Als Mr. und Mrs. Parker daher auf einem Familienbesuch nicht weiter bestanden und sich statt dessen nun darum bemühten, eine Tochter mitzunehmen, legte man ihnen weiter keine Schwierigkeiten in den Weg. Der Vorschlag stieß vielmehr auf Freude und Zustimmung. Ihre Einladung erging an Miss Charlotte, eine höchst umgängliche junge Dame von 22, die älteste der Töchter im Haus und diejenige, die sich unter Anleitung ihrer Mutter als besonders nützlich und hilfsbereit erwiesen hatte; die sich am meisten um sie gekümmert hatte und ihnen am vertrautesten war.

Charlotte also sollte sie begleiten, um trotz ihrer ausgezeichneten Gesundheit zu baden und sich zu erholen; um sich in Sanditon all den Vergnügungen hinzugeben, die ihr die Dankbarkeit derer, die sie begleitete, bieten würde; und um neue Sonnenschirme, neue Handschuhe und neue Broschen für ihre Schwestern und sich selbst in der Buchhandlung zu kaufen, die zu unterstützen Mr. Heywood am Herzen lag. Alles, wozu Mr. Heywood selbst überredet werden konnte, war das Versprechen, alle, die ihn um Rat baten, nach Sanditon zu schicken und sich (soweit man das für die Zukunft versprechen konnte) durch nichts dazu hinreißen zu lassen, auch nur fünf Shilling in Brinshore auszugeben.

Kapitel 3

Jede Gegend braucht eine große Dame. Die große Dame von Sanditon war Lady Denham, und auf ihrer Reise von Willingden zur Küste gab Mr. Parker Charlotte einen genaueren Bericht von ihr, als bisher nötig gewesen war. Ihr Name war zwangsläufig in Willingden immer wieder gefallen, denn da sie seine Partnerin beim Ausbau von Sanditon war, konnte man nicht lange über den Ort reden, ohne Lady Denham einzuführen; und daß sie eine sehr reiche alte Dame war, die zwei Ehemänner begraben hatte, den Wert von Geld kannte, in großem Ansehen stand und eine arme Nichte bei sich wohnen hatte, waren durchaus schon vertraute Tatsachen. Aber einige weitere Einzelheiten ihrer Lebensgeschichte und Persönlichkeit dienten dazu, die mühselige Abfahrt eines langgestreckten Hügels oder ein schwieriges Stück Straße erträglicher zu machen und der zu Besuch kommenden jungen Dame eine angemessene Kenntnis der Person zu geben, mit der sie nun täglich umgehen würde.

Lady Denham war als Miss Brereton wohlhabend gewesen und wuchs mit Reichtum, aber ohne Erziehung auf. Ihr erster Mann war ein Mr. Hollis gewesen, ein Mann mit ausgedehntem Grundbesitz in der Grafschaft, von dem ein erheblicher Teil zur Gemeinde Sanditon gehörte, darunter Herrenhaus und Park. Er war schon ein älterer Mann gewesen, als sie ihn im Alter von etwa 30 Jahren heiratete. Ihre Gründe für diese Ehe waren im Rückblick von vierzig Jahren nicht mehr recht zu erkennen, aber sie hatte Mr. Hollis so gepflegt und ihm so gefallen, daß er ihr bei seinem Tod alles hinterließ – seinen gesamten Besitz, und zwar zur freien Verfügung. Nach einer Witwenschaft von mehreren Jahren hatte sie eingewilligt, wieder zu heiraten. Dem verstorbenen Sir Harry Denham von Denham Park in der Umgebung von Sanditon war es gelungen, sie und ihr riesiges Einkommen auf seinen eigenen Besitz zu verpflanzen. Aber bei dem ihm unterstellten Versuch, seine Familie auf diese Weise auf Dauer zu bereichern, blieb er erfolglos. Sie hatte sich nicht darauf eingelassen, ihre Verfügungsgewalt über irgend etwas aufzugeben; und als sie nach Sir Harrys Tod wieder in ihr eigenes Haus in Sanditon zurückkehrte, hatte sie angeblich einer Freundin gegenüber geprahlt, »daß sie zwar von ihrer angeheirateten Familie nichts als den Titel geerbt, aber auch nichts dafür hergegeben habe«. Um des Titels willen, so mußte man annehmen, hatte sie geheiratet, und Mr. Parker gab zu, sie lege offensichtlich so viel Wert darauf, daß diese Erklärung für ihr Verhalten naheliege.

»Hin und wieder ist sie ein bißchen wichtigtuerisch«, sagte er, »aber durchaus nicht auf anstößige Weise . . . und es gibt Augenblicke, es gibt Gelegenheiten, wo ihre Liebe zum Geld entschieden zu weit geht. Aber sie ist eine gutmütige Frau, eine sehr gutmütige Frau, eine sehr entgegenkommende, freundliche Nachbarin, eine heitere, unabhängige, schätzenswerte Persönlichkeit, und ihre Fehler sind ganz und gar auf ihre mangelnde Erziehung zurückzuführen. Sie hat gesunden Menschenverstand, aber auf eine nicht sehr kultivierte Art. Für eine Frau von 70 ist sie geistig sehr rege und körperlich rüstig, und die Entwicklung von Sanditon verfolgt sie mit geradezu bewundernswerter Teilnahme, obwohl hin und wieder doch eine gewisse Engstirnigkeit zum Vorschein kommt. Sie hat die Zukunft nicht so im Blick, wie ich es wohl wünschte, und macht sich Sorgen bei jeder kleinen momentanen Ausgabe, ohne zu überlegen, was sie in ein oder zwei Jahren einbringt. Sie sehen, wir denken verschieden, hin und wieder sehen wir die Dinge verschieden, Miss Heywood. Wer seine eigene Geschichte erzählt, dem darf man nicht jedes Wort glauben. Wenn Sie uns zusammen sehen, werden Sie sich Ihr eigenes Urteil bilden.«

Lady Denham war tatsächlich eine so große Dame, daß sie die Alltagssorgen der Durchschnittsmenschen nicht kannte, denn sie würde einmal soundsoviel Tausend pro Jahr hinterlassen und wurde daher von drei verschiedenen Familienzweigen umworben: von ihrer eigenen Verwandtschaft, die sich im Geiste schon ihr ursprüngliches Vermögen von 30 000 teilte; von den rechtlichen Erben von Mr. Hollis, die hoffen mußten, daß *ihr* Gerechtigkeitssinn ihnen zukommen lassen würde, was *seiner* ihnen vorenthalten hatte; und von denjenigen Mitgliedern der Familie Denham, für die ihr zweiter Ehemann etwas herauszuschlagen gehofft hatte. Von ihnen allen oder jedenfalls von einigen davon wurde sie zweifellos schon lange, wurde sie noch immer heftig umworben. Von den drei Zweigen standen, wie Mr. Parker nicht zögerte hinzuzufügen, Mr. Hollis' Nachkommen am wenigsten und Sir Harry Denhams am meisten in ihrer Gunst. Die ersteren, so glaubte er, hatten sich durch höchst unkluge und unberechtigte Äußerungen der Entrüstung bei Mr. Hollis' Tod nicht wiedergutzumachenden Schaden zugefügt; die letzteren hatten den Vorzug, das noch vorhandene Verbindungsglied zu einer ihr noch immer sehr teuren Beziehung zu bilden und wurden von ihr denen zugesellt, die sie seit ihrer Kindheit kannte und die immer bei der Hand waren, um ihre Interessen durch diskrete Aufmerksamkeiten ihr gegenüber wahrzunehmen. Sir Edward, der gegenwärtige Baron, ein Neffe Sir Harrys, wohnte ständig in Denham Park; und Mr. Parker zweifelte nicht daran, daß er und seine bei ihm wohnende Schwester, Miss Denham, in ihrem Testament als Haupterben genannt würden. Er hoffte es jedenfalls von Herzen. Miss Denham hatte nur eine geringe Versorgung, und ihr Bruder war, gemessen an seinem gesellschaftlichen Rang, ein armer Mann.

»Er ist ein leidenschaftlicher Freund Sanditons«, sagte Mr. Parker, »und stände es in seiner Macht, dann wäre seine Hand so freigebig wie sein Herz. Er wäre ein würdiger Gehilfe! Wie die Dinge liegen, tut er, was er kann, und baut deshalb gerade zügig auf einem ihm von Lady Denham überlassenen brachen Streifen Land eine geschmackvolle kleine ›Cottage Ornée‹, für die es, wie ich nicht zweifle, schon vor Ende *dieser* Saison manchen Interessenten geben wird.«

Bis vor fast einem Jahr hatte Mr. Parker Sir Edward für den einzigen Erben gehalten, für den, der die beste Aussicht hatte, in den Besitz des größten Teils dessen zu kommen, was Lady Denham zu vererben hatte, aber nun mußte man mit den Ansprüchen einer weiteren Person rechnen, nämlich denen der jungen Verwandten, die Lady Denham bereit war bei sich aufzunehmen. Sie hatte sich vorher immer gegen ein solches zusätzliches Familienmitglied gewehrt und sich regelrecht an den wiederholten Niederlagen ihrer Verwandten geweidet, wenn sie versuchten, diese oder jene junge Dame als Gefährtin in Sanditon House einzuführen. Aber nun hatte sie selbst Ende September letzten Jahres eine Miss Brereton von London mitgebracht, die aufgrund ihrer Vorzüge gute Aussichten hatte, Sir Edward die Gunst Lady Denhams streitig zu machen und sich und ihrer Familie *den* Teil des wachsenden Besitzes zu sichern, auf den sie zweifellos rechtlich Ansprüche erheben konnten. Mr. Parker sprach in herzlichen Worten von Clara Brereton, und durch die Einführung einer solchen Person gewann seine Geschichte erheblich an Interesse. Charlotte hörte nun mit mehr als bloßer Erheiterung zu; sie vernahm mit Anteilnahme und Vergnügen, daß sie nach Mr. Parkers Beschreibung reizend, liebenswürdig, sanft und anspruchslos war, sich als außerordentlich einsichtig herausgestellt hatte und aufgrund ihrer inneren Vorzüge offenbar in der Gunst ihrer Gönnerin immer höher stieg. Schönheit, Liebenswürdigkeit, Armut und Abhängigkeit wirken nicht nur auf die Einbildungskraft eines Mannes. Mit gewissen Ausnahmen hat eine Frau für eine andere Frau spontan Verständnis und Mitgefühl. Die Einzelheiten, die zu Claras Einladung nach Sanditon geführt hatten, bildeten nach Mr. Parkers Erzählung kein schlechtes Beispiel für die verschiedenartigen Charakterzüge, für die Mischung aus Kleinlichkeit und Freundlichkeit und gesundem Menschenverstand und sogar Großzügigkeit, die seiner Meinung nach für Lady Denham typisch war. Nachdem sie London viele Jahre lang gemieden hatte, und zwar hauptsächlich ihrer Verwandten wegen, die ständig schrieben, sie einluden, belästigten und die sie sich unbedingt vom Leib halten wollte, war sie Ende September in der Gewißheit dorthin gefahren, sich mindestens vierzehn Tage aufhalten zu müssen. Sie war in einem Hotel abgestiegen, lebte dort ihrer eigenen Darstellung nach so sparsam wie möglich, um die bekanntermaßen hohen Ausgaben in einem solchen Etablissement in Grenzen zu halten, und bat nach drei Tagen um die Rechnung, um sich ein Bild von ihrer Finanzlage machen zu können. Der Betrag war so ungeheuerlich, daß sie beschloß, nicht eine Stunde länger in dem Hotel wohnen zu bleiben; und sie traf, erbost und irritiert über ihre Übervorteilung und ahnungslos, wohin sie sich nun wenden sollte, gerade Vorbereitungen, das Hotel trotz all dieser Unannehmlichkeiten auf gut Glück zu verlassen, da stellten sich ihr ihre Verwandten, ihre diplomatischen und vom Glück begünstigten Verwandten, die sie anscheinend nie aus den Augen gelassen hatten, in diesem wichtigen Augenblick vor und überredeten sie, für den Rest ihres Aufenthalts mit dem vorliebzunehmen, was ihr bescheidenes Häuschen in einem wesentlich bescheideneren Teil Londons ihr bieten konnte. Sie nahm an, war von ihrem Empfang, der Gastfreundschaft und Aufmerksamkeit aller entzückt, fand die Breretons über alle Erwartungen hinaus aller Ehren wert und fühlte sich schließlich aufgrund ihrer persönlichen Kenntnis von dem beschränkten Einkommen und den finanziellen Schwierigkeiten ihrer lieben Verwandten dazu veranlaßt, eines der Mädchen der Familie einzuladen, den Winter bei ihr zu verbringen. Die Einladung galt für *eines* der Mädchen – und zwar für sechs Monate, aber mit der Aussicht, daß dann eine andere ihren Platz einnahm. In ihrer Wahl enthüllte Lady Denham allerdings einen typischen Charakterzug, denn sie überging die wirklichen Töchter des Hauses und wählte Clara, eine Nichte, hilfloser und bedauernswerter als die anderen, abhängig aufgrund ihrer Armut, eine zusätzliche Bürde für einen schon eingeschränkt lebenden Kreis von Menschen und mit so wenig vielversprechenden Aussichten, daß sie trotz all ihrer natürlichen Gaben und Fähigkeiten kaum etwas Besseres erwarten konnte, als eines Tages Kindermädchen zu werden. Clara war mit ihr zurückgekommen und hatte sich nun durch ihren gesunden Menschenverstand und ihre Vorzüge, soweit sich das beurteilen ließ, offensichtlich einen festen Platz in Lady Denhams Gunst erobert. Die sechs Monate waren lange vorbei, und kein Wort von Wechsel oder Ablösung fiel. Sie war allgemein beliebt; alle erfuhren den Einfluß ihres gleichmäßig freundlichen Verhaltens und ihrer sanften ausgeglichenen Art. Die Vorurteile, mit denen gewisse Leute ihr zu Anfang begegnet waren, hatten sich längst verflüchtigt. Sie galt nun als vertrauenswürdig, als genau *die* Gefährtin, die Lady Denham behutsam leiten und besänftigen, die ihren geistigen Horizont weiten und ihre Hand öffnen würde. Sie war so durch und durch liebenswert, wie sie reizend war; und seit sie obendrein die milde Brise von Sanditon genoß, war ihr Liebreiz ganz und gar vollkommen.

Kapitel 4

»Und wem gehört das ausgesprochen hübsche Haus dort?« fragte Charlotte, als sie beim Durchqueren einer geschützten Senke zwei Meilen von der See entfernt an einem nicht übermäßig großen, gut eingezäunten Haus mit üppigem Garten, Obstbäumen und Wiesen vorbeikamen, die immer der beste Schmuck eines solchen Anwesens sind. »Es hat so etwas Gemütliches an sich wie Willingden.«

»Ah!« sagte Mr. Parker. »Es ist mein altes Haus, das Haus meiner Vorfahren, das Haus, in dem ich und all meine Geschwister geboren und aufgewachsen sind und auch meine ältesten drei Kinder geboren wurden; wo Mrs. Parker und ich bis vor zwei Jahren, bis unser neues Haus fertig war, gewohnt haben. Ich freue mich, daß es Ihnen gefällt. Es ist ein rechtschaffenes altes Haus, und Hilliers hält es in bester Ordnung. Ich habe es nämlich dem Mann überlassen, der den größten

Teil meines Grund und Bodens gepachtet hat. *Er* kommt dadurch zu einem besseren Haus und ich zu einer besseren Wohnlage. Noch ein Hügel, dann sind wir in Sanditon, im modernen Sanditon, einem schönen Fleckchen Erde. Unsere Vorfahren bauten ihre Häuser ja immer in richtige Löcher. Da saßen wir also, eingepfercht in dieses enge Eckchen, ohne Luft oder Aussicht, nur eindreiviertel Meilen von dem großartigsten Stückchen Ozean zwischen South Foreshore und Lands End und ohne etwas davon zu haben. Sie werden es bestimmt nicht für einen schlechten Tausch halten, wenn Sie Trafalgar House sehen, das ich, nebenbei bemerkt, lieber nicht hätte nach Trafalgar nennen sollen, denn Waterloo ist jetzt der letzte Schrei. Immerhin, Waterloo habe ich noch in Reserve; und wenn der Erfolg uns dieses Jahr dazu ermutigt, einen kleinen ›Crescent‹ zu bauen (und das hoffe ich entschieden), dann können wir ihn Waterloo Crescent nennen; und wenn der Name dann auch auf die Gebäude abfärbt, und das wird er bestimmt, dann können wir uns die Mieter aussuchen. In einer guten Saison müßten wir dann mehr Buchungen haben, als wir annehmen können.«

»Es ist ein gemütliches Haus«, sagte Mrs. Parker, während sie es mit einem gewissen liebevollen Bedauern durch das Rückfenster betrachtete. »Und ein so hübscher Garten, ein so hervorragender Garten!«

»Ja, meine Liebe, aber den haben wir doch sozusagen mitgenommen. Er versorgt uns nach wie vor mit all dem Obst und Gemüse, das wir brauchen; und wir haben auf diese Weise die Annehmlichkeiten eines hervorragenden Küchengartens, ohne ständig den Schandfleck mit seiner strengen Beeteinteilung oder jedes Jahr den Ärger mit seinen verrotteten Pflanzen zu haben. Wer kann schon ein Kohlbeet im Oktober ertragen?«

»Ach ja, mein Lieber. Gemüse haben wir so reichlich wie immer, denn selbst, wenn einmal vergessen worden ist, es herüberzubringen, können wir immer in Sanditon House einkaufen, was wir brauchen. Der Gärtner dort versorgt uns gern. Aber es war ein schönes Haus für die Kinder zum Toben. Und so schattig im Sommer!«

»Meine Liebe, wir werden bald Schatten genug auf der Anhöhe haben, und in ein paar Jahren sogar mehr als genug. Das Wachstum meiner Anpflanzungen ruft allgemeines Erstaunen hervor. Bis dahin haben wir Marquisen, die uns im Haus die angenehmste Kühle verschaffen, und für die kleine Mary kannst du jederzeit einen Sonnenschirm bei Whitbys bekommen oder einen großen Sommerhut bei Jebb; und die Jungs – bei denen ist es mir sowieso lieber, wenn sie im Sonnenschein herumlaufen. Wir sind uns doch darüber einig, meine Liebe, daß unsere Jungs so abgehärtet wie möglich aufwachsen sollen?«

»Aber ja, und Mary werde ich einen kleinen Sonnenschirm besorgen, auf den sie richtig stolz sein wird. Wie ernsthaft sie damit herumstolzieren und sich einbilden wird, eine kleine Dame zu sein. Ja, es gibt gar keinen Zweifel, daß es uns da, wo wir jetzt sind, viel besser geht. Wenn einer von uns baden will, ist es nicht einmal eine Viertelmeile weit. Aber (wobei sie immer noch aus dem rückwärtigen Fenster blickte) man sehnt sich trotzdem immer nach einem alten Freund zurück, nach einem Haus, in dem man glücklich war. Die Hilliers haben anscheinend im letzten Winter gar nichts von den Stürmen gespürt. Ich erinnere mich, daß ich Mrs. Hillier nach einer der fürchterlichen Nächte traf, als wir im Bett regelrecht hin- und hergeworfen wurden, und sie hatte nicht einmal gemerkt, daß der Wind besonders stark war.«

»Ja, ja, das stimmt sicher. Bei uns haben die Stürme etwas Grandioses, aber die Gefahr ist geringer, weil der Wind keinen Widerstand findet und nicht beim Haus festgehalten wird, sondern einfach tobt und weiterzieht, während man hier unten in diesem Loch, unter den Wipfeln der Bäume von der Luftbewegung gar nichts spürt und die Leute womöglich von einer der schrecklichen Böen überrascht werden, die, *wenn* sie auftreten, im Tal viel mehr Schaden anrichten als der schwerste Sturm auf offenem Land. Aber meine Liebe, was das Gemüse angeht, du sagtest, daß wir alles versehentlich Vergessene jederzeit von Lady Denhams Gärtner beziehen können, aber ich finde eigentlich, wir sollten in einem solchen Fall woanders hingehen, denn der alte Stringer und sein Sohn haben ein größeres Anrecht auf uns. Ich habe ihn ermutigt, sein Geschäft aufzumachen, und fürchte, es geht nicht besonders gut, das heißt, es braucht noch ein bißchen Zeit. Eines Tages wird es zweifellos ausgezeichnet gehen, aber am Anfang ist es immer schwierig, und deshalb müssen wir ihn unterstützen, wo wir können; und wenn zufällig Obst und Gemüse fehlt . . . und es schadet auch gar nicht, wenn wir oft etwas brauchen, wenn beinahe jeden Tag etwas fehlt . . . daß wir eben nur eine Anstandsmenge anbauen, damit der arme alte Andrew nicht seine Arbeit verliert, aber den größeren Teil unseres Bedarfs bei Stringers kaufen.«

»Schön, mein Lieber, das läßt sich leicht einrichten, und die Köchin wird zufrieden sein, was eine wahre Wohltat wäre, denn sie beklagt sich immer über den alten Andrew und sagt, er bringe ihr nie, was sie brauche. Da, jetzt ist das alte Haus verschwunden. Sagt dein Bruder Sidney nicht immer, daß es ein richtiges Krankenhaus ist?«

»Ach, meine liebe Mary, das ist einer seiner üblichen Witze. Er tut nur so, als ob er mir empfiehlt, ein Krankenhaus daraus zu machen. Er tut nur so, als ob er sich über meine Verbesserungen lustig macht. Sidney sagt doch alles Mögliche. Er sagt doch über uns und zu uns alles, was ihm gerade einfällt. Fast alle Familien haben ein solches Mitglied, glaube ich, Miss Heywood. Meist hat einer in der Familie aufgrund seiner überlegenen Fähigkeiten oder seines Witzes das Recht zu sagen, was ihm gerade einfällt. In unserer ist es Sidney, und er ist ein höchst aufgeweckter junger Mann mit viel Charme. Nur reist er zuviel herum, anstatt sich irgendwo niederzulassen, das ist sein einziger Fehler. Er ist hier und da und überall. Wenn ich ihn nur überreden könnte, nach Sanditon zu kommen. Ich würde ihn Ihnen gern vorstellen. Und es würde dem Ort so guttun. Ein so junger Mann wie Sidney mit seiner

eleganten Equipage und seiner modischen Erscheinung! Du und ich, Mary, wir wüßten, was für eine positive Wirkung es hätte. Manch angesehene Familie, manch besorgte Mutter, manch hübsche Tochter würden zu uns kommen, und Eastbourne und Hastings hätten das Nachsehen.«
Sie näherten sich nun der Kirche und dem eigentlichen Dorf Sanditon, das am Fuß einer Anhöhe lag, die sie dann hinauffahren mußten – eine Anhöhe, deren Hänge von den zu Sanditon House gehörenden Wäldern und Anlagen bedeckt waren und die dann oben ins offene Land auslief, wo man bald die neuen Gebäude liegen sehen konnte. Nur ein Abschnitt des Tals, der sich schräg abfallend zur See hin öffnete, gab einem recht schmalen Fluß den Zugang zum Meer frei und bildete an seiner Mündung eine dritte bewohnte Ansiedlung, eine kleine Gruppe von Fischerhütten. Das eigentliche Dorf bestand fast nur aus Häuschen, aber sie entsprachen, wie Mr. Parker mit Vergnügen zu Charlotte bemerkte, der neuesten Mode, und zwei oder drei der besten waren mit weißen Vorhängen und Schildern »Zu vermieten« herausgeputzt; und weiter hinten, auf der kleinen Wiese neben einem alten Bauernhof, konnte man sage und schreibe zwei weibliche Wesen in elegantem Weiß mit ihren Büchern und Klappstühlen sehen; und als sie beim Bäcker um die Ecke fuhren, erklang aus einem Fenster im ersten Stock eine Harfe. Ein solcher Anblick und solche Laute riefen Mr. Parkers helles Entzücken hervor. Nicht daß er irgendein persönliches Interesse am Dorf selbst hatte, denn da es ihm zu weit vom Strand entfernt war, hatte er nichts dafür getan, aber als Beweis, daß der Ort langsam in Mode kam, war das alles hochwillkommen. Wenn schon das Dorf solche Anziehungskraft bewies, würde die Anhöhe bald fast ausgebucht sein. Er sah eine unglaublich erfolgreiche Saison voraus. Zu dieser Zeit war im vorigen Jahr (Ende Juli) nicht ein einziger Kurgast im Dorf gewesen! Und auch im Lauf des gesamten Sommers hatte es, soweit er sich erinnerte, keinen gegeben – außer einer Familie mit Kindern, die nach einem Keuchhusten

wegen der Seeluft von London gekommen waren und deren Mutter aus Angst, daß sie ins Wasser fallen würden, nicht näher am Strand wohnen wollte.

»Kultur, richtige Kultur!« rief Mr. Parker entzückt. »Sieh nur, meine liebe Mary, sieh nur William Heeleys Schaufenster. Blaue Schuhe und Stoffstiefel. Wer hätte das im Schaufenster eines Schuhmachers in unserem lieben alten Sanditon erwartet! Das gibt es noch keinen Monat. Von blauen Schuhen konnte nicht die Rede sein, als wir vor einem Monat hier vorbeikamen. Wirklich großartig! Ja, ich glaube, mein Einsatz hat sich gelohnt. Und nun unsere Hochfläche, unsere durch und durch heilkräftige Hochfläche!«

Beim Hinauffahren kamen sie an der Einfahrt zu Sanditon House vorbei und sahen die Spitze des Gebäudes selbst zwischen den Bäumen hervorschimmern. Es war das letzte historische Gebäude in diesem Teil des Ortes. Etwas höher hinauf begann der moderne Teil; und bei der Fahrt über die Hochfläche mußten nun Charlotte mit gelassener, heiterer Neugier und Mr. Parker mit kritischem Blick und in der Hoffnung, kaum leerstehende Häuser vorzufinden, Prospect House, Bellevue Cottage und Denham Place betrachten. Mehr »Zu vermieten«-Schilder im Fenster, als er erwartet hatte! Und die Gruppe von Gästen auf der Hochfläche war auch kleiner! Weniger Kutschen, weniger Spaziergänger! Er hatte sich eingebildet, daß sie alle gerade um diese Zeit von ihren Unternehmungen im Freien zum Dinner zurückkehren würden. Aber die Strände und die Terrasse fanden zu jeder Tageszeit Anklang, und obendrein war steigende Flut. Das Wasser mußte ungefähr seinen mittleren Stand erreicht haben. Er wäre gern überall zugleich gewesen, am Strand, auf den Klippen, in seinem eigenen Haus und außerhalb davon. Seine Stimmung stieg beim Anblick des Meeres, und er glaubte schon zu spüren, wie sein Knöchel kräftiger wurde.

Trafalgar House auf dem höchsten Punkt der Hochfläche war ein leicht wirkendes, elegantes Gebäude, das, umgeben von jungen Büschen und Bäumen und inmitten eines kleinen

Rasens, ungefähr hundert Meter von einer steilen, aber nicht sehr hohen Klippe entfernt stand und ihr von allen Gebäuden hier oben, abgesehen von einer kurzen Reihe von hübschen Häuschen, die die »Terrasse« genannt wurde und mit ihrem breiten Fußweg den Anspruch erhob, das Geschäftszentrum der Siedlung zu werden, am nächsten lag. Auf der Terrasse befanden sich das beste Modegeschäft und die Leihbücherei und, etwas abseits, das Hotel und der Billardsaal. Hier begann der Abstieg zum Strand und zu den Badekabinen, und aus all diesen Gründen war diese Stelle der bevorzugte Treffpunkt der eleganten Welt.

Vor Trafalgar House, das sich in geringer Entfernung hinter der Terrasse erhob, wurden die Reisenden sicher abgesetzt; und zwischen Papa und Mama und ihren Kindern herrschte eine freudige Begrüßung, während Charlotte ihr Zimmer in Besitz nahm und sich damit vergnügte, an ihrem breiten, mit Jalousien versehenen Erkerfenster zu stehen und über den abwechslungsreichen Vordergrund mit seinen halbfertigen Gebäuden, der im Wind flatternden Wäsche und den Dächern aufs Meer hinunterzublicken, das im Sonnenschein vor Frische tanzte und funkelte.

Kapitel 5

Als sie vor dem Dinner wieder zusammenkamen, sah Mr. Parker die Post durch. »Nicht eine Zeile von Sidney!« sagte er. »Er ist ein Faulpelz. Ich habe ihm von Willingden aus einen Bericht über meinen Unfall geschickt und gedacht, er würde sich wenigstens zu einer Antwort aufraffen. Aber vielleicht bedeutet es, daß er selber kommt. So wird es wohl sein. Ah, hier ist ja ein Brief von einer meiner Schwestern. *Sie* lassen mich nie im Stich. Frauen sind die einzigen Korrespondenten, auf die Verlaß ist. Also, Mary (er lächelte zu seiner Frau hinüber), bevor ich ihn öffne – was meinst du, wie ist es um den Gesundheitszustand der Absenderin bestellt, oder vielmehr, was würde Sidney sagen, wenn er hier wäre? Sidney ist ein kesser Bursche, Miss Heywood. Und Sie müssen wissen, er behauptet, die Beschwerden meiner beiden Schwestern bestünden zum großen Teil nur in ihrer Einbildung. Aber das stimmt nicht – oder jedenfalls nur sehr bedingt. Ihr Gesundheitszustand ist wirklich kläglich, wie wir schon oft betont haben, und tatsächlich leiden sie unter allen möglichen ernsthaften Beschwerden. Ja, ich glaube sogar, sie wissen gar nicht, was es bedeutet, auch nur einen einzigen Tag wirklich gesund zu sein. Und dabei sind sie so tüchtig und nützlich und haben so viel Energie, daß sie sich, nur um anderen Gutes zu tun, so verausgaben, daß es allen, die sie nicht kennen, völlig unbegreiflich ist. Und dabei ist keinerlei Heuchelei im Spiel. Sie sind nur körperlich schwächer und geistig widerstandsfähiger – eine Kombination, die man selten trifft. Und unserem jüngsten Bruder, der mit ihnen zusammenlebt und etwas über zwanzig ist, geht es, wie ich mit Bedauern sagen muß, gesundheitlich auch nicht besser. Er ist so schwächlich, daß er nicht einmal einen Beruf ausüben kann. Sidney lacht ihn aus, aber es ist nicht zum Lachen, obwohl Sidney mich oft gegen meinen Willen über sie alle zum Lachen bringt. Also, wenn er hier wäre, würde er wetten, daß entweder Susan, Diana oder Arthur, nach diesem Brief zu urteilen, im letzten Monat regelrecht dem Tod ins Angesicht gestarrt haben.«

Als er den Brief überflogen hatte, schüttelte er den Kopf und begann: »Es besteht keine Hoffnung, sie in Sanditon zu sehen, wie ich mit Bedauern sagen muß. Ein höchst besorgniserregender Bericht. Ein wirklich durch und durch besorgniserregender Bericht. Mary, es wird dir nicht viel Freude machen zu hören, wie krank sie waren und noch immer sind. Miss Heywood, wenn Sie gestatten, lese ich Dianas Brief vor. Ich freue mich immer, wenn meine Freunde sich auch untereinander kennenlernen, und in Ihrem Fall werde ich es wohl bei dieser Art Bekanntschaft belassen müssen. Und Dianas wegen brauche ich keine Skrupel zu haben, denn ihre Briefe zeigen sie genau, wie sie ist, nämlich als höchst energische, freundliche, herzliche Frau, und können deshalb nur den besten Eindruck machen.« Er las:

»Mein lieber Tom,

Dein Unfall tut uns allen schrecklich leid, und wenn Du nicht selbst beschrieben hättest, in was für gute Hände Du gefallen bist, dann hätte ich es mir nicht nehmen lassen, am Tag nach dem Empfang Deines Briefes bei Dir zu sein, obwohl ich gerade unter einem ungewöhnlich heftigen Anfall meines alten Leidens, den Gallenkoliken, zu leiden hatte und kaum imstande war, vom Bett zum Sofa zu kriechen. Aber wie ist Deine Verletzung behandelt worden? Berichte mir Genaueres darüber in Deinem nächsten Brief. Wenn es sich tatsächlich um eine bloße Verstauchung, wie Du es nennst, gehandelt hat, dann wäre nichts so wirksam gewesen wie Massagen mit den bloßen Händen, vorausgesetzt, sie hätten sofort vorgenommen werden können. Vor zwei Jahren sprach ich zufällig gerade bei Mrs. Sheldon vor, als ihr Kutscher sich beim Waschen der Kutsche den Fuß verstauchte und kaum ins Haus humpeln konnte, aber durch sofortige und ausdauernde Massagen (ich habe seinen Knöchel sechs Stunden lang ununterbrochen massiert) ging es ihm in drei Tagen wieder bestens.

Vielen Dank, mein lieber Tom, für Deine Mühe unseretwegen, die eigentlich für Deinen Unfall verantwortlich war. Aber begib Dich bitte nicht wieder in solche Gefahren, nur um für uns nach einem Arzt zu suchen, denn selbst wenn Du den erfahrensten Fachmann für Sanditon gewonnen hättest, wäre das für uns keine Empfehlung. Wir haben ein für allemal mit der gesamten Sippe der Mediziner gebrochen. Wir haben Arzt nach Arzt vergebens konsultiert, bis wir völlig überzeugt waren, daß sie nichts für uns tun können und wir zur Erleichterung unseres beklagenswerten Zustands auf unsere eigene Kenntnis vertrauen müssen. Aber wenn Dir so entschieden daran liegt, im Interesse des Ortes einen Mediziner dort zu haben, dann übernehme ich mit Vergnügen die Aufgabe, ihn zu suchen, und zweifle nicht an meinem Erfolg. Ich könnte Dir schnellstens die Eisen ins Feuer legen. Eine Reise nach Sanditon ist für mich allerdings ganz ausgeschlossen. Ich sage es mit Bedauern, aber ich habe deutlich das Gefühl, daß die Seeluft in meinem gegenwärtigen Zustand wahrscheinlich mein Tod wäre. Und von meinen lieben Leidensgenossen will mich auch keiner verlassen, sonst würde ich sie zu überreden versuchen, auf vierzehn Tage zu Dir zu kommen. Aber ehrlich gesagt, zweifle ich auch daran, ob Susans Nerven der Sache gewachsen wären. Sie leidet stark an Kopfschmerzen, und die sechs Blutegel pro Tag, die ihr nun schon seit zehn Tagen angesetzt werden, haben ihr so wenig Erleichterung verschafft, daß wir es für richtig hielten, unsere Maßnahmen zu ändern. Und da wir nach eingehender Untersuchung überzeugt waren, daß vor allem ihr Zahnfleisch für das Übel verantwortlich war, habe ich sie überredet, es auch dort zu bekämpfen. Sie hat sich infolgedessen drei Zähne ziehen lassen, und jetzt geht es ihr entschieden besser, nur ist sie nervlich ziemlich mitgenommen. Sie kann nur flüsternd sprechen und ist heute vormittag zweimal ohnmächtig geworden, als Arthur versuchte, ein Husten zu unterdrücken. Ihm geht es aber, wie ich mit Freude berichten kann, einigermaßen, obwohl er matter wirkt, als mir lieb ist, und dann fürchte ich für seine Leber.

Ich habe von Sidney nichts gehört, seit ihr zusammen in London wart, nehme aber an, daß seine Reise zur Insel Wight gar nicht stattgefunden hat, denn sonst wäre er auf dem Weg dorthin bei uns vorbeigekommen.

Wir wünschen Dir von Herzen eine gute Saison in Sanditon; und obwohl wir zu Deiner Beau Monde persönlich nichts beitragen können, geben wir uns die größte Mühe, Dir schätzenswerte Kurgäste zu schicken, und sind ziemlich sicher, zwei große Familien für Dich gewonnen zu haben, die eine davon eine reiche westindische aus Surrey und die andere ein ausgesprochen angesehenes Mädchenpensionat oder eine

Akademie aus Camberwell. Ich will Dir lieber nicht erzählen, wie viele Leute ich dabei engagiert habe, ein ganzes Räderwerk, aber der Erfolg rechtfertigt den Aufwand.

Herzlich Deine . . .«

»Also«, sagte Mr. Parker, als er zu Ende war, »ich vermute zwar, daß Sidney den Brief außerordentlich erheiternd fände und uns darüber eine halbe Stunde lang zum Lachen brächte, aber ich muß gestehen, daß er doch eigentlich entweder nur höchst beklagenswerte oder höchst glaubwürdige Dinge enthält. Sie sehen, wie sie trotz all ihrer Leiden nur damit beschäftigt sind, das Wohlergehen anderer zu fördern. Und so um Sanditon bemüht! Zwei große Familien! Eine wahrscheinlich in Prospect House, die andere in Denham Place Nr. 2 oder im letzten Haus auf der Terrasse, und obendrein zusätzliche Belegung im Hotel. Ich habe Ihnen doch gesagt, Miss Heywood, daß meine Schwestern großartige Menschen sind.«

»Es müssen wirklich ganz ungewöhnliche Menschen sein«, sagte Charlotte. »Ich wundere mich über den munteren Ton des Briefes, wenn man den Zustand Ihrer beiden Schwestern bedenkt. Sich drei Zähne auf einmal ziehen zu lassen! Ein gräßlicher Gedanke! Ihre Schwester Diana scheint mir schon ziemlich krank zu sein, aber die drei Zähne Ihrer Schwester Susan kommen mir noch erheblich schlimmer vor.«

»Ach was, sie sind an Operationen gewöhnt, an alle möglichen Operationen, und bemerkenswert tapfer.«

»Ihre Schwestern wissen sicher, was sie tun, aber mir erscheinen ihre Maßnahmen etwas radikal. Mir läge bei jeder Krankheit so sehr an ärztlichem Rat, ich hätte viel zu wenig Mut zu riskanten Entscheidungen für mich und alle meine Lieben. Aber wir sind auch eine so durch und durch gesunde Familie, daß ich mir gar kein Urteil erlauben kann, was dabei herauskommt, wenn man sich immer selbst verarztet.«

»Ja, da muß ich Ihnen recht geben«, sagte Mrs. Parker. »Ich finde auch, daß die Miss Parker es manchmal etwas zu weit treiben, und du auch, nicht wahr, mein Lieber. Du findest doch auch oft, daß sie besser daran täten, die Behandlung nicht immer selbst zu übernehmen – und vor allem bei Arthur. Ich weiß, wie schade du es findest, daß sie ihn so zum Kranksein erziehen.«

»Schon recht, schon recht, meine liebe Mary, es ist auch wirklich ein wahres Unglück für den armen Arthur, daß er als so junger Mann dazu ermutigt wird, sich seinen Indispositionen so hinzugeben. Es ist wirklich schlimm, wirklich schlimm, daß er sich einbildet, zu krank für jede Berufstätigkeit zu sein, und sich mit den Zinsen seines kleinen Vermögens zum Einundzwanzig-Spielen hinsetzt, ohne auch nur einen Gedanken an die Vermehrung dieses Vermögens zu verschwenden oder sich eine Beschäftigung zu suchen, die für ihn oder andere nützlich wäre. Aber laß uns von angenehmeren Dingen plaudern. Die beiden großen Familien entsprechen genau unseren Wünschen – aber hier kommt etwas noch Angenehmeres – Morgan mit seiner Ankündigung ›Es ist serviert!‹.«

Kapitel 6

Nach dem Dinner war die Gesellschaft wieder auf den Beinen. Mr. Parker hatte keine Ruhe, bevor er nicht, sobald wie möglich, der Leihbücherei und ihrem Abonnentenbuch einen Besuch abgestattet hatte; und Charlotte war froh, bei so viel Neuem möglichst viel möglichst schnell zu sehen. Sie begaben sich während der stillsten Zeit im Tagesablauf eines Kurortes nach draußen, wo sich in fast allen bewohnten Häusern das wichtige Geschäft des Dinners oder der Unterhaltung nach dem Dinner abspielte. Hier und da konnte man einen einzelnen älteren Mann sehen, der gezwungen war, früh vom Tisch aufzustehen und um seiner Gesundheit willen einen Spaziergang anzuschließen, aber sonst herrschte in der allgemeinen Belebtheit des Ortes eine ausgedehnte Pause, die für Leere und Ruhe auf der Terrasse und den Klippen und Stränden sorgte. Die Geschäfte lagen verlassen, Strohhüte und dekorativ aufgehängte Bänder vor und in dem Laden waren ihrem eigenen Schicksal überlassen, und Mrs. Whitby in der Leihbücherei saß in ihrem kleinen Büro und las aus Mangel an Beschäftigung einen ihrer eigenen Romane. Das Abonnentenbuch enthielt nichts Besonderes. Den Namen von Lady Denham, Miss Brereton, Mr. und Mrs. Parker, Sir Edward und Miss Denham, die man als die Spitzen der Gesellschaft bezeichnen konnte, folgte nichts Besseres als Mrs. Mathews, Miss E. Mathews, Miss H. Mathews, Dr. und Mrs. Brown, Mr. Richard Pratt, Leutnant Smith – Königliche Marine, Kapitän Little – Leuchtturm, Mrs. Jane Fisher, Miss Fisher, Miss Scroggs, Pastor Hanking, Mr. Beard – Rechtsanwalt in Grays Inn, Mrs. Davies und Miss Merryweather. Mr. Parker war sich wohl bewußt, daß die Liste nicht nur nichts Großartiges enthielt, sondern auch weniger umfangreich als erhofft war. Es war allerdings erst Juli; August und September waren die eigentlichen Monate der Saison. Und außerdem, die versprochenen großen Familien aus Surrey und Camberwell waren ein stets willkommener Trost. Mrs. Whitby kam bereitwillig aus ihrem Büro hervor und war entzückt, Mr. Parker wiederzusehen, der wegen seiner gepflegten Umgangsformen überall gern gesehen war; und sie waren so damit beschäftigt, Höflichkeiten und Informationen auszutauschen, daß Charlotte nach ihrer Einzeichnung im Abonnentenbuch – ihr erster Beitrag zur Saison – Zeit hatte, ein paar Kleinigkeiten zum Nutzen aller zu erstehen, sobald Miss Whitby mit ihren glänzenden Locken und all ihrem schicken Modeschmuck von ihrem Toilettentisch herbeigerufen werden konnte, um sie zu bedienen. Die Leihbücherei führte natürlich alles Mögliche, all die nutzlosen kleinen Dinge, die man nicht entbehren konnte; und bei so vielen hübschen verführerischen Gegenständen und soviel Bedürfnis, Mr. Parker zuliebe Geld auszugeben, sagte Charlotte sich, daß sie sich zurückhalten müsse, oder vielmehr, daß es sich für sie mit 22 so gehörte und es nicht angebracht war, schon am ersten

Abend all ihr Geld auszugeben. Sie nahm ein Buch in die Hand; es war zufällig ein Band von *Camilla.* Sie war nicht mehr so jung wie Camilla und hatte keineswegs die Absicht, ihre Leiden über sich ergehen zu lassen; und so wandte sie sich von den Schubladen mit Ringen und Broschen ab, unterdrückte weitere Wünsche und bezahlte ihre Einkäufe. Um ihr eine Freude zu machen, wollten sie dann einen Spaziergang auf den Klippen unternehmen, aber als sie die Bücherei verließen, stießen sie auf zwei Damen, deren Ankunft eine Änderung dieses Plans erforderte: Lady Denham und Miss Brereton.

Sie hatten in Trafalgar House vorgesprochen und waren von dort zur Bücherei gewiesen worden; und obwohl Lady Denham entschieden zu rüstig war, um nach einem Spaziergang von einer Meile Ruhe zu benötigen, und davon sprach, gleich wieder zurück nach Hause zu gehen, wußten die Parkers, daß sie sich besonders gern bitten ließ, mit zu ihnen zu kommen und ihren Tee bei ihnen zu trinken. Der Spaziergang auf den Klippen wurde deshalb zugunsten einer sofortigen Heimkehr aufgegeben.

»Nein, nein«, sagte die gnädige Frau, »ich möchte auf keinen Fall, daß Sie sich meinetwegen mit dem Tee beeilen. Ich weiß, Sie trinken ihn lieber später. Ich möchte meinen Nachbarn mit meinem frühen Tagesrhythmus keine Unannehmlichkeiten bereiten. Nein, nein, Miss Clara und ich gehen nach Hause und trinken dort unseren Tee allein. So war es von Anfang an geplant. Wir wollten Sie nur kurz sehen und uns versichern, daß Sie gut angekommen sind; aber nun gehen wir nach Hause und trinken dort unseren Tee allein.«

Sie ging aber trotzdem weiter in Richtung Trafalgar House und nahm dort wie selbstverständlich vom Wohnzimmer Besitz – anscheinend ohne zu bemerken, daß Mrs. Parker bei ihrer Ankunft dem Diener den Befehl erteilte, den Tee sofort zu servieren. Charlotte tröstete sich über den Verlust ihres Spaziergangs damit, daß sie sich nun in der Gesellschaft befand, die sie nach der Unterhaltung ohnehin gerne kennenlernen wollte. Sie betrachtete Lady Denham aufmerksam. Sie war mittelgroß, kräftig gebaut, von aufrechter Haltung und schnellen Bewegungen, mit scharfen, klugen Augen und selbstgefälligem Gebaren, aber durchaus ohne unangenehme Gesichtszüge; und obwohl ihr Benehmen ziemlich direkt und abrupt war, wie das eines Menschen, der sich etwas darauf zugute hält, offen seine Meinung zu sagen, strahlte sie gute Laune und Freundlichkeit aus, ein freundliches, höfliches Interesse, Charlotte kennenzulernen, und herzliche Freude, ihre alten Freunde wiederzusehen – und all das rief das Entgegenkommen hervor, das man ihr entgegenbrachte. Und was Miss Brereton anging, so rechtfertigte ihre Erscheinung Mr. Parkers Lob so vollständig, daß Charlotte fand, sie habe nie eine so reizende oder so interessante junge Dame gesehen. Von überdurchschnittlich großer, eleganter Erscheinung, mit ebenmäßig schönen Zügen, äußerst zartem Teint und sanften blauen Augen, reizvoll bescheidener und doch natürlich anmutiger Haltung kam sie Charlotte wie die vollkommene Verkörperung der hinreißend schönen und bezaubernden Heldinnen in all den zahlreichen Bänden vor, die sie auf Mrs. Whitbys Regalen zurückgelassen hatten. Vielleicht kam sie überhaupt nur auf diesen Gedanken, weil sie gerade in einer Leihbücherei gewesen war, aber es gelang ihr einfach nicht, das Bild der vollendeten Heldin von Clara Brereton zu trennen. Ihre Stellung bei Lady Denham erweckte soviel Teilnahme. Sie lebte anscheinend nur bei ihr, um ausgenutzt zu werden. Soviel Armut und Abhängigkeit verbunden mit soviel Schönheit und Tugend ließen den Gedanken an eine andere Lösung gar nicht erst aufkommen.

Diese Vorstellungen Charlottes beruhten aber keineswegs auf einem romantischen Gemüt. Nein, sie war eine sehr nüchterne junge Dame, die gerade so viel Romane las, daß sie von ihnen auf angenehme Weise unterhalten wurde, ohne auf unvernünftige Weise beeinflußt zu werden; und während sie sich in den ersten fünf Minuten damit amüsierte, sich vorzustellen, welchen Verfolgungen die interessante Clara zweifellos ausgesetzt war, mußte sie sich bei näherer Betrachtung eingestehen, daß das Verhältnis zwischen den beiden Damen anscheinend ausgesprochen freundlich war. Sie konnte an Lady Denham nichts Schlimmeres entdecken, als daß sie Miss Brereton auf eine gewisse altmodische Weise immer »Miss Clara« nannte, und fand auch an der Höflichkeit und Aufmerksamkeit, die Clara ihr erzeigte, nichts auszusetzen. Es handelte sich anscheinend bei der einen um nichts als Schutz und Güte und bei der anderen nur um Dankbarkeit und liebevolle Achtung.

Die Unterhaltung beschäftigte sich ausschließlich mit Sanditon, mit der augenblicklichen Zahl seiner Kurgäste und den Chancen für eine gute Saison. Es war ganz deutlich, daß Lady Denham größere Befürchtungen hatte, Geld einzubüßen, als ihr Partner. Sie wollte den Ort gerne schneller füllen und machte sich große Sorgen, daß einige Ferienwohnungen womöglich nicht immer belegt sein könnten. Miss Diana Parkers zwei große Familien konnten natürlich nicht unerwähnt bleiben.

»Sehr gut, sehr gut«, sagte die gnädige Frau. »Eine Familie aus Westindien und ein Pensionat. Das klingt vielversprechend. Das bringt Geld.«

»Niemand gibt es, glaube ich, unbesorgter aus als Westinder«, bemerkte Mr. Parker.

»Ja, das habe ich auch gehört, und weil sie alle volle Portemonnaies haben, erheben sie Ansprüche wie die alteingesessenen Familien. Aber wer sein Geld verschwendet, macht sich keine Gedanken darüber, ob er dadurch Schaden anrichtet, daß er die Preise höhertreibt. Und ich habe gehört, daß das vor allem auf Ihre Leutchen aus Westindien zutrifft; und wenn sie sich nur unter uns mischen, um die Lebensmittelpreise hochzutreiben, dann werden wir ihnen das keineswegs zu danken wissen, Mr. Parker.«

»Meine liebe Madam, sie können die Nahrungsmittelpreise nur durch so außerordentliche Nachfrage und so ungeheure Geldausgaben hochtreiben, daß uns daraus mehr Vorteile als

Nachteile erwachsen. Unsere Fleischer, Bäcker und Geschäftsinhaber können eigentlich nicht reich werden, ohne daß auch wir dabei Einnahmen haben. Wenn *sie* nicht verdienen, sind unsere Mieteinnahmen unsicher, und im Verhältnis zu ihrem Verdienst steigt schließlich auch der Wert unserer Häuser.«

»So! Na schön, aber ich möchte trotzdem nicht, daß der Fleischpreis steigt, und ich werde ihn niedrighalten, solange ich kann. Ja, ja, die junge Dame lächelt, wie ich sehe. Sie hält mich vermutlich für eine etwas sonderbare Person, aber auch sie wird eines Tages anfangen, sich um solche Dinge zu kümmern. Ach ja, mein Kind, verlassen Sie sich darauf, auch Sie werden eines Tages schon noch über den Fleischpreis nachdenken, obwohl Sie vermutlich nicht eine so zahlreiche Dienerschaft zu ernähren haben werden wie ich. Und davon bin ich überzeugt: Wer am wenigsten Personal hat, ist am besten dran. Ich bin keine Frau, der an einem großen Lebensstil etwas liegt, und alle Welt weiß das; und wenn es nicht um das Andenken des armen Mr. Hollis ginge, dem ich soviel verdanke, dann würde ich nicht in solchem Stil in Sanditon House leben. Es geschieht nicht zu meinem eigenen Vergnügen. Also, Mr. Parker, und die andere Familie ist ein Pensionat, ein französisches Pensionat, nicht wahr? Na, das kann nicht schaden. Sie bleiben bestimmt sechs Wochen. Und wer weiß, bei einer solchen Anzahl, vielleicht haben einige die Schwindsucht und müssen Eselsmilch trinken. Wie gut, daß ich augenblickllich zwei Eselinnen habe. Aber womöglich beschädigen die Dämchen das Mobiliar. Hoffentlich haben sie eine gute, strenge Gouvernante, die ihnen auf die Finger sieht.«

Der arme Mr. Parker, auch Lady Denham hatte, was den Zweck seiner Reise nach Willingden betraf, nicht mehr Verständnis für ihn als seine Schwestern. »Du liebe Güte, mein lieber Sir«, rief sie, »wie konnten Sie bloß auf einen solchen Gedanken kommen? Es tut mir außerordentlich leid, daß Sie Ihren Unfall hatten, aber wenn ich ehrlich bin, haben Sie es

nicht besser verdient. Auf der Suche nach einem Arzt! Ich bitte Sie, was sollten wir wohl hier mit einem Arzt anfangen? Da kämen nur unsere Dienerschaft und die Armen auf den Gedanken, krank zu spielen, wenn wir einen Arzt hätten. Nein, wir können niemanden von *dem* Gewerbe in Sanditon brauchen. Uns geht es auch ohne sie bestens. Wir haben das Meer und die Hochfläche und meine Eselinnen, und ich habe Mrs. Whitby gesagt, wenn jemand nach einem Kleiderständer fragen sollte, dann kann er zu einem annehmbaren Preis versorgt werden. Der Ständer im Ankleidezimmer des armen Mr. Hollis ist so gut wie neu. Und was wollen die Leute mehr? Ich bin nun gut 70 Jahre auf der Welt und habe höchstens zweimal Medikamente genommen, und aus eigenem Antrieb und freiwillig bin ich nie einem Arzt unter die Augen getreten. Und ich glaube ernsthaft, wenn mein armer guter Sir Harry das auch nicht getan hätte, lebte er heute noch. Zehn Honorare, eines nach dem anderen, hat der Mann genommen, der ihn aus der Welt hinauskomplimentiert hat. Ich flehe Sie an, Mr. Parker, keine Ärzte hier bei uns.«
Das Teeservice wurde gebracht. »Oh, meine liebe Mrs. Parker, Sie hätten doch nicht ... das wäre doch nicht nötig gewesen. Ich war gerade im Begriff, mich zu verabschieden. Aber da Sie schon so gastfreundlich sind, müssen Miss Clara und ich wohl bleiben.«

Kapitel 7

Die Beliebtheit der Parkers lockte schon am nächsten Vormittag einige Besucher zu ihnen, darunter auch Sir Edward Denham und seine Schwester, die nach einer Visite in Sanditon House gleich weitergefahren waren, um ihnen guten Tag zu sagen; und da Charlotte der Pflicht des Briefschreibens schon nachgekommen war, saß sie rechtzeitig mit Mrs. Parker im Wohnzimmer, um sie alle kennenzulernen. Die Denhams waren die einzigen, die ihr Interesse erregten. Charlotte freute sich, daß sie ihre Kenntnis der Familie durch die Bekanntschaft mit ihnen vervollständigen konnte, und fand sie, zumindest die bessere Hälfte (denn solange sie unverheiratet sind, sind manchmal die Männer die bessere Hälfte eines Paares), ihrer Aufmerksamkeit durchaus nicht unwürdig.

Miss Denham war eine vornehme junge Dame, aber kühl und reserviert, die den Eindruck machte, als sei sie auf ihren gesellschaftlichen Rang stolz, leide unter ihrer Armut und als nage es an ihr, daß sie keinen schöneren Wagen als den einfachen Einspänner besaß, der sie hergebracht hatte und den ihr Stallbursche noch in Sichtweite herumführte. Sir Edward war ihr an Erscheinung und Manieren weit überlegen; nicht nur gutaussehend, sondern auch vollendet in seinen Umgangsformen und in seinem Bedürfnis, sich aufmerksam zu erweisen und Freude zu bereiten. Er kam auf bemerkenswert zwanglose und doch wohlerzogene Art ins Zimmer, sprach viel und dabei am meisten mit Charlotte, neben der er zufällig Platz genommen hatte; und ihr fiel bald auf, daß er ausdrucksvolle Züge, eine angenehme, sanfte Stimme hatte und sich lebhaft zu unterhalten wußte. Er gefiel ihr. Unsentimental, wie sie war, fand sie ihn umgänglich und wehrte sich nicht gegen den Verdacht, daß auch sie ihm gefiel, was daraus hervorging, daß er auf die Anstalten seiner Schwester, sich zu verabschieden, nicht reagierte, sondern Platz behielt und seine Unterhaltung fortsetzte.

Ich bringe keine Entschuldigung für meine Heldin vor. Wenn es auf dieser Welt junge Damen gibt, die in ihrem Alter weniger Einbildungskraft haben und denen weniger daran liegt, Gefallen zu erregen, dann kenne ich sie nicht und will sie auch gar nicht kennenlernen. Schließlich konnten Charlotte und Sir Edward nicht umhin, durch das bis auf den Boden reichende Fenster, durch das man die Straße und alle Wege auf der Anhöhe überblicken konnte, Lady Denham und Miss Brereton wahrzunehmen, die gerade vorbeigingen; und auf der Stelle änderte sich Sir Edwards Gesichtsausdruck. Er sah ihnen gespannt nach, wohin sie gingen, und schlug seiner Schwester nicht nur vor, gleich aufzubrechen, sondern auch, zusammen zur Terrasse weiterzugehen, was Charlottes schöne Träume verscheuchte, sie vom Fieber der letzten halben Stunde heilte und sie auch, als Sir Edward und seine Schwester gegangen waren, besser in die Lage versetzte, nüchtern zu beurteilen, wie umgänglich er denn nun eigentlich gewesen war. ›Vielleicht waren seine Erscheinung und seine Umgangsformen ja wirklich eindrucksvoll, und sein Titel hat ihm auch keinen Abbruch getan.‹

Schon sehr bald befand sie sich wieder in seiner Gesellschaft. Gleich nachdem ihre Vormittagsbesucher das Haus verlassen hatten, verspürten auch die Parkers das Bedürfnis, an die Luft zu gehen; die Terrasse war der allgemeine Anziehungspunkt; wer spazierenging, mußte einfach auf der Terrasse anfangen, und dort, auf den beiden grünen Bänken neben dem Kiesweg, fanden sie alle Denhams beisammen. Aber obwohl sie beisammen waren, waren sie doch entschieden getrennt: die beiden vornehmeren Damen am einen Ende der Bank und Sir Edward und Miss Brereton am anderen.

Ein Blick genügte, um Charlotte erkennen zu lassen, daß Sir Edward die Aura des Liebhabers um sich hatte. An seiner Verehrung für Clara konnte kein Zweifel bestehen. Wie Clara darauf reagierte, war nicht so eindeutig festzustellen, aber offenbar, soweit Charlotte das sehen konnte, nicht sonderlich begeistert, denn obwohl sie abseits von den anderen mit ihm zusammensaß (was sie wahrscheinlich nicht hatte verhindern können), wirkte sie ruhig und ernst. Daß die junge Dame am anderen Ende der Bank Buße leistete, war unübersehbar. Der Unterschied in Miss Denhams Gesichtsausdruck, der Wandel von *der* Miss Denham, die in Mrs. Parkers Wohnzimmer in hoheitsvoller Kälte dagesessen hatte und von den anderen mühsam vom Schweigen abgehalten werden mußte, zu *der* Miss Denham, die an Lady Denhams Seite mit lächelnder Aufmerksamkeit und zuvorkommendem Eifer zuhörte und sprach, war höchst auffällig und höchst amüsant – oder höchst betrüblich, je nachdem, ob man es vom satirischen oder vom moralischen Standpunkt aus betrachtete. Über Miss Denhams Persönlichkeit war sich Charlotte also so ziemlich im klaren.

Für Sir Edward waren längere Beobachtungen nötig. Er überraschte sie dadurch, daß er Clara, als sie sich alle zusammenfanden und übereinkamen, gemeinsam einen Spaziergang zu machen, sofort allein ließ und seine Aufmerksamkeit ausschließlich ihr zuwandte. Er hielt sich dicht an ihrer Seite, und zwar offensichtlich in der Absicht, sie soweit wie möglich von den anderen abzusondern und sich ausschließlich mit ihr zu unterhalten.

Er begann mit gewählten, gefühlsbetonten Formulierungen vom Meer und von der Küste zu sprechen und haspelte dabei mit Nachdruck all die Phrasen ab, die man für ihre Erhabenheit verwendet und die die *unbeschreiblichen* Empfindungen *beschreiben*, die sie im Gemüt eines äußerst empfindsamen Menschen erregen. Die fürchterliche Großartigkeit des Ozeans bei Sturm, seine gläserne Oberfläche bei ruhiger See, seine Möwen und seine Seepflanzen und die unendlichen Abgründe seiner Tiefe, sein plötzlicher Wandel, seine schrecklichen Täuschungen, die Seeleute, die ihn im Sonnenschein herausfordern und von einem unverhofften Sturm überrascht werden – alles das streifte er gewandt und flüssig, vielleicht nicht gerade originell, aber alles klang von den Lippen des gutaussehenden Sir Edward recht überzeugend, und sie mußte ihn wohl oder übel für einen gefühlvollen Menschen halten, bis er sie mit der Zahl seiner Zitate und der Unsinnigkeit einiger seiner Sätze schockierte.

»Erinnern Sie sich«, sagte er, »an Scotts schöne Zeilen vom Meer? Ah, welche Anschaulichkeit! Ich muß immer an sie denken, wenn ich hier entlanggehe. Wer sie ohne innere Bewegung lesen kann, muß das Gemüt eines Meuchelmörders haben. Der Himmel bewahre mich davor, so einem Menschen unbewaffnet zu begegnen!«

»Welche Zeilen meinen Sie?« fragte Charlotte. »Ich erinnere mich im Moment an keine Zeilen über das Meer in Scotts Gedichten.«

»Tatsächlich nicht? Im Moment kann ich mich an den Anfang auch nicht genau erinnern, aber ... seine Charakterisierung der Frau haben Sie doch bestimmt nicht vergessen:

›O Frauen, wenn wir still genießen ...‹

Erlesen! Einfach erlesen! Auch wenn er nichts anderes geschrieben hätte, wäre er unsterblich. Und dann auch seine unübertroffenen, unübertrefflichen Worte über elterliche Zuneigung:

›Denn Sterblichen sind auch Gefühle
Vergönnt, die eher aus dem Himmel kommen ...‹

und so weiter.

Aber da wir gerade über Gedichte sprechen, Miss Heywood, was halten Sie von Burns' Zeilen an seine Mary? Ah, da ist Pathos zum Tollwerden! Wenn es je einen Menschen gab, der *empfand*, dann war es Burns. Montgomerys Gedichte sind von Glut erfüllt, Wordsworths wahrhaft beseelt, Campbells rühren mit ihrer freudigen Hoffnung bis ins Innerste:[3]

›Wie der Besuch von Engeln, selten nur, höchst selten ...‹

Können Sie sich etwas Beruhigenderes, Schmelzenderes, von Erhabenheit Durchtränkteres als diese Zeilen vorstellen? Aber Burns – ich gestehe, daß ich ihn für den Hervorragendsten halte, Miss Heywood. *Wenn* Scott einen Fehler hat, dann ist es sein Mangel an Leidenschaft, elegant, anschaulich,

3 Ein interessanter Einblick in Jane Austens Kenntnis der Dichtung um 1800: Robert Burns (1759–96), schottischer Dichter, der vor allem für seine Sammlung von »Scottish Airs«, darunter »Auld Lang Syne«, bekannt ist; James Montgomery (1771–1854), englischer Dichter, der sich auch als Sozialreformer und Gegner des Sklavenhandels einen Namen machte; William Wordsworth (1770–1850), Englands größter romantischer Dichter; Thomas Campbell (1777–1844), schottischer Dichter, der patriotische Gesänge über die Napoleonischen Kriege schrieb.

aber *zahm*. Ein Mann, der den Wesenszügen der Frau nicht Gerechtigkeit widerfahren läßt, ist meiner Verachtung gewiß. Manchmal allerdings scheint bei ihm ein Strahl von Empfindung aufzuleuchten, wie in den Zeilen, von denen wir sprachen:

›O Frauen, wenn wir still genießen . . .‹

Aber Burns ist immer voller Glut. Seine Seele ist ein Altar, auf dem dem Urbild der Weiblichkeit göttliche Dankopfer dargebracht werden, und sein Geist haucht den unsterblichen Weihrauch aus, mit dem er sie feiert.«

»Ich habe ein paar Gedichte von Burns mit großem Vergnügen gelesen«, meinte Charlotte, sobald sie Gelegenheit hatte, etwas zu sagen, »aber mir fehlt der poetische Sinn, um die Dichtung eines Mannes völlig von seinem Charakter zu trennen; und die bekannten Ausschweifungen des armen Burns mindern mein Lesevergnügen bei diesen Zeilen doch erheblich. Es fällt mir schwer, seine Gefühle als Liebhaber für *echt* zu halten. Ich nehme einem Mann wie ihm die *Ehrlichkeit* seiner Empfindungen einfach nicht ab. Er fühlte, schrieb und vergaß.«

»Oh, nein, nein«, rief Sir Edward hingerissen. »Er war ganz Leidenschaft und Wahrheit! Vielleicht haben sein Genie und seine Empfänglichkeit ihn zu einigen Verirrungen verleitet. Aber wer ist vollkommen? Es wäre hypertrophe Kritik, es wäre Pseudophilosophie, von der Seele eines so exaltierten Genies zu verlangen, daß sie am Boden haftet wie der Geist gewöhnlicher Sterblicher. Was sich aus der vor Leidenschaften übersprudelnden Herzenstiefe eines Mannes an kreativen Einfällen emporringt, läßt sich wohl kaum mit den prosaischen Maßstäben des Dekorums messen; und weder Sie, reizendste Miss Heywood (er sprach mit einem Anflug tiefer Empfindung), noch irgendeine Frau können sich zur gerechten Richterin über die unkontrollierbaren Impulse aufschwingen, zu denen sich ein Mann redend, schreibend

oder handelnd in seiner unbezähmbaren Inbrunst hinreißen läßt.«
All das war gut und schön, aber wenn Charlotte es richtig verstand, durchaus nicht sehr moralisch; und da sie ohnehin von seiner etwas sonderbaren Art, Komplimente zu machen, nicht angetan war, antwortete sie lediglich in ernstem Ton: »Von solchen Dingen verstehe ich nichts. Was für ein schöner Tag! Der Wind kommt offenbar von Süden.«
»Glücklicher, glücklicher Wind, der Miss Heywoods Gedanken erfüllt!«
Er fing allmählich an ihr einfach albern vorzukommen; und auch, warum er ihr Gesellschaft leistete, hatte sie nun begriffen. Er wollte nur Miss Brereton ärgern. Sie hatte es den unruhigen Blicken entnommen, die er ihr hin und wieder zuwarf. Aber warum er deshalb soviel Unsinn redete, war ihr nicht klar – es sei denn, er konnte einfach nicht anders. Er war anscheinend ausgesprochen sentimental, ein Opfer irgendwelcher Gefühle und begeisterter Anhänger des jeweils neuesten Jargons. Sein Verstand war wohl nicht der klarste, und er redete offenbar einfach um des Redens willen. Vielleicht würde sie ihn in Zukunft einmal besser verstehen, aber als jemand den Vorschlag machte, in die Leihbücherei zu gehen, fand sie, sie hatte nun genug von Sir Edward für den Vormittag, und nahm mit Freuden Lady Denhams Einladung an, bei ihr auf der Terrasse zu bleiben.
Alle anderen verließen sie jetzt, Sir Edward, indem er sich in höchst schmeichelhafter Verzweiflung förmlich von ihr losriß; und so blieben sie in vollkommener Harmonie zu zweit zurück, wobei Lady Denham redete – ausschließlich von ihren eigenen Angelegenheiten redete, wie es sich für eine wirklich große Dame gehörte, und Charlotte, amüsiert über den Unterschied zwischen ihren beiden Gefährten, zuhörte. Natürlich gab es in Lady Denhams Unterhaltung keine empfindsamen Ausbrüche von zweifelhaftem Wert und keine schwer verständlichen Ausdrücke. Sie hakte sie mit der

Zwanglosigkeit eines Menschen unter, der weiß, daß jede Aufmerksamkeit von ihm eine Ehre ist, und wurde entweder aus diesem Gefühl ihrer Wichtigkeit oder aus natürlicher Redelust mitteilsam. Im Ton höchster Zufriedenheit und mit einem Blick voller Verschmitztheit begann sie:
»Miss Esther möchte, daß ich sie und ihren Bruder wie im vorigen Sommer einlade, eine Woche bei mir in Sanditon House zu verbringen, aber das werde ich nicht tun. Sie hat auf alle mögliche Weise versucht, mich herumzukriegen, und dies bewundert und das bewundert, aber ich habe gleich gemerkt, worauf sie hinauswollte. Ich habe alles gleich durchschaut. Ich lasse mich nicht so leicht hereinlegen, mein Kind.«
Charlotte fiel keine harmlosere Antwort ein als die einfache Frage: »Sir Edward und Miss Denham?«
»Ja, mein Kind, *meine jungen Leute*, wie ich sie gern nenne, denn ich kümmere mich sehr um sie. Letzten Sommer um diese Zeit haben sie eine Woche bei mir verbracht, von Montag bis Montag, und waren ganz entzückt und überaus dankbar. Es sind sehr nette junge Leute, mein Kind. Ich möchte nicht, daß Sie womöglich denken, ich halte den Umgang mit ihnen *nur* um des armen, lieben Sir Harrys willen aufrecht. Nein, nein, sie verdienen es durchaus, sonst wären sie nicht so viel in *meiner* Gesellschaft. Ich bin nicht jemand, der anderen mit Scheuklappen vor den Augen hilft. Ich achte immer darauf, daß ich weiß, was ich tue und mit wem ich es zu tun habe, bevor ich einen Finger rühre. Ich glaube nicht, daß ich mich im Leben je habe übervorteilen lassen, und das will bei einer Frau, die zweimal verheiratet war, allerlei heißen. Der arme, gute Sir Harry dachte (unter uns gesagt) zuerst, er hätte den längeren gezogen. Aber (mit einem leisen Seufzer) nun ist er dahin, und man soll über die Toten nichts Schlechtes sagen. Niemand hätte glücklicher miteinander sein können als wir; und er war ein höchst ehrenwerter Mann, ganz Gentleman aus alter Familie. Und als er starb, hat er Sir Edward seine goldene Uhr gegeben.«

Sie bemerkte das mit einem Blick auf ihre Begleiterin, der besagte, daß sie ihre Zuhörerin zu beeindrucken erwartete. Da sich aber auf Charlottes Zügen kein begeistertes Erstaunen malte, fügte sie schnell hinzu: »Er hat sie seinem Neffen nicht *vermacht*, mein Kind. Sie ist nicht Teil des Erbes. Es stand nicht in seinem Testament. Er hat mir lediglich gesagt, und auch das nur ein einziges Mal, er wolle gerne, daß sein Neffe seine Uhr kriegt. Aber es wäre rechtlich durchaus nicht bindend gewesen, es hing ganz allein von mir ab.«

»Wie liebenswürdig von Ihnen, wie überaus liebenswürdig!« sagte Charlotte, die nun nicht mehr umhin konnte, Bewunderung zu zeigen.

»Ja, mein Kind, und es ist nicht einmal das einzige, was ich für ihn getan habe. Ich bin Sir Edward eine ausgesprochen freigebige Freundin gewesen. Der arme Mann, er kann es auch wirklich gebrauchen, denn trotzdem ich nur die *Witwe* bin und er der *Erbe* ist, steht es nicht so zwischen uns, wie es zwischen beiden üblich ist. Ich erhalte nicht einen Shilling aus dem Denhamschen Besitz. Sir Edward braucht keine Zahlungen an *mich* zu leisten. Er ist nicht besser dran wie ich, das können Sie mir glauben. *Ich* helfe *ihm*.«

»Wirklich! Er ist ein sehr kultivierter junger Mann mit höchst gepflegten Umgangsformen.« Charlotte sagte dies vor allem, um überhaupt etwas zu sagen, aber an Lady Denhams taxierendem Blick und ihrer Antwort merkte sie, daß sie sich einem bestimmten Verdacht ausgesetzt hatte.

»Schon recht, schon recht, er kann sich sehen lassen, und man muß hoffen, daß eine Dame mit ansehnlichem Vermögen das *auch* findet, denn Sir Edward *muß* Geld heiraten. Er und ich besprechen das Thema oft. Ein gutaussehender junger Mann wie er kann ruhig herumscharwenzeln und lächeln und den Mädchen den Hof machen, aber er weiß genau, daß er Geld heiraten *muß*. Und im allgemeinen ist Sir Edward ein einsichtiger junger Mann mit gesunden Grundsätzen.«

»Bei seinen persönlichen Vorzügen«, sagte Charlotte, »kann es für Sir Edward doch nicht schwer sein, eine vermögende

Frau zu heiraten, wenn er darauf aus ist.« Diese noble Hoffnung beseitigte den Verdacht anscheinend völlig.
»Ja, mein Kind, das haben Sie gut gesagt«, rief Lady Denham. »Wenn wir nur eine junge Erbin nach Sanditon kriegen könnten! Aber Erbinnen sind so furchtbar rar! Ich glaube nicht, daß wir je eine Erbin hier gehabt haben – oder auch nur eine einigermaßen reiche Frau, solange Sanditon Kurort ist. Eine Familie nach der andern kommt, aber soweit ich erfahren kann, ist unter hundert nicht eine, die wirklich vermögend ist, entweder an Grundbesitz oder an Barvermögen. Ein Einkommen vielleicht, aber kein Vermögen. Hin und wieder ein Geistlicher oder ein Rechtsanwalt aus London oder ein Offizier mit halber Löhnung oder eine Witwe mit einem kleinen Erbe. Aber was sollen all diese Leute schon nützen? Außer vielleicht, daß sie unsere leeren Häuser mieten, und (unter uns gesagt) ich halte sie für ausgemachte Narren, daß sie nicht zu Hause bleiben. Wenn aber eine junge Erbin um ihrer Gesundheit willen hergeschickt würde (und wenn sie Eselsmilch verschrieben kriegte, könnte ich sie versorgen) und sich, sobald es ihr besser geht, in Sir Edward verliebte!«
»Das wäre wirklich ein richtiger Glücksfall!«
»Und Miss Denham muß auch jemand mit Vermögen heiraten. Sie muß einen reichen Mann bekommen. Ach ja, junge Damen, die kein Geld haben, sind wirklich bemitleidenswert! Aber« – nach einer kurzen Pause – »wenn Miss Esther glaubt, mich überreden zu können, sie nach Sanditon einzuladen, dann hat sie sich geirrt. Seit letztem Sommer hat sich schließlich allerlei geändert. Miss Clara wohnt jetzt bei mir, und das ist ein großer Unterschied.«
Sie sagte das in so ernstem Ton, daß Charlotte sofort merkte, wie sorgfältig sie darüber nachgedacht hatte, und sie erwartete daher einen ausführlichen Bericht, aber es folgte nichts als: »Ich habe keine Lust, mein Haus vollzustopfen wie ein Hotel. Ich denke nicht daran, zwei Zimmermädchen den ganzen Vormittag damit zu beschäftigen, in den Schlafzim-

mern Staub zu wischen. Sie müssen außer meinem sowieso schon jeden Tag Miss Claras in Ordnung bringen. Wenn sie noch mehr beansprucht werden, wollen sie mehr Lohn.«
Auf Einwände dieser Art war Charlotte nicht gefaßt; es fiel ihr daher so schwer, Mitgefühl auch nur vorzutäuschen, daß sie lieber schwieg. Lady Denham fügte gleich darauf in bester Laune hinzu: »Und außerdem, mein Kind, soll ich mir das Haus zum Nachteil von Sanditon vollstopfen? Wenn es die Leute hierher zieht, warum mieten sie sich dann nicht etwas? Es gibt hier genug leere Häuser, drei allein auf dieser Terrasse. Nicht weniger als drei Vermietschilder starren uns allein in diesem Augenblick ins Gesicht. Nr. 3, 4 und 8. Das Eckhaus ist vielleicht zu groß für sie, aber die beiden anderen sind hübsche kleine Häuser, wie geschaffen für einen jungen Gentleman und seine Schwester. Und deshalb, mein Kind, werde ich Miss Esther das nächste Mal, wenn sie wieder von der Feuchtigkeit von Denham Park und den guten Wirkungen des Badens anfängt, einfach den Rat geben, herzukommen und vierzehn Tage eines dieser Häuser zu mieten. Finden Sie nicht, daß das angebracht wäre? Jeder ist sich schließlich selbst der Nächste.«
Charlottes Gefühle schwankten zwischen Amüsement und Empörung, aber die Empörung überwog und nahm zu. Sie wahrte allerdings Haltung und höfliches Schweigen. Zu mehr konnte sie sich nicht durchringen. Aber da sie sich keine Mühe mehr gab, zuzuhören, und nur wahrnahm, daß Lady Denham immer auf die gleiche Weise weiterredete, konnte sie ihren Gedanken nachhängen, die etwa auf folgende Überlegung hinausliefen:
»Sie ist ausgesprochen schäbig. Ich hatte nicht erwartet, daß es so schlimm ist. Mr. Parker hat zu nett von ihr gesprochen. Man kann sich anscheinend nicht auf sein Urteil verlassen. Seine eigene Gutmütigkeit führt ihn in die Irre. Er ist zu herzensgut, um klarzusehen. Ich muß mir mein eigenes Urteil bilden. Und außerdem blendet ihn ihre enge geschäftliche Beziehung. Er hat sie dazu überredet, mit ihm gemeinsam

Geschäfte zu machen, und weil ihr Interesse dabei das gleiche ist, bildet er sich ein, daß sie auch sonst so ähnlich ist wie er. Aber sie ist richtig gemein. Ich kann nichts Gutes an ihr finden. Die arme Miss Brereton! Und sie steckt alle um sich herum mit ihrer Schäbigkeit an. Der arme Sir Edward! Und seine Schwester! Wie weit sie von Natur ehrenwerte Leute sind, weiß ich nicht, aber sie sind gezwungen, sich aus Unterwürfigkeit ihr gegenüber auch schäbig zu benehmen. Und ich bin auch schäbig, denn ich erwecke durch meine Aufmerksamkeit den Eindruck, als sei ich ihrer Meinung. So ist es, wenn reiche Leute geizig sind.«

Kapitel 8

Die beiden Damen gingen spazieren, bis sich die anderen, denen beim Verlassen der Leihbücherei ein junger Whitby folgte, der mit fünf Büchern unterm Arm auf Sir Edwards Einspänner zurannte, wieder zu ihnen gesellten. Sir Edward näherte sich sogleich Charlotte und sagte:
»Es wird Ihnen nicht entgangen sein, womit wir uns beschäftigt haben. Meine Schwester brauchte Rat beim Aussuchen einiger Bücher. Wir haben viel Freizeit und lesen sehr gerne. Ich bin allerdings kein wahlloser Leser von Romanen. Den üblichen Schund der durchschnittlichen Leihbücherei verachte ich tief. Ich mache mir gar nichts aus den infantilen Produktionen, in denen mediokre Geister ihre widersprüchlichen und infantilen Platitüden oder ihre irrelevanten Abgeschmacktheiten und Banalitäten vortragen, deren edukativer Wert insignifikant ist. Umsonst extrahieren wir sie in einem literarischen Destillierkolben; es läßt sich nichts daraus destillieren, was die Humanwissenschaften fördert. Sie folgen mir?«
»Ich weiß nicht recht. Wenn Sie die Art von Roman genauer beschreiben, die Sie billigen, dann bekomme ich sicher eine klarere Vorstellung.«

»Von Herzen gern, schöne Fragestellerin! Die Romane, die ich billige, amalgamieren Lebenstreue und menschliche Größe und analysieren die sublimsten Empfindungen; sie thematisieren die Progression einer unwiderstehlichen Leidenschaft vom Keim der ersten Attraktion bis zu den Wahnsinnsausbrüchen eines derangierten Geistes. Da begreift man, welch verheerendes Feuer der Funke weiblicher Bezauberung in der Seele des Mannes entfacht, so daß er auch unter Verletzung primitiver Moralgebote alles unternimmt, alles wagt, alles versucht, die Frau zu besitzen. Das sind die Werke, in die ich mich mit Hingabe und – wie ich wohl sagen darf – mit Gefühlen der Erhebung versenke. Da bewundere ich den hohen Gedankenflug, die Tiefe der Einsicht, die Darstellung unbezähmbarer Passionen und die Unwiderruflichkeit der Entscheidungen; und selbst wenn die Handlung sich zu ungunsten der hochfliegenden Pläne des Protagonisten, des vitalen, konsequenten Helden der Geschichte entwickelt, gewinnt er doch unsere Bewunderung und unser Verständnis. Wir sind fasziniert. Ernsthaft zu behaupten, daß die quietistischen und morbiden Tugenden seines *Widersachers* die Leser mehr fesseln als seine himmelstürmende Leidenschaft, wäre reine Pseudophilosophie. *Ihm* werfen wir nur ein paar Almosen hin. Das sind die Romane, die die elementare Empfindungskraft des Herzens stärken und dem Urteilsvermögen des reifen, sich seiner maskulinen Würde bewußten Mannes keinen Abbruch tun und seine charakterliche Stabilität nicht ins Wanken bringen.«

»Wenn ich Sie richtig verstehe«, sagte Charlotte, »unterscheidet sich unser literarischer Geschmack erheblich.«

Und hier waren sie gezwungen, sich zu trennen, da Miss Denham von soviel Gesellschaft zu erschöpft war, um länger zu bleiben. In Wirklichkeit hatte Sir Edward, den seine Lebensumstände die meiste Zeit an einen Ort fesselten, mehr sentimentale Romane gelesen, als ihm guttat. Schon früh hatten die leidenschaftlichen und anfechtbarsten Szenen Richardsons seine Fantasie erregt, und seitdem nahm die

Beschäftigung mit den Autoren, die *darin* in Richardsons Fußstapfen wandelten, daß ihre Helden unbeirrbar einer Frau nachstellten, ohne sich dabei um deren Abneigung gegen sie oder um die gesellschaftlichen Konventionen zu kümmern, den größeren Teil seiner Lektüre ein und hatte seine Persönlichkeit geprägt. Nach Sir Edwards verkehrtem Urteil, das seinen von Natur nicht gerade überwältigenden Geistesgaben zugeschrieben werden muß, wogen Charme, Begeisterung, Gerissenheit und Ausdauer des Schurken eines Romans schwerer als all sein lächerliches und grausames Verhalten. Für ihn verriet dieses Benehmen Genie, Feuer und Gefühl. Er interessierte und begeisterte sich dafür; er wünschte immer nur ihm Erfolg und trauerte über seine Rückschläge leidenschaftlicher, als je in der Absicht des Autors gelegen haben konnte. Obwohl er viele seiner Vorstellungen solcher Lektüre verdankte, wäre es ungerecht zu behaupten, daß er nichts anderes las oder daß seine Sprache nicht auf einer breiteren Kenntnis moderner Literatur beruhte. Er las alle neu erscheinenden Essays, Briefsammlungen, Reisebeschreibungen und kritischen Schriften, aber mit dem gleichen Mißgeschick, mit dem er nichts als falsche Lehren aus moralisch gemeinten Romanen und Aufforderungen zum Laster aus Erzählungen zu seiner Bekämpfung zog, lernte er aus dem Stil unserer angesehensten Schriftsteller nur hochtrabende Wörter und einen komplizierten Satzbau.
Sir Edwards großes Ziel im Leben war es, verführerisch zu wirken. Bei den persönlichen Vorzügen, die zu besitzen er sich bewußt war, und den Talenten, die er sich ebenfalls zuschrieb, hielt er das geradezu für seine Pflicht. Er bildete sich ein, zum diabolischen Helden, zum würdigen Nachfahren Lovelace[4] wie geschaffen zu sein. Schon der Name »Sir Edward«, fand er, klang faszinierend. Ständige Galanterien und beharrliche Aufmerksamkeit dem schönen Geschlecht

4 Robert Lovelace, der moralisch verworfene Aristokrat in Samuel Richardsons *Clarissa*, der Clarissa Harlowe entführt und schändet, woran sie zugrunde geht. Er wird später im Duell getötet.

gegenüber, großartige Reden an jedes hübsche Mädchen waren nur die geringste der Verpflichtungen, die ihm die Rolle auferlegte, die er zu spielen hatte. Nach seinen Vorstellungen vom gesellschaftlichen Leben, war es sein gutes Recht, Miss Heywood oder jede andere junge Frau mit einem gewissen Anspruch auf Schönheit schon nach flüchtiger Bekanntschaft mit Schmeicheleien und Schwärmereien zu unterhalten. Aber nur bei Clara hatte er ernste Absichten; nur Clara beabsichtigte er wirklich zu verführen. Zu ihrer Verführung war er entschlossen. Ihre Situation forderte dazu in jeder Hinsicht geradezu heraus. Sie war seine Rivalin in Lady Denhams Gunst, sie war jung, reizend und abhängig. Er hatte schon früh die Unwiderstehlichkeit des Falles begriffen und versuchte schon seit langem vorsichtig, aber beharrlich, ihr Herz zu beeindrucken und ihre Grundsätze zu untergraben. Clara durchschaute ihn und hatte nicht die mindeste Absicht, sich verführen zu lassen, aber sie ertrug ihn so geduldig, daß sie damit die Anhänglichkeit, die ihre äußeren Vorzüge bei ihm erregt hatten, eher verstärkte. Aber auch eine entschiedenere Entmutigung hätte Sir Edward nicht erschüttern können. Er war auch gegen die stärkste Verachtung oder Kälte gewappnet. Wenn er sie nicht durch Zuneigung gewinnen konnte, mußte er sie eben mit Gewalt entführen. Er wußte, was er zu tun hatte. Er hatte über die Sache in Ruhe nachgedacht. Falls er zu solchem Handeln gezwungen werden sollte, ging sein Wunsch natürlich dahin, sich etwas völlig Neues einfallen zu lassen, um seine Vorgänger zu übertreffen; und er spürte eine unwiderstehliche Neugier zu erfahren, ob es in der Nähe von Timbuktu nicht vielleicht ein einsames Haus gab, das für den Empfang Claras geeignet war. Aber leider gestattete ihm seine Börse nicht, Maßnahmen in so grandiosem Stil zu treffen. Die realistische Einschätzung seiner Lage zwang ihn, statt einer spektakulären Art, seine Angebetete zu ruinieren und entehren, doch lieber auf eine unauffälligere zu sinnen.

Kapitel 9

Eines Tages, bald nach ihrer Ankunft in Sanditon, sah Charlotte beim Aufstieg vom Strand zur Terrasse zu ihrer Freude vor dem Eingang des Hotels eine elegante Kutsche mit Postpferden stehen, die gerade erst angekommen war und, nach der Menge des abgeladenen Gepäcks zu urteilen, eine respektable Familie hoffentlich zu einem ausgedehnten Aufenthalt herbrachte. Begeistert von dem Gedanken, Mr. und Mrs. Parker, die schon einige Zeit vorher nach Hause gegangen waren, so gute Nachrichten übermitteln zu können, eilte sie mit dem Rest von Energie, den sie nach einem zweistündigen Spaziergang bei kräftigem Seewind noch aufbringen konnte, zurück nach Trafalgar House. Aber sie hatte die kleine Rasenfläche noch nicht erreicht, da sah sie eine Dame in geringem Abstand mit schnellen Schritten hinter ihr hereilen. In der Überzeugung, daß es sich nicht um eine Bekannte handelte, hielt sie es für das beste weiterzugehen und, wenn möglich, vor ihr das Haus zu erreichen. Aber das schnelle Tempo der Fremden ließ das nicht zu. Während Charlotte noch an der Tür stand und nach dem Klingeln auf das Öffnen wartete, hatte die andere Dame schon den Rasen überquert; und als der Diener erschien, waren beide zugleich bereit, einzutreten. Die Zwanglosigkeit, mit der die Dame ihr »Wie geht es, Morgan?« sagte und Morgans Blick, als er sie sah, riefen einen Augenblick Verwunderung bei Charlotte hervor. Aber gleich darauf erschien Mr. Parker in der Halle, um seine Schwester willkommen zu heißen, die er vom Wohnzimmerfenster aus gesehen hatte, und dann wurde auch sie mit Miss Diana Parker bekannt gemacht. Die Überraschung, aber mehr noch das Vergnügen, sie zu sehen, war allgemein.

Ihre Begrüßung durch Bruder und Schwägerin war außerordentlich freundlich. Wie sie hergekommen sei? Und mit wem? Sie freuten sich so, daß sie sich der Reise gewachsen gefühlt habe. Und sie müsse selbstverständlich bei ihnen wohnen.

Miss Diana Parker war ungefähr 34, mittelgroß und schlank; sie sah eher zart als krank aus, hatte angenehme Züge und sehr lebhafte Augen. In seiner Zwanglosigkeit und Offenheit erinnerte ihr Benehmen an das ihres Bruders, obwohl ihre Stimme mehr Entschiedenheit und weniger Wärme hatte. Sie fing ohne weitere Umstände an, ihre Geschichte zu erzählen:

Für die Einladung danke sie, aber das sei völlig ausgeschlossen, denn sie seien zu dritt gekommen und hätten vor, sich etwas zu mieten und ein Weilchen zu bleiben.

Zu dritt gekommen! Was, Susan und Arthur auch! Auch Susan habe es sich zugetraut! Es werde ja immer schöner!

»Ja, wir sind wirklich alle gekommen. Anders ging es gar nicht. Etwas anderes kam nicht in Frage. Ihr werdet alles hören. Aber meine liebe Mary, laß die Kinder holen, ich möchte sie so gerne sehen.«

»Und wie hat Susan die Reise überstanden? Und wie geht es Arthur? Und warum ist er nicht auch hergekommen?«

»Susan hat die Reise großartig überstanden. Sie hat weder in der Nacht vor unserer Abreise noch letzte Nacht in Chichester ein Auge zugetan; und da sie daran nicht so gewöhnt ist wie ich, habe ich ihretwegen regelrechte Ängste ausgestanden, aber sie hat sich großartig gehalten, keine schwereren nervösen Anfälle gehabt, bevor das arme, alte Sanditon in Sicht war. Und auch dann war der Anfall nicht weiter schlimm, fast vorüber, als wir beim Hotel eintrafen, so daß wir sie ohne jede Schwierigkeit und nur mit Mr. Woodcocks Hilfe aus der Kutsche bekommen haben; und als ich sie verließ, überwachte sie die Verteilung des Gepäcks und half dem alten Sam, die Koffer aufzumachen. Sie läßt euch herzlich grüßen und bedauerte von Herzen, daß es ihr nicht gut genug ging, um gleich mitzukommen. Und der arme Arthur – er war gar nicht abgeneigt, aber der Wind war so stark, daß er es meiner Meinung nach nicht wagen durfte, denn ich bin sicher, daß er jeden Augenblick einen Hexenschuß bekommt, und deshalb habe ich ihn in seinen Wintermantel gesteckt und ihn zur Terrasse geschickt, damit er ein Quartier für uns sucht. Miss Heywood muß unsere Kutsche vor dem Hotel gesehen haben. Ich habe Miss Heywood sofort erkannt, als sie vor mir nach Trafalgar House ging. Mein lieber Tom, ich bin so froh, daß du so gut gehen kannst. Laß mich deinen Knöchel fühlen. Ja, sehr gut und gar nicht geschwollen. Die Beweglichkeit deiner Sehnen hat kaum darunter gelitten, gar nicht der Rede wert. Also, und nun zu den Gründen meines Hierseins. Ich habe dir in meinem Brief von den beiden großen Familien geschrieben, die ich für dich gewinnen wollte, die Westinder und das Pensionat.«

An dieser Stelle rückte Mr. Parker seinen Stuhl näher an seine Schwester heran, drückte ihr noch einmal herzlich die Hand und sagte: »Ah, wie tüchtig und freundlich du gewesen bist!«

»Die Westinder also«, fuhr sie fort, »die ich als die Erwünschteren betrachte, als das Feinste vom Feinen, haben sich als eine Mrs. Griffith und ihre Familie herausgestellt. Ich kenne sie nur durch andere. Ich habe doch sicher Miss Capper gelegentlich schon erwähnt, die enge Freundin meiner besonders engen Freundin Noyce. . . also, Miss Capper ist eng befreundet mit einer Mrs. Darling, die regelmäßig mit Mrs. Griffith selbst korrespondiert. Eine *kurze* Kette also zwischen uns, wie du siehst, und es fehlt kein Glied. Mrs. Griffith wollte Urlaub an der See machen und hatte sich um der Gesundheit ihrer jungen Leute willen für die Küste von Sussex entschieden, war aber noch unentschlossen, wohin, wollte irgend etwas nicht so Überlaufenes und bat ihre Freundin Mrs. Darling brieflich um Rat. Miss Capper war zufällig gerade bei Mrs. Darling, als Mrs. Griffiths Brief eintraf und wurde in das Problem eingeweiht. *Sie* schrieb noch am selben Tag an Fanny Noyce und erwähnte es, und Fanny ließ es *mich* wissen – ohne dabei allerdings Namen zu nennen, *die* sind erst vor kurzem durchgesickert. Also, da gab es für mich nur eines: Fannys Brief postwendend zu beantworten und sie inständig um eine Empfehlung von Sanditon zu bitten. Fanny hatte gefürchtet, ihr hättet kein Haus für eine so große Familie. Aber ich spinne meine Geschichte endlos aus. Also, du siehst, wie alles zustande gekommen ist. Ich hatte bald darauf die Freude, über dieselben Kettenglieder zu hören, daß Sanditon tatsächlich von Mrs. Darling empfohlen worden war und die Westinder ernsthaft mit dem Gedanken spielten, herzukommen. Das war also der Stand der Dinge, als ich dir schrieb, aber vor zwei Tagen . . . ja, vorgestern . . . hörte ich wieder von Fanny Noyce, und zwar hatte *sie* von Miss Capper gehört, die einem Brief von Mrs. Darling entnommen hatte, daß Mrs. Griffith sich in einem Brief an Mrs. Darling sehr viel zurückhaltender über das Thema Sanditon ausgesprochen habe. Habe ich mich klar ausgedrückt? Es wäre mir schrecklich, wenn ich mich unklar ausgedrückt hätte.«

»Oh, völlig klar, völlig klar! Und nun?«

»Also, der Grund ihres Zögerns war, daß sie keinerlei Bekannte hier hat und sich nicht vergewissern kann, ob sie gleich bei ihrer Ankunft gut untergebracht wird. In all diesen Fragen war sie mehr einer gewissen Miss Lambe wegen, einer jungen Dame in ihrer Obhut (wahrscheinlich ihre Nichte), als ihrer eigenen Töchter wegen so ängstlich und gewissenhaft. Miss Lambe hat ein ungeheures Vermögen, sie ist reicher als alle anderen und von höchst anfälliger Gesundheit. Also, aus all dem bekommt man einen deutlichen Eindruck, was für eine Frau Mrs. Griffith sein muß – so hilflos und träge, wie man es von Reichtum und einem heißen Klima leicht wird. Aber wir werden ja nicht alle mit der gleichen Energie geboren. Was war zu tun? Eine Zeitlang war ich unentschlossen, ob ich ihnen vorschlagen sollte, an dich oder an Mrs. Whitby zu schreiben, um ihnen ein Haus zu besorgen. Aber beides gefiel mir nicht. Ich hasse es, anderen zur Last zu fallen, wenn ich etwas selbst in Angriff nehmen kann, und mein Gewissen sagte mir, daß ich bei dieser Gelegenheit selbst in Aktion treten mußte. Hier war eine Familie von hilflosen Invaliden, der ich behilflich sein konnte. Ich fühlte bei Susan vor; auch sie war schon auf den Gedanken gekommen. Arthur machte keine Schwierigkeiten, unser Plan wurde sofort in die Tat umgesetzt, gestern morgen um sechs brachen wir auf, verließen Chichester heute morgen um dieselbe Zeit – und hier sind wir nun also.«

»Ausgezeichnet, ausgezeichnet!« rief Mr. Parker. »Diana, du bist unübertroffen, wenn es darum geht, deinen Freunden behilflich zu sein und aller Welt Gutes zu tun. Ich kenne niemanden wie dich. Mary, meine Liebe, ist sie nicht wunderbar? Und nun, welches Haus hast du vor, für sie zu mieten? Wie groß ist ihre Familie?«

»Ich weiß nicht, ich habe keine Ahnung, habe nie Genaueres gehört, aber ich bin ganz sicher, daß das größte Haus in Sanditon nicht groß genug sein kann. Sie brauchen vermutlich noch ein zweites dazu. Aber ich nehme zunächst nur eines, und auch das nur für eine Woche. Miss Heywood, ich erstaune Sie. Sie wissen nicht, wie Sie mich einschätzen sollen. Ich sehe es Ihren Blicken an, daß Sie an so schnelle Entscheidungen nicht gewöhnt sind.«

Die Wörter »unverständliche Zudringlichkeit« und »wahnsinnig gewordene Unternehmungslust« waren Charlotte gerade durch den Kopf gegangen, aber es fiel ihr nicht schwer, eine höfliche Antwort zu finden. »Wahrscheinlich sehe ich wirklich überrascht aus«, sagte sie, »aber all diese riesigen Anstrengungen! Und ich weiß doch, was für Invaliden Sie und Ihre Schwester sind.«

»Invaliden! Ja, wahrhaftig, es gibt in ganz England niemanden, der größeres Anrecht auf diese Bezeichnung hätte! Aber meine liebe Miss Heywood, wir sind in diese Welt geschickt, um uns so nützlich wie möglich zu machen, und solange noch ein bißchen seelische Kraft vorhanden ist, darf ein schwacher Körper uns nicht als Entschuldigung dienen – oder uns dazu in Versuchung führen. Die Welt besteht im großen und ganzen aus seelisch Starken und seelisch Schwachen, aus denen, die handlungsfähig, und denen, die nicht handlungsfähig sind, und es ist die heilige Pflicht der Fähigen, keine Gelegenheit zu verpassen, sich nützlich zu erweisen. Meine Krankheiten und die meiner Schwester sind glücklicherweise meist nicht so, daß sie unsere Existenz *unmittelbar* bedrohen, und solange wir uns zum Nutzen anderer anstrengen *können*, geht es dem Körper wegen der Stärkung, die der Geist aus dem Bewußtsein seiner getanen Pflicht zieht, nur besser. Solange ich in dieser Überzeugung gereist bin, habe ich mich vollkommen gesund gefühlt.«

Der Eintritt der Kinder beendete dieses Loblied auf ihr eigenes Befinden, und als sie mit allen gesprochen und alle gestreichelt hatte, wollte sie aufbrechen. »Kannst du nicht zum Dinner bleiben?« hieß es allgemein; und als das entschieden verneint wurde, wurde gefragt: »Und wann sehen wir dich wieder? Und wie können wir dir nützlich sein?«, wobei Mr. Parker sich nachdrücklich anbot, ihr beim Mieten des Hauses für Mrs. Griffith zu helfen.

»Ich komme unmittelbar nach dem Dinner zu euch«, sagte er, »dann kümmern wir uns zusammen darum.« Aber das wurde auf der Stelle abgelehnt.

»Nein, mein lieber Tom, nicht um alles in der Welt sollst du in meinen Angelegenheiten auch nur einen einzigen Schritt vors Haus setzen. Dein Knöchel braucht Ruhe. Ich sehe an der Stellung deines Fußes, daß du ihn schon zu stark belastet hast. Nein, ich begebe mich auf der Stelle selbst auf Haussuche. Unser Dinner ist erst für sechs bestellt, und bis dahin hoffe ich alles erledigt zu haben. Es ist erst halb fünf. Und ob ihr mich heute noch wiederseht, kann ich nicht sagen. Die anderen werden den ganzen Abend im Hotel bleiben und euch jederzeit mit dem größten Vergnügen willkommen heißen. Sobald ich wieder im Hotel bin, werde ich hören, was Arthur wegen unseres eigenen Quartiers unternommen hat, und wahrscheinlich werde ich dann gleich nach dem Dinner in *der* Sache wieder unterwegs sein, denn wir hoffen, heute noch eine Unterkunft zu finden und morgen nach dem Frühstück umgezogen zu sein. Ich habe nicht viel Zutrauen zu Arthurs Fähigkeit, ein Quartier zu suchen, aber er wollte den Auftrag gern übernehmen.«

»Ich finde, du strengst dich zu sehr an«, sagte Mr. Parker. »Du wirst dich völlig zugrunde richten. Du solltest nach dem Dinner nicht wieder losgehen.«

»Nein, wirklich nicht«, rief seine Frau, »denn was ihr eßt, ist nur dem Namen nach ein Dinner; davon kann man nicht bei Kräften bleiben. Ich kenne euren Mangel an Appetit.«

»Also, mein Appetit hat sich seit einiger Zeit sehr gebessert, glaube ich. Ich nehme ein Magenmittel nach eigenem Rezept, und das hat Wunder gewirkt. Susan ißt wirklich nichts, das gebe ich zu, und im Augenblick habe *ich* auch keinen Hunger. Nach einer Reise esse ich ungefähr eine Woche lang nie etwas. Aber Arthur – ihm liegt nur zu sehr am Essen. Wir müssen ihn leider oft zügeln.«

»Aber du hast mir noch gar nichts von der anderen Familie erzählt, die nach Sanditon kommen will«, sagte Mr. Parker, als er sie zur Haustür begleitete, »von dem Pensionat aus Camberwell. Haben wir eine Chance, daß sie kommen?«

»Ach so! Ja, unbedingt, ganz unbedingt. Ich hatte sie im Augenblick vergessen, aber ich habe vor drei Tagen einen Brief von meiner Freundin Mrs. Charles Dupuis bekommen, die mich über Camberwell beruhigt hat. Camberwell kommt zweifellos auch, und zwar sehr bald. Da *die* gute Frau (ich kenne ihren Namen nicht) nicht so reich und unabhängig ist wie Mrs. Griffith, kann sie nach Herzenslust reisen, wohin sie will. Ich will dir sagen, wie ich auf *sie* gekommen bin. Mrs. Charles Dupuis lebt beinahe Tür an Tür mit einer Dame, die einen Verwandten hat, der sich kürzlich in Chapham niedergelassen hat und selbst in dem Pensionat unterrichtet, und zwar einige der Mädchen in Sprachgewandtheit und in den Belles Lettres. Ich habe dem Mann einen Hasen von einem von Sidneys Freunden besorgt, und er hat Sanditon empfohlen. Aber ich bin dabei gar nicht in Erscheinung getreten, Mrs. Charles Dupuis hat alles arrangiert.«

Kapitel 10

Es war noch keine Woche her, daß Miss Diana Parker das Gespür gehabt hatte, die Seeluft würde in ihrem augenblicklichen Zustand den Tod für sie bedeuten, und nun war sie in Sanditon und hatte anscheinend nicht die geringste Erinnerung mehr, etwas Derartiges je geschrieben oder gespürt zu haben. Charlotte drängte sich deshalb der Verdacht auf, daß bei ihrem so prekären Gesundheitszustand eine ganze Menge Einbildung im Spiel war. So unerhörte Erkrankungen und Gesundungen kamen ihr eher wie das Amüsement eines einfallsreichen, aber beschäftigungsbedürftigen Gemüts vor als wie tatsächliche Gebrechen und die Erlösung davon. Die Parkers waren zweifellos eine fantasiebegabte und leicht erregbare Familie; und während der ältere Bruder seine überschüssige Energie beim Pläneschmieden abreagierte, verschafften sich die Schwestern vielleicht durch die Erfindung sonderbarer Leiden Zerstreuung. Aber offenbar waren sie auch dadurch nicht in ihrer ganzen geistigen Regsamkeit ausgelastet; ein Teil davon verwandelte sich in den Eifer, sich nützlich zu machen. Es lief anscheinend darauf hinaus, daß sie sich entweder zum Wohl anderer abmühten oder selbst sterbenskrank waren. Tatsächlich hatten sie sich von früh auf durch eine natürliche Anfälligkeit, verbunden mit einer unglücklichen Neigung zum Einnehmen von Medikamenten, besonders Quacksalbereien, zu verschiedensten Zeiten die verschiedensten Erkrankungen zugezogen; der Rest ihrer Leiden bestand in Einbildung, in dem Bedürfnis nach Auszeichnung und dem Bedürfnis nach Absonderlichem. Sie besaßen mitfühlende Herzen und viele liebenswerte Eigenschaften, aber eine Anlage zu rastloser Tätigkeit und der Stolz, allen anderen überlegen zu sein, waren durchaus an ihrer Anstrengung im Dienst der Wohltätigkeit beteiligt; und bei allem, was sie taten, aber auch bei allem, was sie litten, war Eitelkeit im Spiel.

Mr. und Mrs. Parker verbrachten den größten Teil des Abends im Hotel, Charlotte aber erhaschte nur zwei- oder dreimal einen Blick auf Miss Diana, wie sie über die Hochfläche eilte, um ein Haus für eine Dame zu mieten, die sie nie gesehen und die sie gar nicht darum gebeten hatte. Sie lernte die anderen erst am nächsten Tag kennen, als sie in ihr Quartier umgezogen waren und es allen weiterhin so gut ging, daß ihr Bruder, ihre Schwägerin und sie selbst gebeten wurden, bei ihnen Tee zu trinken. Sie wohnten in einem der Häuser auf der Terrasse, und sie fand sie in einem kleinen, hübschen Wohnzimmer mit schöner Aussicht auf das Meer versammelt, um den Abend dort zu verbringen.

Aber an der Aussicht schien ihnen nicht gelegen, denn obwohl es ein ausgesprochen schöner englischer Sommertag gewesen war, war nicht nur kein Fenster offen, sondern das Sofa und der Tisch und überhaupt alles, was sie brauchten, befanden sich am anderen Ende des Zimmers vor einem lodernden Feuer. Miss Parker, der sich Charlotte im Bewußtsein ihrer drei an *einem* Tag gezogenen Zähne mit betont respektvollem Mitgefühl näherte, war ihrer Schwester in Erscheinung und Umgangsformen nicht unähnlich. Obwohl sie dünner und von Krankheit und Medizin ausgezehrter aussah, machte sie doch einen entspannteren Eindruck und sprach wesentlich leiser. Sie redete allerdings den ganzen Abend ebenso hemmungslos wie Diana, und außer daß sie mit ihrem Fläschchen in der Hand dasaß, zwei- oder dreimal Tropfen aus einer der verschiedenen, schon auf dem Kaminsims aufgereihten Flaschen nahm und alle möglichen komischen Gesichter zog und Zuckungen hatte, konnte Charlotte an ihr keinerlei Krankheitssymptome wahrnehmen, die sie sich nicht im kühnen Bewußtsein ihrer eigenen ausgezeichneten Gesundheit dadurch zu heilen zugetraut hätte, daß sie das Feuer ausgemacht, das Fenster geöffnet und auf die eine oder andere Weise die Tropfen und Riechfläschchen aus dem Weg geschafft hätte.

Sie war besonders neugierig gewesen, Mr. Arthur Parker kennenzulernen, und da sie ihn sich als ausgesprochen kleinen, zart aussehenden jungen Mann, als den bei weitem schmächtigsten einer nicht gerade robusten Familie vorgestellt hatte, sah sie mit Erstaunen, daß er so groß wie sein Bruder und erheblich kräftiger war – stämmig und kerngesund und außer einem aufgeschwemmten Gesicht ohne jedes Zeichen von Krankheit. Diana war offensichtlich das Oberhaupt dieser kleinen Familie; sie vor allem stand hinter der Betriebsamkeit und den Aktivitäten; sie war den ganzen Tag in ihren eigenen Angelegenheiten oder in denen von Mrs. Griffith auf den Beinen gewesen und noch immer die lebhafteste von den dreien. Susan hatte nur den Umzug vom Hotel überwacht und dabei zwei schwere Kästen selbst getragen; und Arthur hatte die Luft so kalt gefunden, daß er lediglich, so schnell er konnte, von einem Haus zum anderen gegangen und nun ganz stolz darauf war, so lange am Feuer gesessen und darin herumgestochert zu haben, bis es loderte. Diana, deren Besorgungen viel zu harmlos gewesen waren, als daß es sich gelohnt hätte, auf Rekorde zu pochen, die aber nach ihrer eigenen Berechnung in einem Zeitraum von sieben Stunden nicht einmal gesessen hatte, gestand eine leichte Müdigkeit ein. Sie war allerdings viel zu erfolgreich gewesen, um sich wirklich erschöpft zu fühlen, denn sie hatte nicht nur tausend Widerstände bekriegt und besiegt und dadurch zu guter Letzt für Mrs. Griffith ein Haus für acht Guineen pro Woche gemietet, sondern auch so viele Köche, Zimmermädchen, Wäscherinnen und Badefrauen in Aussicht genommen, daß Mrs. Griffith bei ihrer Ankunft kaum etwas anderes zu tun hatte, als mit der Hand zu winken und sie zur Auswahl um sich zu versammeln. Ihre abschließende Bemühung in der Angelegenheit hatte darin bestanden, Mrs. Griffith ein paar höfliche Zeilen mit den entsprechenden Nachrichten zu schicken, wobei sie sich aus Zeitmangel all die Details untersagte, die sie sich bisher gestattet hatte; und nun sonnte sie sich in der erhebenden Aussicht, daß sich aus diesen ersten

Anknüpfungspunkten eine Bekanntschaft mit einer Vielzahl von ungeahnten Verpflichtungen entwickeln würde.
Mr. und Mrs. Parker und Charlotte hatten bei ihrem Aufbruch zwei Postkutschen die Hochfläche in Richtung Hotel überqueren sehen – ein erhebender Anblick, der die schönsten Aussichten eröffnete. Auch die Miss Parker und Arthur hatten etwas davon gesehen, allerdings von ihrem Fenster aus nur erkennen können, daß Gäste beim Hotel vorfuhren, nicht aber, wie viele. Ihre Besucher verbürgten sich für zwei Mietkutschen. Ob es das Pensionat aus Camberwell war? Nein, nein, vielleicht wenn es drei Kutschen gewesen wären. Man war sich darin einig, daß zwei Kutschen niemals ein ganzes Pensionat enthalten konnten. Mr. Parker hoffte zuversichtlich auf eine weitere Familie.
Als sie sich schließlich nach einigen Blicken auf Meer und Hotel in einzelnen Gruppen niedergelassen hatten, fand sich Charlotte neben Arthur plaziert, der so hingebungsvoll beim Feuer saß, daß sie sein höfliches Angebot, ihr seinen Stuhl abzutreten, für ein Kompliment halten mußte. Ihre Ablehnung war unzweideutig, und so setzte er sich mit großer Zufriedenheit wieder hin. Sie rückte ihren Stuhl zurück, um seine Person als Kaminschirm benutzen zu können, und war für jeden Zentimeter Rücken und Schulter dankbar, der über den erwarteten Schutz hinausging. Arthurs Blick war so schwerfällig wie seine Gestalt, aber er war keineswegs abgeneigt, sich zu unterhalten; und während die anderen vier hauptsächlich miteinander beschäftigt waren, hielt er es offensichtlich keineswegs für eine Strafe, eine elegante junge Dame neben sich zu haben, die nach den Regeln der Höflichkeit einige Aufmerksamkeit erwarten durfte – wie sein Bruder, der entschieden nach einer Motivation für größere Aktivität, nach einem wirksamen Mittel zur Anregung für ihn suchte, mit erheblichem Vergnügen bemerkte. So stark war der Einfluß von Jugend und Liebreiz auf ihn, daß er sogar eine Art Entschuldigung dafür zu suchen begann, daß ein Feuer brannte.

»Wir würden zu Hause keines haben«, sagte er, »aber die Seeluft ist immer so feucht. Ich fürchte nichts so sehr wie Feuchtigkeit.«

»Ich habe das Glück«, sagte Charlotte, »nicht einmal zu merken, ob die Luft trocken oder feucht ist. Irgend etwas daran ist immer gesund und kräftigend für mich.«

»*Ich* habe frische Luft so gern wie alle Leute«, erwiderte Arthur. »Ich stehe gern am offenen Fenster, wenn es ganz windstill ist. Aber leider hat feuchte Luft *mich* nicht gern. Ich bekomme Rheumatismus davon. Sie haben kein Rheuma, nehme ich an?«

»Nein, gar nicht.«

»Das ist eine wahre Wohltat. Aber vielleicht sind Sie nervös?«

»Nein, ich glaube nicht. Jedenfalls wüßte ich nichts davon.«

»Ich bin ausgesprochen nervös. Um die Wahrheit zu gestehen, meine Nervenzustände sind meiner Meinung nach die schlimmste meiner vielen Krankheiten. Meine Schwestern halten mich für gallenkrank, aber das bezweifle ich.«

»Sie haben völlig recht, so lange wie möglich daran zu zweifeln.«

»Wenn ich gallenkrank wäre«, fuhr er fort, »könnte ich Wein nicht vertragen, aber er tut mir immer ausgesprochen wohl. Je mehr Wein ich trinke (in Maßen natürlich), desto besser geht es mir. Abends geht es mir immer am besten. Wenn Sie mich heute *vor* dem Dinner gesehen hätten, hätten Sie mich für ein armseliges Geschöpf gehalten.«

Charlotte war davon überzeugt, verzog aber keine Miene und sagte: »Wenn ich richtig verstehe, was nervöse Zustände sind, würde ich Ihnen als wirksames Gegenmittel frische Luft und Bewegung empfehlen, tägliche, regelmäßige Bewegung, und zwar etwas mehr, als Sie im allgemeinen zu bekommen scheinen.«

»Oh, ich bin selbst auch durchaus für Bewegung«, erwiderte er, »und ich habe die Absicht, während meines Aufenthalts

hier viel spazierenzugehen – vorausgesetzt, das Wetter ist milde genug. Ich werde jeden Morgen schon vor dem Frühstück draußen sein und ein paar Runden auf der Terrasse gehen, und Sie werden mich oft in Trafalgar House sehen.«
»Aber Sie wollen doch wohl einen Spaziergang nach Trafalgar House nicht als Bewegung bezeichnen?«
»Nicht in bezug auf die Entfernung, aber die Anhöhe ist so steil! Wenn ich den Hügel mitten am Tag hinaufginge, würde ich einen Schweißausbruch bekommen. Sie würden mich in Schweiß gebadet sehen, wenn ich angekommen bin. Ich leide sehr unter Schweißausbrüchen, und es gibt kein sichereres Zeichen für Nervosität.«
Ihr Thema hatte sich nun so sehr in körperliche Vorgänge verirrt, daß Charlotte den Eintritt des Dieners mit dem Teegeschirr als willkommene Ablenkung betrachtete. Augenblicklich ging eine auffällige Veränderung in ihm vor. Charlotte hatte völlig ihre Anziehungskraft auf den jungen Mann verloren. Er nahm seinen Kakao vom Tablett, auf dem so viele Kannen standen, wie sich Personen im Zimmer befanden, da Miss Parker *eine* Sorte Kräutertee und Diana eine andere trank. Er wandte sich nun ganz dem Feuer zu, brühte und braute sein Getränk in aller Gemütlichkeit, bis es gerade richtig war, und röstete sich ein paar Scheiben Toast, die schon vorbereitet im Toaster hereingetragen wurden – und bis alles fertig war, hörte sie seine Stimme nur, wenn er ein paar abgerissene Worte des Wohlbehagens und der Zustimmung äußerte. Als seine Anstrengungen überstanden waren, schob er seinen Stuhl zuvorkommend auf eine Höhe mit ihrem zurück und bewies durch seine dringliche Einladung, sich mit Kakao und Toast zu bedienen, daß er nicht nur für sich selbst gesorgt hatte. Sie hatte schon Tee bekommen, und das überraschte ihn – so völlig versunken war er in seine Tätigkeit gewesen.
»Ich dachte, ich würde noch rechtzeitig fertig werden«, sagte er, »aber Kakao muß lange aufkochen.«

»Ich danke Ihnen herzlich«, antwortete Charlotte, »aber ich ziehe Tee vor.«

»Dann schenke ich nur mir selbst ein«, sagte er. »Eine große Tasse ziemlich schwachen Kakaos am Abend bekommt mir besser als alles andere.«

Als er sich diesen ziemlich schwachen Kakao allerdings eingoß, fiel ihr auf, daß er in einem dicken, schwarzen Strahl aus der Kanne schoß; und da seine Schwestern in diesem Augenblick wie aus einem Mund riefen: »Also, Arthur, dein Kakao wird auch jeden Abend stärker!«, und Arthur einigermaßen beschämt antwortete: »Er ist heute wohl wirklich etwas stärker, als er sein sollte«, kam es ihr höchst unwahrscheinlich vor, daß Arthur so viel Vergnügen dabei empfand, auf Hungerrationen gesetzt zu werden, wie es ihnen wünschenswert und ihm selbst ratsam erschien. Jedenfalls lag ihm daran, das Gespräch auf den Toast zu lenken und nichts mehr von seinen Schwestern zu hören.

»Ich hoffe, Sie essen eine Scheibe von diesem Toast«, sagte er, »ich finde, daß ich Toast gut machen kann; mir verbrennt er nie. Ich stelle ihn zu Anfang nie zu nah ans Feuer, und trotzdem hat er, wie Sie sehen, nicht eine Ecke, die nicht gleichmäßig gebräunt ist. Ich hoffe, Sie mögen gut gebräunten Toast.«

»Mit etwas Butter darauf, ja«, sagte Charlotte, »sonst nicht.«

»So geht es mir auch«, sagte er hocherfreut. »Da stimmen wir überein. Er ist sonst nicht nur ungesund, er ist dann geradezu schädlich für den Magen. Ohne ein bißchen Butter darauf, um ihn glatter zu machen, ist er gar nicht gut für die Magenwände. Bestimmt! Ich mache mir das Vergnügen, Ihnen eine Scheibe zu bestreichen, und dann schmiere ich mir auch eine. Richtig schädlich für die Magenwände! Aber manche Leute wollen sich einfach nicht überzeugen lassen. Er reizt und wirkt wie eine Reibe.«

Er konnte die Butter allerdings nicht ohne eine Auseinandersetzung erobern. Seine Schwestern warfen ihm vor, zuviel davon zu essen, und behaupteten, man könne ihm nicht trauen. Aber er hielt dagegen, daß er gerade nur genug davon esse, um seine Magenwände zu schützen; und außerdem wolle er sie in diesem Augenblick nur für Miss Heywood haben. Diese Klarstellung tat erwartungsgemäß ihre Wirkung, er bekam die Butter und bestrich ihren Toast mit einer Präzision, die jedenfalls ihm selbst Freude machte; aber als ihr Toast fertig war und er seine eigene Scheibe in die Hand nahm, konnte Charlotte sich kaum beherrschen, als sie sah, wie er mit einem Blick auf seine Schwestern peinlich genau fast soviel Butter wieder wegnahm, wie er aufgestrichen hatte, aber dann einen günstigen Augenblick abpaßte, um einen großen Klacks wieder daraufzulegen, bevor der Happen im Mund verschwand. Mr. Arthur Parkers Vergnügen am Kranksein war von dem seiner Schwestern zweifellos verschieden – keineswegs so vergeistigt. Ein Gutteil Erdenschwere hing ihm an. Charlotte drängte sich der Verdacht auf, daß er sich dieses Leben ausgesucht hatte, um seinem trägen Naturell zu frönen und nur Krankheiten anerkennen zu müssen, die warme Zimmer und gute Ernährung erforderten. In einer Hinsicht aber, so fand sie bald heraus, hatten seine Schwestern ihn angesteckt.

»Was«, sagte er, »Sie wagen es, zwei Tassen so starken grünen Tees an *einem* Abend zu trinken! Nerven müssen Sie haben! Wie ich Sie beneide! Also, wenn ich auch nur eine Tasse davon tränke – was glauben Sie, was das für eine Wirkung auf mich hätte?«

»Vielleicht, Sie die ganze Nacht wachzuhalten?« erwiderte Charlotte und hoffte, seine Versuche, sie in Erstaunen zu versetzen, durch die Kühnheit ihrer eigenen Theorie zu übertrumpfen.

»Ach, wenn es das nur wäre!« rief er, »Nein, es wirkt auf mich wie Gift, und schon fünf Minuten danach wäre mir der Gebrauch meiner rechten Seite vollständig geraubt. Es klingt unglaubwürdig, aber es ist mir schon so oft passiert, daß ich nicht daran zweifeln kann. Der Gebrauch meiner rechten Seite ist mir stundenlang völlig geraubt.«

»Es klingt zwar wirklich etwas eigenartig«, antwortete Charlotte kühl, »würde sich aber vermutlich als die natürlichste Sache der Welt herausstellen, wenn es von Leuten wissenschaftlich untersucht würde, die etwas von rechten Seiten und grünem Tee verstehen und ihre möglichen geheimnisvollen Wechselwirkungen enträtseln können.«

Bald nach dem Tee wurde vom Hotel ein Brief für Miss Diana Parker gebracht. »Von Mrs. Charles Dupuis«, sagte sie, »ein privater Brief.« Und als sie die ersten Zeilen gelesen hatte, rief sie laut: »Also, das ist ja ein Zufall! Wirklich ein merkwürdiger Zufall! Daß tatsächlich beide den gleichen Namen haben! Zwei Mrs. Griffith! Es handelt sich um den Einführungsbrief einer Dame aus Camberwell, die mich kennenlernen möchte, ihr Name ist auch Griffith.« Einige Zeilen weiter allerdings schoß ihr die Farbe ins Gesicht, und sie fügte irritiert hinzu: »So eine eigenartige Geschichte habe ich noch nie erlebt. Hier gibt es auch eine Miss Lambe! Eine junge Dame aus Westindien mit großem Vermögen! Aber es kann einfach nicht dieselbe sein. Ausgeschlossen, daß es dieselbe ist.«

Sie las den Brief zu ihrer eigenen Beruhigung vor. Er sollte lediglich die Überbringerin, Mrs. Griffith aus Camberwell, und die drei jungen Damen in ihrer Obhut Miss Diana Parkers Aufmerksamkeit empfehlen. Da Mrs. Griffith fremd in Sanditon sei, liege ihr eine respektable Einführung am Herzen; und daher habe Mrs. Charles Dupuis ihr auf Bitten einer vermittelnden Freundin und in der Gewißheit, ihrer lieben Diana mit der Möglichkeit, sich nützlich zu erweisen, einen Gefallen zu tun, dieses Empfehlungsschreiben gegeben. Mrs. Griffiths Hauptsorge betreffe die Unterbringung und Bequemlichkeit der einen jungen Dame in ihrer Obhut, einer gewissen Miss Lambe, einer jungen Dame aus Westindien mit großem Vermögen und anfälliger Gesundheit.

Es war sehr merkwürdig, höchst eigenartig, ein sonderbarer Zufall, aber alle waren sich darin einig, daß es sich ganz unmöglich *nicht* um zwei Familien handeln könne. Die in den beiden Berichten geschilderten, so auffällig voneinander verschiedenen Menschengruppen machten das völlig klar. Es *mußte* sich um zwei Familien handeln. Alles andere war ausgeschlossen.

»Ausgeschlossen« und »ausgeschlossen« wurde immer wieder mit großer Entschiedenheit wiederholt. Eine zufällige Ähnlichkeit der Namen und Umstände, wenn auch eine zunächst höchst auffällige, war durchaus nicht unmöglich, und damit war die Sache erledigt. Für Miss Diana selbst hatte der Vorfall noch einen unmittelbaren Vorteil, der ihr nicht erlaubte, ihrer Verwunderung lange nachzuhängen. Sie mußte sofort ihren Schal um die Schultern nehmen und wieder loslaufen. Müde, wie sie war, mußte sie auf der Stelle zum Hotel hinüber, um die Wahrheit zu ergründen.

Kapitel 11

Aber es nützte nichts. Die Parkers mochten noch soviel reden; eine tragikomischere Katastrophe, als daß die Familie von Surrey und die Familie von Camberwell ein und dieselbe waren, war kaum vorstellbar. Die reichen Westinder *und* das Mädchenpensionat aus Camberwell waren in den beiden Mietkutschen in Sanditon eingetroffen. Die Mrs. Griffith, die nach Aussage ihrer Freundin Mrs. Darling geschwankt hatte, ob sie kommen solle, und die sich der Reise nicht gewachsen fühlte, war dieselbe Mrs. Griffith, die sich der anderen Darstellung nach ein für allemal entschieden hatte und keine Schwierigkeiten sah. Alles, was in den beiden Berichten den Anschein von Widersprüchlichkeit erweckte, beruhte voll und ganz auf der Eitelkeit, Ahnungslosigkeit oder den Mißverständnissen all derer, die durch Miss Dianas Übereifer und Vorsicht in die Angelegenheit verwickelt worden waren. *Ihre* engeren Freundinnen mußten sich ebenso diensteifrig gebärden wie sie selbst, und so waren schließlich so viele Briefe,

Briefauszüge und Botschaften hin- und hergegangen, daß alles ganz anders aussah als in Wirklichkeit. Miss Diana war es vermutlich zunächst ein bißchen peinlich, ihren Fehler zugeben zu müssen. Eine so lange, umsonst unternommene Reise von Hampshire, ein enttäuschter Bruder, ein für eine Woche im voraus gemietetes Haus waren sicher ihre vordringlichen Sorgen, aber schlimmer noch als alles andere war wohl die Einsicht, weniger klarsichtig und unfehlbar zu sein, als sie selbst angenommen hatte. Aber all das beunruhigte sie anscheinend nicht lange. Scham und Schande verteilten sich auf so viele, daß für sie selbst zu guter Letzt, als sie Mrs. Darling, Miss Capper, Fanny Noyce, Mrs. Charles Dupuis und Mrs. Charles Dupuis' Nachbarin ihren Anteil zugemessen hatte, kaum noch etwas davon übrigblieb. Jedenfalls sah man sie den ganzen folgenden Vormittag munter wie eh und je mit Mrs. Griffith auf der Suche nach einem Quartier umherlaufen.

Mrs. Griffith war eine gediegene, kultivierte Frau, die ihren Lebensunterhalt damit verdiente, daß sie vornehme Mädchen und junge Damen aufnahm, die entweder Lehrer brauchten, um ihre Erziehung abzuschließen, oder ein Zuhause suchten, um ihre Fertigkeiten vorzuführen. In ihrer Obhut befanden sich noch einige mehr als die drei, die mit nach Sanditon gekommen waren, aber die anderen waren zufällig alle abwesend. Von diesen dreien, ja, von allen, war Miss Lambe konkurrenzlos am bedeutendsten und wertvollsten, denn sie zahlte proportional zu ihrem Vermögen. Sie war ungefähr 17, eine halbe Mulattin, kühl und zerbrechlich, hatte eine eigene Zofe, sollte das beste Zimmer im gemieteten Haus bekommen und spielte in Mrs. Griffiths Plänen immer die größte Rolle.

Die beiden anderen Mädchen, zwei Miss Beaufort, waren genau der Typ von junger Dame, den man in Großbritannien mindestens in jeder dritten Familie findet. Sie hatten einen annehmbaren Teint, eine prächtige Figur, eine aufrechte, stolze Haltung und einen selbstbewußten Blick; sie waren zugleich sehr gebildet und sehr unwissend und verwandten ihre Zeit entweder auf Beschäftigungen, mit denen sie Bewunderung erregen konnten, oder auf so einfallsreich und geschickt ausgeführte Handarbeiten, daß sie sich in einem Stil kleiden konnten, der ihre Mittel eigentlich weit überstieg. Sie gehörten immer zu den ersten, die eine Mode mitmachten, und das Ziel all dieser Bemühungen war es, einen Mann zu fesseln, der erheblich reicher war als sie selbst.

Mrs. Griffith hatte um Miss Lambes willen einem kleinen, abgelegenen Ort wie Sanditon den Vorzug gegeben; und obwohl die Miss Beaufort an sich nichts weniger schätzten als Kleinheit und Abgelegenheit, waren auch sie notgedrungen mit Sanditon zufrieden, bis ihre finanziellen Umstände sich wieder gebessert hatten, denn sie hatten sich beide im Laufe des Frühjahrs zu unvermeidlichen Ausgaben für sechs neue Kleider für einen dreitägigen Besuch gezwungen gesehen. In Sanditon waren sie entschlossen, mit einer gemieteten Harfe für die eine und gekauftem Zeichenpapier für die andere und mit all der eleganten Kleidung, über die sie ja schon verfügten, ein sehr sparsames, sehr elegantes und sehr zurückgezogenes Leben zu führen, wobei Miss Beaufort hoffte, von allen, die in Hörweite ihres Instruments vorbeigingen, Lob und Ruhm zu ernten, Miss Latitia sich von allen, die ihr beim Zeichnen zusahen, Neugier und Bewunderung versprach, und beide sich in der Überzeugung wiegten, die modischsten jungen Damen des Ortes zu sein.

Mrs. Griffiths Einführung bei Miss Diana Parker sicherte ihnen auf Anhieb die Bekanntschaft mit der Familie in Trafalgar House und den Denhams, und so waren die Miss Beaufort bald, um den richtigen Ausdruck zu verwenden, mit dem »Kreis, in dem sie sich bewegten«, zufrieden, denn heutzutage muß sich ja jeder in einem »Kreis« bewegen; und auf solche ständigen Kreisbewegungen sind wohl das Schwindelgefühl und die falschen Schritte vieler zurückzuführen. Lady Denham hatte außer der Aufmerksamkeit gegenüber den Parkers noch andere Gründe für eine Visite bei Mrs. Griffith.

Miss Lambe, kränklich und reich, war genau *die* junge Dame, auf die sie gewartet hatte; und sie machte die Bekanntschaft um Sir Edwards und ihrer Eselinnen willen. Ob die Spekulation mit dem Baron Erfolg haben würde, mußte sich noch herausstellen, aber was die Tiere betraf, so mußte sie bald einsehen, daß alle ihre Gewinnberechnungen umsonst waren. Mrs. Griffith ließ einfach nicht zu, daß Miss Lambe irgendwelche Symptome einer Verschlechterung zeigte oder an irgendeiner Krankheit litt, die womöglich durch Eselsmilch zu heilen war. Miss Lambe sei unter ständiger Überwachung eines erfahrenen Arztes, und an seine Verordnungen müsse man sich halten – und höchstens zugunsten eines bestimmten Stärkungsmittels, an dessen Herstellung einer ihrer Verwandten mitverdiente, wich sie von den ärztlichen Vorschriften ab.

Miss Diana Parker hatte das Vergnügen, ihre neuen Freunde im Eckhaus auf der Terrasse unterzubringen; und wenn man bedenkt, daß es nach vorne hinaus das von allen Feriengästen am meisten bewunderte Zimmer besaß und nach einer Seite einen Ausblick auf alles gestattete, was beim Hotel vorging, dann konnte es gar keinen geeigneteren Ort für das zurückgezogene Leben der Miss Beaufort geben. Und dementsprechend hatten sie durch ihr häufiges Erscheinen an den langen Fenstern des Obergeschosses, um die Jalousien zuzuziehen oder zu öffnen, einen Blumentopf auf dem Balkon zu arrangieren oder nichts durch das Teleskop zu beobachten, schon lange, bevor sie sich mit Harfe oder Zeichenpapier versorgt hatten, manches Auge auf sich gezogen und manchen Betrachter zu wiederholter Betrachtung veranlaßt.

Auch eine winzige Neuigkeit ruft an einem so kleinen Ort großes Aufsehen hervor. Die Miss Beaufort, die in Brighton gar nicht gezählt hätten, konnten hier keinen Schritt tun, ohne Aufmerksamkeit zu erregen; und obwohl Mr. Arthur Parker eigentlich zu unnötigen Anstrengungen wenig geneigt war, verließ sogar er auf dem Weg zu seinem Bruder niemals die Terrasse, ohne an dem Eckhaus vorbeizugehen und einen

Blick auf die Miss Beaufort zu werfen, obwohl das doch ein Umweg von einer Viertelmeile war und den Aufstieg zur Anhöhe um zwei Schritte verlängerte.

Kapitel 12

Charlotte hielt sich nun schon zehn Tage in Sanditon auf, ohne bisher Sanditon House gesehen zu haben, weil jeder Versuch, Lady Denham eine Visite zu machen, dadurch verhindert wurde, daß sie sie zufällig vorher trafen. Aber jetzt sollte dieser Versuch noch entschlossener unternommen werden, und zwar zu einer früheren Stunde, damit Lady Denham keine Aufmerksamkeit und Charlotte kein Vergnügen entging.

»Und wenn sich eine günstige Gelegenheit dazu bieten sollte, meine Liebe«, sagte Mr. Parker (der nicht die Absicht hatte, sie zu begleiten), »dann erwähne doch die Lage der armen Mullins und versuche zu erfahren, was Lady Denham von einer Geldsammlung für sie hält. Ich bin eigentlich nicht für Geldsammlungen zu wohltätigen Zwecken an einem Ort wie dem unsrigen. Es ist so eine Art Steuer für alle, die herkommen. Aber da ihre Lage verzweifelt ist und ich der armen Frau gestern beinahe zugesagt habe, etwas für sie zu tun, müssen wir wohl eine Sammlung in die Wege leiten, und deshalb, je eher, desto besser; und Lady Denhams Name an der Spitze der Liste ist die beste Voraussetzung. Du hast doch nichts dagegen, das Thema anzuschneiden, Mary?«

»Wenn du es möchtest, werde ich es tun, aber es wäre mir lieber, wenn du es selber tätest. Ich weiß nicht, was ich sagen soll.«

»Meine liebe Mary«, rief er, »das kann doch nicht dein Ernst sein. Nichts leichter als das! Du brauchst doch nur die gegenwärtige unglückliche Lage der Familie und ihre dringende Bitte an mich zu schildern und dann meine Bereitschaft anzudeuten, eine kleine Sammlung zu ihrer Erleichterung,

Lady Denhams Einverständnis vorausgesetzt, durchzuführen.«
»Nichts könnte einfacher sein«, rief Miss Diana Parker, die zufällig in diesem Augenblick zu Besuch war. »Man braucht nicht mehr Zeit dazu als du gerade zum Erklären. Und wenn ihr schon mal übers Geldsammeln redet, Mary, wäre ich dir dankbar, wenn du den traurigen Fall, der mir auf herzzerreißende Weise dargestellt worden ist, Lady Denham gegenüber erwähnen könntest. In Worcestershire lebt eine arme Frau, für die sich einige meiner Freundinnen außerordentlich interessieren; und ich habe es übernommen, soviel wie irgend möglich für sie zu sammeln. Könntest du den Fall Lady Denham gegenüber erwähnen? Lady Denham scheut sich nicht, etwas zu geben, wenn sie auf die richtige Art angesprochen wird. Ich glaube, sie ist jemand, der ebensogern zehn wie fünf Guineen gibt, wenn sie sich einmal überreden läßt, ihre Börse zu öffnen. Solltest du sie also in Geberlaune finden, dann kannst du gleich noch ein paar Worte für ein anderes wohltätiges Unternehmen einlegen, das mir und noch ein paar anderen außerordentlich am Herzen liegt – ein Wohltätigkeitsfonds in Burton an der Trent. Und dann ist da auch noch die Familie des armen Mannes, der nach dem letzten Gerichtstag in York gehängt wurde. Obwohl wir eigentlich die Summe beisammen haben, die wir brauchen, um sie alle aus dem Gröbsten herauszubringen, kann es nichts schaden, wenn auch sie noch eine Guinee dazugibt.«
»Meine liebe Diana«, rief Mrs. Parker, »ich könnte eher fliegen lernen, als all diese Dinge Lady Denham gegenüber zu erwähnen.«
»Wo ist da die Schwierigkeit? Ich würde gern selbst mitkommen, aber ich muß in fünf Minuten bei Mrs. Griffith sein, um Miss Lambe Mut zu machen, sich zum erstenmal ins Wasser zu trauen. Sie ist so ängstlich, die Ärmste, daß ich versprochen habe, zu kommen und ihr gut zuzureden und mit ihr in die Badekabine zu gehen, wenn sie es wünschen sollte; und sobald ich damit fertig bin, muß ich schnell zurück nach

Hause, denn Susan soll um eins ihre Blutegel bekommen, was immer drei Stunden in Anspruch nimmt. Ich habe deshalb nicht *eine* Minute Zeit, und außerdem sollte ich (unter uns gesagt) eigentlich selbst in diesem Moment im Bett liegen, denn ich bin kaum imstande, mich auf den Beinen zu halten. Und wenn die Blutegel abgenommen sind, bleiben wir sicher für den Rest des Tages jeder in seinem Zimmer.«

»Das tut mir wirklich leid, aber in diesem Fall kommt Arthur hoffentlich zu uns.«

»Wenn Arthur auf mich hört, geht auch er ins Bett, denn wenn er alleine aufbleibt, ißt und trinkt er bestimmt mehr, als ihm guttut. Aber du siehst, Mary, daß ich unmöglich mit zu Lady Denham kommen kann.«

»Bei genauerem Nachdenken, Mary«, sagte ihr Mann, »will ich dir nicht die Mühe machen, von den Mullins zu sprechen. Ich werde Lady Denham selber darum bitten. Ich weiß, wie ungern du dich jemandem aufdrängst, der nicht sehr gebefreudig ist.«

Da er seine Bitte nun zurückgenommen hatte, konnte auch seine Schwester auf ihrer nicht weiter bestehen, und genau das war seine Absicht gewesen, denn er empfand ihre ganze Deplaziertheit und ihre nachteilige Wirkung auf seine berechtigteren Ansprüche. Mrs. Parker war von Herzen froh, der Verpflichtung zu entgehen, und machte sich hochzufrieden mit ihrer Freundin und ihrer kleinen Tochter auf den Weg nach Sanditon House.

Es war ein schwüler, diesiger Vormittag, und als sie den höchsten Punkt der Anhöhe erreicht hatten, konnten sie eine Zeitlang gar nicht erkennen, was für eine Kutsche ihnen entgegenkam. Mal sah es aus wie ein zweirädriger Wagen und mal wie eine Kalesche, mal wie ein Einspänner und mal wie ein Vierspänner. Als sie sich gerade für einen Wagen mit zwei hintereinandergeschirrten Pferden entschieden hatten, erkannte die kleine Mary mit ihren scharfen Kinderaugen den Kutscher und rief aufgeregt: »Es ist Onkel Sidney, Mama, es ist Onkel Sidney.«

Und so war es. Mr. Sidney Parker, der seinen Kutscher in seinem eleganten Wagen selbst fuhr, hatte sie bald erreicht, und sie sprachen ein paar Minuten miteinander. Die Parkers waren immer liebenswürdig und höflich zueinander, und so war die Begrüßung zwischen Sidney und seiner Schwägerin, die es freundlicherweise gleich für selbstverständlich hielt, daß er auf dem Weg nach Trafalgar House war, ausgesprochen herzlich. Er verneinte das allerdings. Er komme gerade aus Eastbourne und habe vor, zwei oder drei Tage, wie es sich gerade ergebe, in Sanditon zu bleiben, würde aber im Hotel absteigen. Er erwarte dort ein paar Freunde. Der Rest des Gesprächs bestand aus den üblichen Fragen und Floskeln, wobei er netterweise auch die kleine Mary mit einbezog und nach seiner Vorstellung Miss Heywood mit einer wohlerzogenen Verbeugung und einer angemessenen Begrüßung bedachte. Dann schieden sie in der Erwartung, sich in ein paar Stunden wiederzusehen.
Sidney Parker war ungefähr 27 oder 28, ausgesprochen gutaussehend mit zwanglosen, modisch eleganten Umgangsformen und lebhaften Zügen. Dieses Abenteuer bot eine ganze Zeitlang angenehmen Gesprächsstoff. Mrs. Parker malte sich die Freude aus, die ihr Mann über das Ereignis empfinden würde, und begeisterte sich über den Zuwachs an Prestige, den Sidneys Ankunft für Sanditon bedeutete.
Die Straße nach Sanditon House war eine breite, schön angelegte Allee zwischen Feldern und führte nach einer Viertelmeile durch das zweite Einfahrtstor in den eigentlichen Park, der zwar nicht groß war, aber all die Schönheit und Ehrwürdigkeit aufwies, die ein ausgedehnter Bestand an stattlichen Bäumen verleiht. Die Tore waren dabei so sehr in eine Ecke des Geländes gesetzt, so nah an die Grenze des Besitztums, daß ein Zaun an der Außenseite sich fast an die Straße drängte, bis man durch eine Biegung hier und eine Windung dort einen größeren Abstand von ihnen bekam und sie besser sehen konnte. Bei der Umzäunung handelte es sich um Staketen, die in ausgezeichneter Verfassung waren und deren

Linienführung Inseln von schönen Ulmen oder Reihen von Weißdornbüschen fast überall folgte – *fast*, das muß betont werden, denn es gab freie Stellen, und durch einen dieser Durchblicke erhaschte Charlotte, sobald sie innerhalb des Parks waren, über die Staketen hinweg einen Blick auf etwas Weißes und Weibliches auf der anderen Seite – eine Gestalt, die an Miss Brereton erinnerte; und als sie an den Zaun trat, sah sie tatsächlich – und zwar trotz des Dunstes ganz deutlich – Miss Brereton sitzen – in geringer Entfernung, an der tiefsten Stelle eines Erdwalls, der sich von außen zum Zaun hinaufzog und an dem ein schmaler Weg entlangführte – sie sah, dem Eindruck nach ruhig und entspannt, Miss Brereton sitzen – und neben ihr Sir Edward. Sie saßen so nah beieinander und waren in eine so ruhig fließende Unterhaltung vertieft, daß Charlotte es auf der Stelle für angebracht hielt, wieder zurückzutreten und kein Wort zu sagen. Sie hatten zweifellos das Bedürfnis, ungestört zu sein. Sie konnte sich eines ungünstigen Eindrucks von Clara nicht erwehren, aber schließlich befand sich diese in einer Lage, die man nicht zu streng beurteilen durfte.

Sie war froh, daß Mrs. Parker offenbar nichts bemerkt hatte. Wenn Charlotte nicht entschieden größer gewesen wäre, wären womöglich Miss Breretons weiße Bänder auch ihrem aufmerksameren Blick nicht aufgefallen. Unter all den Überlegungen, zu denen dieses Tête-à-tête anregte, drängte sich Charlotte auch die Einsicht auf, daß es unendlich schwierig für ein Liebespaar sein mußte, einen verschwiegenen Ort für seine Stelldicheins zu finden. Womöglich hatten sie sich gerade hier vor den Blicken anderer völlig sicher gefühlt: ein weites Feld vor sich, ein steiler Erdwall und Staketen, deren Rückseite nie eines Menschen Fuß betrat, und diesige Luft. Und gerade hier hatte sie sie gesehen. Sie hatten wirklich Pech gehabt.

Das Haus war geräumig und prächtig; zwei Diener erschienen, um sie einzulassen, und alles erweckte den passenden Eindruck von Wohlstand und Ordnung. Lady Denham war stolz auf ihr großzügiges Herrenhaus und tat sich etwas auf die Ordnung und Großartigkeit ihres Lebensstils zugute. Sie wurden in den täglich benutzten, gut proportionierten und gut möblierten Salon gebeten, obwohl es sich dabei eher um ein außerordentlich gut erhaltenes, altmodisches als um neues und aufwendiges Mobiliar handelte; und da Lady Denham nicht anwesend war, hatte Charlotte Zeit, sich umzusehen und sich von Mrs. Parker berichten zu lassen, daß das über dem Kamin hängende und den Blick sofort auf sich ziehende Porträt eines stattlichen Gentleman in Lebensgröße das Bild Sir Harry Denhams war und daß eine unter vielen Miniaturen an einer anderen Wand des Zimmers an einer wenig auffälligen Stelle Mr. Hollis darstellte. Der arme Mr. Hollis! Man konnte unmöglich übersehen, daß er kaum eine Rolle spielte: sich in seinem eigenen Haus so in den Hintergrund drängen lassen und zusehen zu müssen, wie Sir Harry Denham ein für allemal den Ehrenplatz am Kamin besetzt hielt.

Briefe

Briefe an Fanny Knight

1. 18. November 1814

Chawton, 18. Nov., Freitag

Ich weiß bei meinem Brief auch nicht sicherer als Du bei Deinem, meine liebste Fanny, wann ich ihn wohl abschließen werde, denn ich verfüge augenblicklich nur über wenig ungestörte Zeit. Aber anfangen muß ich ihn trotzdem, denn ich weiß, daß Du am liebsten so bald wie möglich von mir hörst, und es drängt mich auch selbst, etwas zu einem so aufregenden Thema zu sagen, obwohl ich nicht hoffen kann, dazu wirklich etwas beitragen zu können. Ich kann eigentlich kaum etwas anderes tun, als zu wiederholen, was Du schon gesagt hast. – Zuerst war ich tatsächlich ganz erstaunt, da ich keine Ahnung von dem Wandel Deiner Gefühle hatte, und behaupte frei heraus, daß Du nicht verliebt bist. Meine liebe Fanny, ich würde gerne über den Gedanken lachen, aber es ist doch nicht zum Lachen, daß Du Dich über Deine eigenen Gefühle so getäuscht hast. Und nun wünsche ich von Herzen, ich hätte Dich in dieser Hinsicht gewarnt, als Du mit mir zuerst darüber sprachst. Aber obwohl ich Dich damals nicht für so verliebt hielt wie Du selbst, dachte ich doch, daß eine gewisse Zuneigung bei Dir vorhanden wäre – genug jedenfalls, um glücklich zu werden, da ich nicht daran zweifelte, daß Deine Empfindungen mit der Zeit stärker werden würden. Und seit Eurem gemeinsamen Aufenthalt in London hielt ich Dich wirklich für außerordentlich verliebt. Aber Du bist es trotzdem nicht, da darf man sich nichts vormachen. Was für komische Geschöpfe wir doch sind! Es hat fast den Anschein, als ob die Tatsache, daß Du Dich seiner sicher fühlst (wie Du selber sagst), Dich gleichgültig gemacht hat.

Ich vermute, Du hast Dich bei den Rennen ein bißchen geärgert, und das wundert mich auch nicht. Jemandem wie Dir, der mehr von Scharfsinn, Einsicht und Geschmack als von Liebe geleitet wurde, konnten seine Worte nicht genügen. Und doch bin ich alles in allem überrascht, daß der Wandel Deiner Gefühle so auffällig ist. Er ist unverändert, nur Dir noch offensichtlicher und beständiger ergeben. Das

Jane Austens Nichte Fanny Knight. Zeichnung von Cassandra Austen

ist der ganze Unterschied. Worauf sollen wir ihn zurückführen? Meine liebe Fanny, was ich Dir schreiben kann, wird Dir gar nichts nützen. Mein Urteil ändert sich ständig, und ich bin außerstande, etwas zu empfehlen, was Dir bei Deiner Entscheidung hilft. Ich könnte in einem Satz jammern und im nächsten lachen, aber brauchbare Meinungen oder Ratschläge wirst Du diesem Brief wohl nicht entnehmen können.

Ich habe mich, als Dein Brief kam, gleich zurückgezogen und ihn am selben Abend ganz durchgelesen; als ich einmal begonnen hatte, konnte ich nicht in der Mitte aufhören. Ich war voller Neugier und Sorge. Zum Glück dinierte Deine Tante C[assandra] im Herrenhaus, deshalb brauchte ich mich nicht von ihr wegzumanövrieren; und alle anderen sind mir gleichgültig. Der arme, gute Mr. J. P[lumtre]! Ach, liebe Fanny, Dein Fehler wird von Tausenden von Frauen begangen. Er war der *erste* junge Mann, der sich in Dich verliebte. Darin bestand der Reiz, und er war mächtig. Aber unter all denen, die denselben Fehler machen wie Du, kann es nur wenige geben, die so wenig Grund haben, ihn zu bedauern; bei *seinem* Charakter und *seiner* Zuneigung hast Du keinen Anlaß, Dich zu schämen. Was ist nun alles in allem zu tun? Du hast ihn zweifellos in einem Maß ermutigt, daß er sich Deiner fast sicher fühlen kann, und fühlst Dich zu niemand anderem hingezogen. Seine Lebensumstände, seine Familie, seine Freunde und vor allem sein Charakter, seine ungewöhnlich liebenswürdige Denkweise, seine strikten Grundsätze, soliden Ansichten, guten Sitten – all das weißt Du durchaus zu schätzen, all das ist von größter Bedeutung, seine ganze Persönlichkeit ist sein bester Anwalt. Du zweifelst nicht an seinen glänzenden Fähigkeiten. Ach, meine liebe Fanny, je mehr ich über ihn schreibe, desto sympathischer wird er mir, desto stärker empfinde ich den Goldwert eines solchen jungen Mannes. Wie erfreulich wäre es, wenn Deine Zuneigung zu ihm wieder zunähme. Ich kann es Dir nur von Herzen wünschen. Vielleicht gibt es Menschen auf der Welt, einen unter tausend, die Dir und mir vollkommen erscheinen würden, wo äußere und innere Haltung eine vollkommene Einheit bilden; wo Herz und Geist den Umgangsformen entsprechen; aber vielleicht begegnest Du nie einem davon, und wenn doch, dann ist er womöglich nicht der älteste Sohn eines vermögenden Mannes, der Bruder Deiner liebsten Freundin, oder er stammt nicht aus Deiner eigenen Grafschaft. Bedenke all das, Fanny. Mr. J. P. hat Vorzüge, die sich nicht oft in einer Person vereinigen. Ja, sein einziger Fehler ist anscheinend seine Bescheidenheit. Wenn er weniger bescheiden wäre, wäre er umgänglicher, würde lauter sprechen und unverschämter wirken. Und handelt es sich nicht um einen vortrefflichen Charakter, wenn Bescheidenheit sein einziger Fehler ist? Ich zweifle nicht, daß er lebhafter und mehr wie Ihr wird, wenn er öfter mit Euch zusammen ist; er wird sich Euch schon anpassen, wenn er erst zu Euch gehört. Und was den Einwand angeht, daß er zu *gut*, daß er sogar in Gefahr ist, sich den »Evangelicals« anzuschließen, so kann ich nicht zustimmen. Ich bin durchaus nicht sicher, ob wir nicht alle »Evangelicals« sein sollten, und jedenfalls überzeugt, daß die, die es aus Überzeugung und Gefühl sind, am glücklichsten und geborgensten sein müssen. Laß Dich nicht von der Verbindung dadurch abschrecken, daß Deine Brüder geistreicher sind; wer zuletzt lacht, lacht am besten. Und laß Dich auch nicht von dem Gedanken abschrecken, daß er strikter nach den Geboten des Neuen Testaments handelt als andere.

Und nun, meine liebe Fanny, wo ich so lange seine Partei genommen habe, werde ich eine Kehrtwendung machen und Dich bitten, Dich nicht weiter mit ihm einzulassen und seinen Antrag nicht ernsthaft zu erwägen, wenn Du ihn nicht wirklich liebst. Alles ist wünschenswerter und erträglicher als eine Heirat ohne Liebe; und wenn seine unvollkommenen Umgangsformen usw. usw. in Deinen Augen alle seine guten Eigenschaften überwiegen, wenn sie Dir weiterhin Sorge machen, dann gib ihn auf der Stelle auf. Die Dinge sind nun an dem Punkt, wo Du Dich zu dem einen oder dem anderen entschließen mußt. Du mußt ihm entweder erlauben, weiterzumachen wie bisher, oder Dich bei jedem Zusammensein mit ihm so kühl betragen, daß er allmählich überzeugt ist, sich getäuscht zu haben. Ich zweifle nicht, daß er eine Zeitlang sehr leidet, außerordentlich leidet, wenn ihm klar wird, daß er Dich aufgeben muß, aber es gehört, wie Du sicher weißt, nicht zu meinen Glaubenssätzen, daß diese Art von Enttäuschung jemanden umbringt.

Daß Du die Musik mitgeschickt hast, war ein glänzender Einfall, der alles wesentlich erleichtert hat; ich weiß gar nicht, wie ich das Päckchen sonst hätte erklären sollen, denn obwohl Dein lieber Papa höchst gewissenhaft abgewartet hat, bis er mich im Eßzimmer allein abpassen konnte, hatte Deine Tante C. doch gesehen, daß er ein Päckchen abzuliefern hatte. Aber so ist es ihr wohl nicht verdächtig vorgekommen.

Wir haben nichts Neues von Anna gehört. Ich glaube, sie fühlt sich in ihrem neuen Heim sehr wohl. Ihre Briefe klingen sehr vernünftig und zufrieden, ohne daß sie mit ihrem Glück prahlt, wodurch sie mir nur um so lieber waren. *Die* Art zu schreiben, hat mir bei jung verheirateten Frauen nie gefallen.

Du wirst Dich freuen zu erfahren, daß die erste Ausgabe von M[ansfield] P[ark] ausverkauft ist. Dein Onkel Henry ist dafür, daß ich nach London komme, um eine Vereinbarung über die zweite Auflage abzuschließen, aber da ich im Augenblick hier nicht gut weg könnte, habe ich ihm schriftlich meinen Wunsch und Willen mitgeteilt und werde nicht fahren, wenn er mich nicht noch einmal ausdrücklich darum bittet. Ich bin schrecklich habgierig und möchte das meiste herausholen; da Du aber entschieden über Geldsorgen erhaben bist, werde ich Dich nicht mit den Einzelheiten belästigen. Der Eitelkeit zu huldigen liegt Dir näher, und Du wirst meine Eitelkeit über das Lob nachempfinden können, das mich gelegentlich auf die eine oder andere Weise erreicht.

Sonnabend. Mr. Palmer hat den gestrigen Tag bei uns verbracht und ist heute morgen mit Cassy abgefahren. Wir haben Miss Lloyd die letzten beiden Tage erwartet und rechnen heute sicher mit ihr. Mr. Knight und Mr. Edward Knight werden bei uns speisen. Sonntag. Dein Papa hat mir Nachrichten für Dich gegeben, aber sie sind überflüssig, da er mit der heutigen Post an Tante Louisa schreibt. Der gestrige Abend war sehr angenehm, jedenfalls fanden wir das. Es ist eine richtige Freude, ihn so heiter und zuversichtlich zu erleben. Tante Cassandra und ich speisen heute gemütlich zu sechst im Herrenhaus. Miss Lloyd kam, wie erwartet, gestern und läßt grüßen. Sie freut sich darüber, daß Du Harfe spielen lernst. Ich schicke meine Schulden bei Miss Hare absichtlich nicht an Dich, weil ich annehme, daß Du lieber nicht vorher bezahlt werden willst.

Deine Dich liebende

J. Austen

Dein Versuch, Deine Gefühle für ihn durch einen Besuch in seinem Zimmer zu steigern, hat mich außerordentlich amüsiert. Das schmutzige Rasiertuch war wunderbar! Ein Umstand, wert gedruckt zu werden! Zum Vergessen viel zu schade! Grüß Fanny C[age] ausdrücklich von mir. Ich dachte, Du würdest gerne von mir hören, während Du bei ihr bist.

2. *30. November 1814*

23 Hans Place, Mittwoch, 30. Nov.

Ich danke Dir herzlich für Deinen Brief, meine liebe Fanny, und hoffe, Du meldest Dich bald, damit ich weiß, daß Ihr alle gesund und wohlbehalten zu Hause angekommen seid. Unser Besuch in Hendon [bei Anna] wird Dich sicher interessieren, aber ich brauche Dir die Einzelheiten nicht zu berichten, da Dein Papa *fast* alle Fragen selbst beantworten kann. Ich könnte natürlich ihr Schlafzimmer, ihre Schubladen und ihren Kleiderschrank besser beschreiben als er, aber ich möchte mich damit doch nicht aufhalten. Daß sie nun doch ein Klavier bekommen soll, tut mir eher leid; es ist wohl weggeworfenes Geld. In sechs Monaten werden sie die 24 Guineen in Form von Laken und Handtüchern besser brauchen können, und aus ihrem Spiel wird ohnehin nicht viel werden. Ihr dunkelroter Mantel hat mich einigermaßen überrascht. Ich dachte, wir kennten diese Art Garderobe. Aber ich will ihr keinen Vorwurf daraus machen, er sieht sehr hübsch aus, und sie hat ihn sich sicher gewünscht. Ich vermute dabei nichts Schlimmeres, als daß sie ihn heimlich besorgt hat und ihn dann niemand zeigen konnte. Dazu ist sie ja durchaus imstande. Ich erhielt gestern einige sehr freundliche Zeilen von ihr, in denen sie mich bat, wiederzukommen und über Nacht zu bleiben; ich kann es nicht, freue mich aber, daß sie sich so richtig verhalten hat. Mein Besuch hatte die Absicht, ihnen *beiden*, wie es sich gehört, eine Freude zu machen. Ich habe gerade Mr. Hayter im Theater gesehen und glaube, sein Gesicht würde mir bei näherer Bekanntschaft gefallen. Es tat mir leid, daß er nicht hier gespeist hat. Es kommt mir ganz eigenartig vor, im Theater zu sein, ohne auf jemanden aufpassen zu müssen. So konnte ich mich entspannen und in aller Ruhe der Aufregung zusehen, die Isabella[1] um sich verbreitete.

Und nun, meine liebe Fanny, will ich zu einem sich geradezu aufdrängenden Thema übergehen. Du jagst mir mit Deinen Hinweisen einen richtigen Schreck ein. Von Deiner Anhänglichkeit an mich höre ich mit dem größten Vergnügen, aber Du darfst Dich nicht von meinem Urteil leiten lassen. Deine eigenen Empfindungen, und nur sie, sollten bei einem so wichtigen Problem entscheiden. Was aber Deine Frage angeht, so zögere ich nicht mit der Antwort. Ich bin fest davon überzeugt, wenn Du ihn *jetzt* heiratetest, würden Deine Gefühle für ihn zu seinem Glück ausreichen. Wenn ich aber bedenke, wie sehr weit entfernt das Ereignis wohl ist, und

1 Jane Austen sah also David Garricks (1717–79) Tragödie *Isabella, or the Fatal Marriage* (1776) im Theater.

alles bedenke, was bis dahin passieren *kann*, dann wage ich einfach nicht zu sagen, »Entschließe Dich zur Heirat«. Falls Du nicht von Deinen eigenen Gefühlen dazu getrieben wirst, ist das Risiko für *Dich* zu groß. Du findest das vielleicht unlogisch; in meinem letzten Brief habe ich nur zu seinen Gunsten gesprochen, und jetzt sage ich das Gegenteil; aber ich kann nicht anders. Mir machen augenblicklich die möglichen bösen Folgen für Dich, wenn Du Dich mit ihm in Gedanken oder in Wirklichkeit verlobst, am meisten Sorgen. Wenn ich bedenke, wie wenig junge Männer Du bisher kennengelernt hast, wie Du dazu geschaffen bist (ja, ich halte Dich dafür wie geschaffen), Dich ernsthaft zu verlieben, und wie oft Du in den nächsten sechs oder sieben Jahren dazu versucht sein wirst (es ist genau die Zeit, wo man die engsten Bindungen eingeht), dann behagt es mir einfach nicht, daß Du Dich bei Deinen eher kühlen Gefühlen an ihn bindest. Es stimmt sicher, daß Du Dich vielleicht nie wieder in einen Mann von seinen Qualitäten verliebst, aber wenn dieser Mann es fertigbringen sollte, Dich noch verliebter zu machen, dann wird er in Deinen Augen fast ideal sein. Es würde mich freuen, wenn es Dir gelingt, Deine früheren Gefühle wiederzubeleben und aufgrund unvoreingenommener Selbstprüfung weiterzumachen wie bisher, aber ich kann es mir eigentlich nicht vorstellen; und daß Du Dir ohne diese Voraussetzung Fesseln anlegst, erscheint mir nicht sinnvoll. Ich hätte keine Angst, wenn Du ihn *heiratetest* – bei all seinen Qualitäten würdest Du ihn bald genug für ein gemeinsames Glück lieben. Aber mir graut vor der Fortsetzung dieser gewissermaßen heimlichen Verlobung und all der Unsicherheit, *wann* sie bekanntgemacht werden kann. Womöglich vergehen noch Jahre, bevor er finanziell unabhängig ist. Deine Gefühle reichen für eine Heirat aus, aber nicht für eine lange Wartezeit. Unbeständig zu erscheinen ist zweifellos sehr unangenehm, aber wenn Du findest, daß Du für Deine früheren Illusionen eine Strafe nötig hast, dann besteht sie genau darin. Jedenfalls läßt sie sich nicht mit dem Elend ver-

gleichen, an *einen* Mann gebunden zu sein, ohne ihn zu lieben – gebunden zu sein und einen anderen vorzuziehen. *Das* ist eine Strafe, die Du *nicht* verdienst. Ich weiß, daß Ihr Euch heute nicht getroffen habt oder vielmehr nicht treffen werdet, da er gestern hier war; und ich bin auch froh darüber. Jedenfalls ist es nicht sehr wahrscheinlich, daß er rechtzeitig bei einem 60 Meilen entfernt stattfindenden Dinner auftaucht. Er hat uns nicht angetroffen, wir fanden nur seine Karte vor, als wir um vier Uhr nachmittags zurückkamen. Dein Onkel H. bemerkte lediglich, daß er den Markt um einen Tag verpaßt hat. Er fragte Deinen Bruder am Montag (als von Mr. Hayter die Rede war), warum er *ihn* nicht auch eingeladen hat, indem er sagte, »Ich weiß, er ist in London, denn ich habe ihn neulich in der Bond Street getroffen«. Edward antwortete, er wisse nicht, wie er ihn finden solle. »Weißt du denn nicht, wo er wohnt?« »Nein.«
Ich würde mich sehr freuen, wieder von Dir zu hören, meine liebe Fanny, aber bitte nicht später als Sonnabend, da wir am Montag lange vor dem Austragen der Post aufbrechen – und schreib auch irgend etwas, was ich vorlesen oder erzählen kann. Ich soll die Miss Moore am Sonnabend zurückbegleiten, und wenn ich davon nach Hause komme, finde ich hoffentlich einen Brief in Deiner reizenden, kleinen, flüssigen Handschrift vor. Es wäre eine schöne Erholung nach dem »Madame«-Spielen, denn obwohl ich Miss H. M. so sympathisch finde, wie es in meinem Alter nach einer eintägigen Bekanntschaft möglich ist, ist es doch eine mühsame Arbeit, sich mit Leuten zu unterhalten, die man so wenig kennt. Nur eine von beiden kommt morgen wieder mit zurück, wahrscheinlich Miss Eliza, und mir graut eher davor. Uns verbindet wirklich gar nichts. Sie ist jung, hübsch, redselig und denkt (vermutlich) an nichts als Kleider, Gesellschaften und Bewunderung. Mr. Sandford soll zum Dinner zu uns kommen, und das ist eine Wohltat, denn während Dein Onkel und Miss Eliza abends Schach spielen, wird er witzige Dinge erzählen, und ich werde darüber lachen, und das macht uns

beiden Spaß. Ich habe in der Keppel Street einen Besuch gemacht und alle angetroffen, auch den lieben Onkel Charles, der heute zu einem ruhigen Dinner zu uns kommen wird. Die kleine Harriet saß auf meinem Schoß und war so sanft und zärtlich wie immer – und auch so hübsch, obwohl es ihr gar nicht gut ging. Fanny ist ein hübsches kräftiges Mädchen und redet ununterbrochen, wobei sie auf eine interessante Art lispelt und undeutlich spricht; sie wird wahrscheinlich eines Tages die Schönste von allen sein. Die kleine Krabbe Cassy hat sich nicht mehr über meinen Besuch gefreut als ihre Schwestern, aber ich hatte nichts anderes erwartet; zärtliche Gefühle sind nicht gerade ihre Stärke. Sie wird nie eine Miss O'Neal werden, eher eine Mrs. Siddons.[2]

Vielen Dank, aber es ist noch nicht sicher, ob ich wirklich eine zweite Auflage wage. Wir wollen heute Egerton treffen, und dabei wird es sich wahrscheinlich entscheiden. Die Leute sind eher geneigt zu borgen und zu loben als zu kaufen – und das wundert mich auch nicht. Aber obwohl ich wie jeder andere gern gepriesen werde, habe ich auch »Kies« gern, wie Edward es nennt. Ich hoffe, er ist mit seinen Augen weiter so vorsichtig und spürt die gute Wirkung davon.

Ich nehme nicht an, daß sich unsere Ansicht über die christliche Religion unterscheidet. Du hast sie ausgezeichnet charakterisiert. Wir verstehen unter »evangelical« etwas Verschiedenes.

Deine Dich herzlich liebende

J. Austen

2 Berühmte Schauspielerinnen der Zeit: Eliza O'Neill (1791–1872) und Sarah Siddons (1755–1831).

Briefe an Anna Austen

1. Mai oder Juni 1814

Meine liebe Anna,

herzlichen Dank für die Zusendung Deines M[anuskripts]. Ich, ja wir alle fanden es außerordentlich unterhaltsam. Ich habe es Deiner Großmama und Deiner Tante Cassandra vorgelesen, und wir waren sehr angetan davon. Es verliert durchaus nicht an Lebendigkeit. Sir Thomas, Lady Helena und St. Julian sind Dir sehr gut gelungen, und Cecilia ist weiterhin interessant, obwohl sie doch so durch und durch liebenswert ist. Es war sehr sinnvoll, sie älter zu machen. Mir gefällt die Einführung von D. Forester ausgezeichnet, entschieden besser, als wenn Du seinen Charakter sehr gut oder sehr schlecht gemacht hättest. Ein paar sprachliche Korrekturen waren alles, wozu ich mich versucht fühlte, vor allem in einer Rede St. Julians an Lady Helena, die ich mir, wie Du sehen wirst, zu ändern erlaubt habe. Da Lady H. Cecilia gesellschaftlich überlegen ist, wäre es nicht richtig zu sagen, daß *sie* ihr vorgestellt wird; Cecilia ist diejenige, die vorgestellt werden muß, und außerdem mag ich es nicht, wenn Liebhaber in der dritten Person reden, es klingt so formell wie manchmal bei Lord Orville[1], und mir erscheint es unnatürlich. Wenn *Du* aber anders darüber denkst, nimm auf mich keine Rücksicht. Ich warte auf mehr und nutze die erste Gelegenheit, dieses Heft zurückzuschicken.

Herzlich Deine

J. A.

1 Der noble und geduldige Liebhaber in Fanny Burneys *Evelina* (1774).

2. 10. August 1814

Chawton, Mittwoch, 10. Aug.

Meine liebe Anna,

ich schäme mich richtig, daß ich in meinem kurzen vorigen Brief einige Deiner Fragen gar nicht beantwortet habe. Dabei habe ich sie extra aufgehoben, um bei Gelegenheit darauf zurückzukommen, und es dann vergessen. Mir gefällt der Titel »Wer ist die Heldin?« sehr gut, und ich bin sicher, daß er mir mit der Zeit noch besser gefallen wird. Aber »Begeisterung« ist natürlich etwas so Besonderes, daß daneben jeder andere Titel verblaßt. Fehler über Dawlish sind mir nicht aufgefallen. Die Bücherei war vor zwölf Jahren ausgesprochen trostlos und hatte kaum Bücher von irgend jemandem. Es gibt keinen Titel Desborough, weder unter den Herzögen noch unter den Grafen, Earls, Vicomtes oder Baronen. Das waren Deine Fragen. Nun möchte ich Dir für die Sendung, die heute vormittag ankam, danken. Hoffentlich kommt Mr. W. D[igweed]. Ich kann mir gut vorstellen, daß Mr. H. D[igweed] sich wie ein verschwenderischer junger Lord aufführt. Die Ähnlichkeit ist bestimmt »ganz toll«. Deine Tante Cass[andra] ist von St. Julian nach wie vor sehr angetan. Ich bin entzückt von dem Gedanken, Progillian wiederzusehen.

Mittwoch, 17. Wir haben gerade das erste der drei Hefte beendet, die wir gestern zu unserer Freude erhielten. Ich habe es vorgelesen, und wir haben uns alle bestens dabei unterhalten; das Werk gefällt mir nach wie vor sehr gut. Ich rechne damit, das nächste Heft noch vor dem Dinner durchzubekommen, und dabei steht auf Deinen 48 Seiten doch eine ansehnliche Menge Text. Ich brauchte eine Stunde dazu. Ich zweifle nicht, daß sechs davon einen ziemlich umfangreichen Band ausmachen. Du mußt doch mit Deiner Leistung sehr zufrieden sein. Mir gefallen Lord P. und sein Bruder sehr gut; ich fürchte nur, daß Lord P. wegen seines guten Charakters den meisten Leuten besser gefallen wird, als er verdient. Die ganze Familie Portman ist sehr gut gelungen, und Lady Anne, vor der Dir so gegraut hat, ganz besonders gut. Bell Griffin ist genau, wie sie sein muß. Meine Korrekturen greifen nicht mehr ein als beim vorigenmal, nur hier und da fanden wir, daß sich der Sinn mit weniger Worten ausdrücken läßt; und dann habe ich gestrichen, daß Sir Thomas schon am Tag nach seinem Armbruch mit den anderen Männern zum Stall geht, denn obwohl ich mich erinnere, daß Dein Papa tatsächlich unmittelbar nach dem Einrenken *seines* Arms das Haus verließ, kommt es mir doch so ungewöhnlich vor, daß es im Roman unnatürlich *erscheinen* muß; und es hängt ja auch nichts davon ab, daß Sir Thomas mitgeht. Lyme ist nicht gut geeignet. Lyme ist fast 40 Meilen von Dawlish entfernt und wäre dort kein Gesprächsstoff. Ich habe statt dessen Starcross eingesetzt. Wenn Du Exeter vorziehst – damit machst Du auf keinen Fall einen Fehler. Auch die Einführung Mr. Griffins bei Lord P. und seinem Bruder habe ich gestrichen. Ein Landarzt (aber sag das nicht Mr. Lyford) würde Männern ihres Ranges nicht vorgestellt. Und wenn Mr. Portman zuerst auftritt, darf er nicht als »wohlgeboren« vorgestellt werden. *Die* Unterscheidung wurde damals nie erwähnt, wenigstens meines Wissens nicht. – So, nun habe ich das zweite Heft beendet, oder vielmehr das fünfte. Ich finde wirklich, Du solltest Lady Helenas Nachschrift lieber weglassen. Wer S[tolz] u[nd] V[orurteil] kennt, wird es als Nachahmung empfinden. Und Deine Tante C. und ich würden Dir beide eine kleine Änderung in der letzten Szene zwischen Devereux F. und Lady Clanmurray und ihrer Tochter empfehlen. Wir finden, sie setzen ihm zu sehr zu – mehr, als vernünftige oder wohlerzogene Frauen es täten. Lady C. mindestens müßte Anstand genug haben, sich früher mit seinem Entschluß abzufinden, sie nicht zu begleiten. Bisher mag ich Egerton. Ich hatte nicht erwartet, daß er mir gefallen würde, aber er tut es doch; und Susan ist ein sehr nettes, lebhaftes Geschöpfchen; aber Sir Julian muß man einfach hinreißend finden. Er ist hochinteressant. Das ganze Abbrechen seiner Beziehung mit Lady H. ist sehr gut gelungen.

Ja, Russell Square ist genau die richtige Entfernung von Berkeley Street. Wir lesen gerade das letzte Heft. Von Dawlish nach Bath muß es wohl zwei Tage dauern, es sind beinahe 100 Meilen.
Donnerstag. Wir haben den Text gestern abend nach dem Tee im Herrenhaus beendet. Das letzte Kapitel gefällt uns nicht ganz so gut, wir mögen das *Stück* nicht recht; vielleicht, weil uns in letzter Zeit zu viele auf diese Weise verwendete Stücke begegnet sind. Und wir finden auch, Du solltest England lieber nicht verlassen. Laß die Portmans nach Irland fahren; da Du aber nichts von den dortigen Sitten weißt, solltest Du lieber nicht mitfahren. Du bist sonst in Gefahr, etwas falsch darzustellen. Bleib in Bath und bei den Foresters. Dort bist Du ganz zu Hause. Deine Tante C. mag oberflächliche Romane nicht und fürchtet, daß Deiner es auch wird, daß der Wechsel von einem Personenkreis zum anderen zu häufig stattfindet und immer wieder scheinbar wichtige Begebenheiten eingeführt werden, die dann zu nichts führen. *Mir* macht es nicht so viel aus, wenn das der Fall ist. Ich bin viel großzügiger als sie und finde, Natürlichkeit und Lebendigkeit verdecken viele Sünden einer zu ereignisreichen Handlung, und den Leuten ist es gleich – das zu Deinem Trost. Ich würde gerne mehr von Devereux sehen. Ich habe das Gefühl, ihn nicht gut genug zu kennen. Du wolltest Dich vermutlich nicht recht mit ihm einlassen. Deine Skizze von Lord Clanmurray gefällt mir, und Dein Bild von den Vergnügungen der beiden armen jungen Mädchen ist sehr gut. Ich habe noch gar nichts über St. Julians ernstes Gespräch mit Cecilia gesagt, aber es hat mir ausgesprochen gut gefallen. Was er über die Verrücktheit sonst vernünftiger Frauen beim ersten Auftreten ihrer Töchter in der Gesellschaft sagt, ist Gold wert. Ich finde nicht, daß die Sprache schwächer wird. Bitte, mach weiter.

Sehr herzlich

Deine J. Austen

Du hast zweimal Dorsetshire für Devonshire geschrieben. Ich habe es geändert. Mr. Griffin muß in Devonshire gelebt haben; Dawlish liegt mitten in der Grafschaft.

3. 9. September 1814

Chawton, 9. Sept.

Meine liebe Anna,

Deine drei Hefte haben uns großes Vergnügen gemacht, aber ich muß allerlei Kritisches darüber sagen – mehr als Dir lieb sein wird. Wir sind nicht damit einverstanden, daß Mrs. F. sich ohne Anlaß bei einem Mann wie Sir T. H. als Mieterin und unmittelbare Nachbarin niederläßt; sie müßte eine Freundin in der Gegend haben, die ihr den Vorwand dazu liefert. Daß eine Frau mit zwei heranwachsenden Mädchen in eine Gegend zieht, in der sie lediglich einen Mann kennt, und noch dazu einen, der nicht gerade einen guten Ruf hat, bringt sie in eine peinliche Lage, in die sich eine so umsichtige Frau wie Mrs. F. nicht leicht begeben würde. Vergiß nicht, sie ist sehr umsichtig; Du darfst sie nicht inkonsequent handeln lassen. Gib ihr eine Freundin bei und sorge dafür, daß sie zu ihr in die Probstei eingeladen wird; dann haben wir nichts dagegen, daß sie dort wie geplant speist. Aber sonst würde eine Frau in ihrer Lage kaum dorthin gehen, ohne vorher von anderen Familien besucht worden zu sein. Die Szene selbst, die Miss Lesley, Lady Anne und die Musik gefallen mir ausgezeichnet. Lesley *ist* ein würdiger Name. Sir T. H. gelingt Dir immer gut. Ich habe mir nur die Freiheit genommen, einen einzigen seiner Ausdrücke zu streichen. »Du liebe Güte« klingt zu alltäglich und zu wenig vornehm. Deine Großmama stört am meisten, daß Mrs. F. den Besuch der Egertons nicht früher beantwortet. Sie hätten vor Sonntag im Pfarrhaus vorsprechen sollen. Du beschreibst den Ort reizend, aber Deine Beschreibungen sind oft ausführlicher, als den Lesern lieb sein wird. Du gibst zu viele Einzelheiten nach dem Schema »rechts und links«. Mrs. F. ist mit Susans Gesundheit nicht vorsichtig genug. Susan sollte nicht so bald nach den schweren Regenfällen ausgehen und im Schmutz spazieren dürfen. Eine fürsorgliche Mutter würde so etwas nicht erlauben. Deine Susan selbst gefällt mir ausgezeichnet, sie ist ein reizendes Geschöpf, ihre Ausgelassenheit und Fantasie sind entzückend. Wie sie *jetzt* ist, gefällt mir besonders gut, aber von ihrem Benehmen George R. gegenüber bin ich nicht so angetan. Erst empfindet sie nichts als Vertrauen und Zuneigung, und dann will sie nichts mehr davon wissen; sie ist auf dem Ball so ausgesprochen unbeteiligt und offensichtlich mit Mr. Morgan so zufrieden. Es sieht aus, als hätte sich ihre Persönlichkeit verändert. Du bringst Deine Gestalten nun auf höchst reizvolle Weise zusammen und versetzt sie an genau den Handlungsort, der mir die allergrößte Freude macht. Drei oder vier Familien in einem Dorf auf dem Land, das ist der ideale Romanstoff, und ich hoffe, Du schreibst noch entschieden mehr und ziehst möglichst viel Nutzen aus ihnen, solange die Personen so günstig plaziert sind. Erst *jetzt* erreicht Dein Buch seine größte Schönheit und Beseeltheit; bis die Heldin erwachsen ist, ist das Vergnügen nur unvollkommen. Besonders viel Unterhaltung erwarte ich aber von den nächsten drei oder vier Heften und hoffe, Du bestrafst mich für meine kritischen Bemerkungen nicht dadurch, daß Du mir womöglich keine Hefte mehr schickst. Die Egertons gefallen uns ausgezeichnet, wir sehen keine blauen Hosen und Hennen und Hähne. Natürlich wirkt Mr. L. L. nicht gerade *bezaubernd*, aber wir haben keine Einwände gegen ihn, und seine Absicht, Susan zu lieben, ist höchst erfreulich. Die Schwester ist ein guter Gegensatz, aber der Name Rachael geht mir entschieden zu weit. Sie sind den Papillons nicht so ähnlich, wie ich erwartet hatte. Dein letztes Kapitel ist sehr unterhaltsam, vor allem das Gespräch über das Genie usw. Mr. St. J. und Susan sprechen beide sehr gut und ihrem Charakter entsprechend. Cecilia ist an einigen früheren Stellen vielleicht ein bißchen zu ernst und gut, aber alles

in allem steht ihre Persönlichkeit Susans als guter Gegensatz gegenüber; ihr Mangel an Fantasie ist ganz natürlich. Wenn Du nur Mrs. F. mehr sprechen lassen könntest! Aber sie ist sicher nicht einfach zu gestalten und unterhaltsam zu machen, weil sie so voller gesundem Menschenverstand und Anstand ist, daß sie in keiner Hinsicht sehr ausführlich sein darf. Ihre Sparsamkeit und ihr Ehrgeiz dürfen nicht auffallen. Daß Mrs. Fisher die Papiere zurückläßt, ist sehr gut. Man ahnt natürlich etwas. Ich hoffe, wenn Du erheblich mehr geschrieben hast, wirst Du den Mut haben, einiges von dem früheren zu streichen. Ich könnte zum Beispiel die Szene mit Mrs. Mellish entbehren; sie ist zu weitschweifig und trägt zum Thema nichts bei; und wenn Du Dir ein Herz fassen und recht viel von dem Text zwischen Dawlish und Newton Priors streichen könntest, um so besser. Mädchen sind nicht interessant, solange sie nicht erwachsen sind. Deine Tante ist auch von der Vortrefflichkeit dieses Namens ganz begeistert. Newton Priors ist wirklich nonpareil. Milton hätte sein Augenlicht dafür gegeben, wenn er ihm eingefallen wäre. Ist das Häuschen nicht Tollard Royal entnommen?
Sonntag, 18. Ich bin sehr froh, liebe Anna, daß ich Dir vor dem Eintreffen dieses traurigen Ereignisses geschrieben habe. Ich brauche nun nur noch hinzuzufügen, daß Deiner Großmama der Schock nicht geschadet hat. Ich würde mich sehr freuen, mehr von Deinem Werk zu erhalten, wenn schon mehr fertig ist, und Du schreibst ja so schnell, daß ich hoffen kann, Mr. D. kommt mit einer Fracht beladen zurück, die seinen Hopfen und seine Schafe an Wert weit übersteigt.
Deine Großmama bittet mich, Dir zu sagen, daß sie morgen mit Deinen Schuhen fertig ist, und findet, sie sehen sehr gut aus; und auch, daß sie darauf vertraut, Dich noch wie versprochen vor Deiner Reise zu sehen; und sie hofft dabei, daß Du länger als nur einen Tag bleiben kannst.

Herzlich Deine J. Austen

4. *28. September 1814*

Chawton, Mittwoch, 28. Sept.

Meine liebe Anna,

hoffentlich bist Du auf Dein Heft nicht so angewiesen, daß Du es sofort zurückbrauchst. Ich habe es behalten, damit Deine Großmama es noch hören kann, denn bisher habe ich es ihr noch nicht vorlesen können. Ich habe es aber Deiner Tante Cassandra vorgelesen – abends beim Ausziehen in unserem Ankleidezimmer und mit großem Vergnügen. Uns gefällt das erste Kapitel ausgezeichnet – nur fragen wir uns, ob Lady Helena nicht etwas zu albern ist. Der Dialog über die Ehe ist jedenfalls sehr gut. Susan gefällt mir so gut wie eh und je, aber dafür verliert allmählich Cecilia in meiner Gunst. Sie kann in Easton Court bleiben, solange sie will. Henry Mellish, fürchte ich, ist eine zu gängige Romanfigur – ein gutaussehender, liebenswerter, vorbildlicher junger Mann (von denen es im wirklichen Leben nicht gerade wimmelt), hoffnungslos verliebt und alles umsonst. Aber es ist ungerecht von mir, so früh über ihn mein Urteil zu sprechen. Jane Egerton ist ein sehr natürliches, leicht verständliches Mädchen, und ihre ganze Bekanntschaft mit Susan und Susans Brief lesen sich gut und sind durchaus folgerichtig. Aber mit *Miss* Egerton sind wir nicht ganz zufrieden. Bei den Ratschlägen an ihren Bruder, sich nicht zu verlieben, klingt sie unserer Meinung nach steif und feierlich; sie klingt auch nicht wie eine vernünftige Frau, denn sie bringt ihn doch eigentlich erst darauf. Ein paar kurze Andeutungen von ihr würden uns besser gefallen. Wir sind Dir richtig dankbar, daß Du eine Lady Kenrick noch eingefügt hast, denn das beseitigt den größten Fehler des Buches, und ich weiß es sehr zu schätzen, daß Du es als Autorin über Dich gebracht hast, so viele von unseren Ratschlägen zu übernehmen. Von Mrs. Fisher und Sir Thomas erwarte ich viel Spaß. Es war völlig richtig von Dir, Ben von Deinem Werk zu erzählen, und ich bin froh, daß es ihm so gefällt. Seine Ermutigung und Zustimmung sind »ganz toll«. Ich wundere mich gar nicht, daß er sich vorläufig nicht vorstellen kann, irgend jemanden lieber zu haben als Cecilia, wäre aber überrascht, wenn er nicht mit der Zeit ein Susan-Anhänger würde. Daß Devereux Forster durch seine Eitelkeit ruiniert wird, ist ausgezeichnet; aber ich fände es besser, wenn Du ihn nicht in einen »Strudel der Zerstreuung« stürzen würdest. Gegen die Sache habe ich nichts, aber ich kann den Ausdruck nicht ertragen; er ist so durch und durch Romanjargon und so alt, daß Adam vermutlich auf ihn stieß, als er den ersten Roman aufschlug. An Benns Urteil lag mir wirklich sehr. Hoffentlich gefällt ihm das Buch weiterhin gut, aber das wird es bestimmt. Nur kann ich ihm keine Hoffnung machen, daß darin viel geschieht. Wir haben wirklich kein Recht, uns zu wundern, daß er den Namen Progillian nicht zu schätzen weiß. *Das* ist eine Quelle des Vergnügens, die nachzuempfinden ihm wohl nicht gegeben ist. Walter Scott hat kein Recht, Romane zu schreiben, vor allem keine guten. Es ist nicht fair. Er hat genug Ruhm und Verdienst als Lyriker und sollte anderen Leuten nicht die Bissen vor der Nase wegschnappen. Es gefällt mir ganz und gar nicht, und wenn ich es verhindern kann, soll mir auch *Waverley* nicht gefallen, aber ich fürchte, das wird mir nicht gelingen. Jedenfalls bin ich entschlossen, Mrs. Wests *Alicia de Lacy* nicht zu mögen, sollte es mir je begegnen, was ich aber nicht hoffe. Ich glaube, gegen alles standhaft zu sein, was Mrs. West geschrieben hat, fällt mir nicht schwer. Ich habe mich entschlossen, außer Miss Edgeworths, Deinen und meinen Romanen überhaupt keine mehr zu mögen.

Was kannst Du mit Egerton anfangen, um ihn interessanter zu machen? Es wäre gut, wenn Du Dir etwas einfallen ließest, ein Familienereignis etwa, um seine guten Eigenschaften herauszustreichen – ein Unglück seiner Geschwister, das er durch den Verkauf seines Vikariats beheben kann – irgend etwas, was ihn geheimnisvoll verschwinden und in York oder Edinburgh in einem alten Mantel wieder auftauchen läßt. Ernsthaft würde ich zwar etwas so Unwahrscheinliches nicht empfehlen, aber wenn Dir etwas Aufregendes für ihn einfällt, würde das die Wirkung steigern. Er könnte Kapitän Morris all sein Geld leihen, aber dann wäre er ein großer Trottel. Können die Morris' sich nicht streiten, so daß er sie versöhnen kann? Entschuldige, daß ich mir die Freiheit nehme, diese Vorschläge zu machen.

Das Zimmermädchen Deiner Tante Frank hat gerade ihre Kündigung ausgesprochen, aber ob sie sich für Dich lohnt oder die Stelle bei Dir annehmen würde, weiß ich nicht. Sie war Mrs. Webbs Zimmermädchen, bevor sie zum Herrenhaus ging. Sie verläßt Deine Tante, weil sie sich mit den anderen Dienerinnen nicht versteht. Sie ist in den Diener verliebt und hat ziemlich den Kopf verloren; er erwidert ihre Gefühle, aber sie bildet sich ein, daß alle anderen ihn auch haben wollen und sie beneiden. Ihre frühere Anstellung müßte sie für eine Stelle wie bei Dir vorbereitet haben, und sie ist sehr fleißig und sauber. Sie ist die Schwester der allseits beliebten Beatrice. Die Webbs sind wirklich fort. Als ich den Wagen vor der Tür sah und überlegte, welche Mühe der Umzug gemacht haben muß, begann ich mir Vorwürfe zu machen, daß sie mir nicht sympathischer gewesen waren, aber nun, wo der Wagen verschwunden ist, ist mein schlechtes Gewissen wieder eingeschlafen, und ich bin von Herzen froh, daß sie fort sind.

Sherlocks[2] Predigten mag ich ausgesprochen gern, lieber als fast alle anderen.

Herzlich Deine Tante J. Austen

Wenn Du mit dem Zimmermädchen sprechen willst, laß es mich wissen.

2 Thomas Sherlock (1678–1761), *Several Discourses preached at the Temple Church* (2. Aufl. 1812).

Briefwechsel mit James Clarke

1. An James Clarke, 15. November 1815

Sir,

ich muß mir die Freiheit nehmen, Ihnen eine Frage zu stellen. Unter den vielen schmeichelhaften Aufmerksamkeiten, die Sie mir am letzten Montag in Carlton House erwiesen haben, war auch die Mitteilung, daß es mir freistehe, ein künftiges Werk ohne weiteres Ersuchen meinerseits Seiner Königlichen Hoheit zu widmen. So jedenfalls habe ich Ihre Worte verstanden; da mir aber außerordentlich daran liegt, Ihre Absicht keinesfalls zu verkennen, bitte ich um die Gefälligkeit, mir mitzuteilen, wie eine solche Erlaubnis zu verstehen ist und ob sie mich dazu verpflichtet, mich für die Ehre dadurch erkenntlich zu zeigen, daß ich Seiner Königlichen Hoheit das im Druck befindliche Werk widme. Es wäre mir gleichermaßen unangenehm, anmaßend oder undankbar zu erscheinen.

Ich bin usw.

2. Von James Clarke, 16. November 1815

Carlton House, 16. Nov. 1815

Liebe Madam,

Sie sind durchaus nicht *verpflichtet*, Seiner Königlichen Hoheit Ihr im Druck befindliches Werk zu widmen; aber wenn Sie dem Regenten diese Ehre jetzt oder künftig einmal erweisen wollen, dann sende ich Ihnen gern die Erlaubnis dazu, die kein weiteres Ersuchen Ihrerseits erfordert.

Ihre bisherigen Werke, Madam, und vor allem *Mansfield Park*, gereichen Ihrem Genie und Ihren Grundsätzen zur höchsten Ehre; in jedem neuen Werk scheint Ihr Geist an

Kraft und Erkenntnisfähigkeit zuzunehmen. Der Regent hat all Ihre Veröffentlichungen gelesen und bewundert sie. Empfangen Sie meinen tiefempfundenen Dank für das Vergnügen, das mir Ihre Bücher gemacht haben; es ist mir bei ihrer Lektüre ein ehrliches Bedürfnis, Ihnen zu schreiben, um Ihnen dies zu sagen. Und ich bitte auch um die Erlaubnis, liebe Madam, Ihnen vorschlagen zu dürfen, in einem künftigen Werk die Lebensgewohnheiten, den Charakter und Eifer eines Geistlichen zu zeichnen, der sein Leben zwischen Stadt und Land teilen und etwas von James Beatties Spielmann haben müßte:

> Still, wenn vergnügt; herzlich, doch scheu,
> bald war sein Blick voll ernster Trauer,
> Bald lacht er laut, wenn niemand wußt', warum.[1]

Weder Goldsmith[2] noch La Fontaine[3] in seinem *Tableau de famille* haben meiner Meinung nach einen englischen Geistlichen, jedenfalls der Gegenwart, richtig gezeichnet: für Literatur begeistert und ständig mit Literatur beschäftigt – Feind von niemandem außer sich selbst. Bitte, Madam, lassen Sie sich diese Dinge durch den Kopf gehen.

Voller Hochachtung bin ich allezeit
Ihr treu ergebener Diener
James Clarke, Bibliothekar

1 James Beattie (1735–1803), *The Mistrel* (1771), wo sich die Verse auf einen Schafhirten beziehen:

> Silent when glad; affectionate, though shy;
> And now his look was most demurely sad;
> And now he laughed aloud, yet none knew why.

2 Oliver Goldsmith (1728–74) mit seinem Roman *The Vicar of Wakefield* (1766).

3 Mr. Clarke bezieht sich auf die französische Übersetzung *Tableaux de famille, ou Journal de Charles Engelmann* (1801, 2. Aufl. 1802) von August Heinrich Julius Lafontaines (1758–1831) Roman *Familiengeschichten* (1797).

PS. Ich fahre auf drei Wochen zu Mr. Henry Streatfields, Chiddingstone, Sevenoaks, hoffe aber, nach meiner Rückkehr die Ehre eines Wiedersehens mit Ihnen zu haben.

3. *An James Clarke, 11. Dezember 1815*

11. Dez.

Lieber Sir,

Meine *Emma* steht nun so kurz vor der Veröffentlichung, daß ich das Bedürfnis habe, Ihnen zu versichern, daß ich Ihre freundliche Empfehlung, rechtzeitig ein Exemplar nach Carlton House zu senden, nicht vergessen habe und Mr. Murray zugesagt hat, es drei Tage vor dem eigentlichen Erscheinungstermin unter Ihrer Anschrift an Seine Königliche Hoheit zu schicken. Ich muß diese Gelegenheit dazu benutzen, Ihnen, lieber Sir, für das hohe Lob zu danken, das Sie meinen anderen Romanen ausgesprochen haben. Aus Eitelkeit unterdrücke ich den Wunsch in mir, Sie zu überzeugen, daß Sie sie über Gebühr gelobt haben. Augenblicklich ist meine größte Sorge, daß dieses vierte Werk dem, was an den anderen gut ist, keine Schande macht. Aber in dieser Hinsicht darf ich mich keinen Täuschungen hingeben und muß eingestehen, wie sehr mich, unabhängig von meinen eigenen Wünschen, der Gedanke verfolgt, daß die Leser, denen *Stolz und Vorurteil* am besten gefiel, es weniger geistreich, und die, denen *Mansfield Park* am besten gefiel, es weniger vernünftig finden werden. Aber ich hoffe, Sie werden mir die Ehre antun, es so, wie es ist, freundlich entgegenzunehmen. Mr. Murray wird Anweisung erhalten, ein Exemplar zu senden. Der Gedanke, daß Sie mich für fähig halten, einen Geistlichen zu zeichnen, wie Sie ihn in Ihren Zeilen vom 16. November entworfen haben, ehrt mich. Aber ich versichere Ihnen, ich bin es durchaus nicht. Den komischen Zügen einer solchen Persönlichkeit wäre ich vielleicht gewachsen, aber nicht den guten, den begeisterten, den literarischen. Die Unterhaltung

John Murray,
Jane Austens Verleger

eines solchen Mannes muß gelegentlich Themen aus Wissenschaft und Philosophie berühren, über die ich nichts weiß; oder jedenfalls muß er manchmal eine Fülle von Zitaten und Anspielungen verwenden, denen eine Frau wie ich, die nur ihre eigene Muttersprache kennt und in ihr nur wenig gelesen hat, durchaus nicht gewachsen wäre. Eine klassische Bildung oder jedenfalls eine ausgedehnte Kenntnis der älteren und neueren englischen Literatur scheint mir ganz und gar unerläßlich für denjenigen, der Ihrem Geistlichen Gerechtigkeit widerfahren lassen will; und ich glaube, ich kann mich rühmen, die ungebildetste und unwissendste Frau zu sein, die es je gewagt hat, Schriftstellerin zu werden.

Ich bin, lieber Sir,

Ihre treu ergebene und untertänige Dienerin

Jane Austen

4. *Von James Clarke, 21. (?) Dezember 1815*

Carlton House, Donnerstag, 1815

Meine liebe Madam,

der Brief, den zu senden Sie mir liebenswürdigerweise die Ehre erwiesen haben, wurde mir nach Kent nachgeschickt, wo ich mich in dem Dorf Chiddingstone in der Nähe von Sevenoaks vor all dem Trubel und der Unruhe verborgen und Mut für die Wintersaison gesammelt habe – und die Kraft, den scharfen Messern zu widerstehen, die manch Shylock wetzt, um mir damit beim Erscheinen von *Jakob der Zweite* ein Pfund Fleisch aus dem Herzen zu schneiden.

Am Montag fahre ich zu Lord Egremont in Petworth, wo Ihr Lob schon lange so gesungen wird, wie Sie es verdienen. Dann werde ich der Gesellschaft im Pavillon[4] ein paar Tage Gesellschaft leisten und von dort zurückkehren, um am Erntedanktag in der Park-Street-Kapelle, Green Street, zu predigen.

Es war sehr gütig von Ihnen, mir *Emma* zu senden, was ich keineswegs verdient habe. Es ist an den Prinzregenten weitergeleitet worden. Ich habe nur ein paar Seiten gelesen, die ich sehr bewundert habe. Sie enthalten eine so getreue Wiedergabe der Wirklichkeit und so hervorragende Charakterzeichnungen wie alles, was Sie beschreiben.

Bitte schreiben Sie weiter und lassen Sie sich als Anregung von all Ihren Freunden Skizzen und Memoires pour servir schicken, wie die Franzosen es nennen. Schenken Sie uns einen Geistlichen nach *Ihrem* Geschmack, an allerlei Neuem wird es dabei nicht fehlen; zeigen Sie uns, liebe Madam, wie gut es wäre, wenn der Zehnte ganz abgeschafft würde, und beschreiben Sie, wie er seine Mutter beerdigt hat, wie ich es getan habe, weil der Hohepriester der Gemeinde, in der sie starb, ihren Überresten nicht die Ehre erwies, die ihnen

4 Die Residenz des Prinzregenten in Brighton.

gebührte. Ich habe mich von dem Schock nie erholt. Lassen Sie Ihren Geistlichen als Freund eines ausgezeichneten Marineoffiziers im Hofdienst zur See fahren, dann können Sie wie Le Sage[5] viele interessante Charakterstudien und Begebenheiten schaffen.

Verzeihen Sie mir, ich kann nicht ohne den Wunsch, Ihr Genie anzufeuern, an Sie schreiben und fürchte, das gelingt mir nicht, ohne Ihre Geduld und Gutmütigkeit auf eine harte Probe zu stellen.

Ich habe Mr. Murray gebeten, Ihnen, wenn möglich, zwei kleine Werke zuzuleiten, die ich aufgrund meiner Seereisen zu veröffentlichen gewagt habe – Predigten, die ich auf dem Ozean schrieb und hielt, und die Ausgabe von Falconers Wrack[6], die ich veröffentlicht habe.

Bitte, liebe Madam, vergessen Sie nicht, daß ich außer meiner Klause in Carlton House noch eine am Golden Square 37 habe, die Dr. Barne mir vermittelt hat und wo ich mich oft verberge. Dort gibt es eine kleine Bibliothek, die Ihnen jederzeit zur Verfügung steht; und wenn die Klause Ihnen als eine Art Station auf halbem Weg nützlich sein kann, wenn Sie nach London kommen, würde mich das außerordentlich glücklich machen. Ein Dienstmädchen von mir hält sich immer dort auf.

Ich hoffe, ich darf mir erlauben, Ihnen *Jakob der Zweite* zu schicken, wenn die zweite Auflage erscheint, da ich dann vielleicht einige Ergänzungen hinzugefügt habe.

Liebe Madam, Ihr sehr ergebener

J. S. Clarke

5 Alain René Le Sage (1668–1747), französischer Schriftsteller, der mehrere satirische und komische Gesellschaftsromane verfaßte.

6 Clarkes illustrierte Ausgabe (1804) von William Falconers (1732–69) Epos *The Shipwrack* (1762) gilt als Standardedition des Werks. Falconer selbst kam bei einem Schiffbruch vor dem Kap der guten Hoffnung um.

5. *Von James Clarke, 27. März 1816*

Pavillon, 27. März 1816

Liebe Miss Austen,

ich habe den Auftrag, Ihnen den Dank Seiner Königlichen Hoheit des Prinzregenten für das stattliche Exemplar zu übermitteln, das Sie ihm von Ihrem letzten ausgezeichneten Roman geschickt haben. Bitte, liebe Madam, schreiben Sie weiter, immer weiter. Lord St. Helens und ein großer Teil des Adels, der hier zu Gast war, hat Ihnen mit seinem Lob volle Gerechtigkeit widerfahren lassen. Der Prinzregent ist gerade nach London aufgebrochen; und da er geruht hat, mich zum Kaplan und englischen Privatsekretär des Prinzen von Coburg zu ernennen, werde ich mit Seiner Hoheit und einer ausgewählten Gesellschaft bis zur Hochzeit hier bleiben. Wenn wieder etwas von Ihnen im Druck erscheint, steht es Ihnen frei, Ihre Bände Prinz Leopold zu widmen. Ein historischer Liebesroman, der die Geschichte des erhabenen Hauses Coburg behandelt, wäre jetzt äußerst angebracht.

Seien Sie, liebe Miss Austen, zu allen Zeiten versichert
Ihres ergebenen Freundes
J. S. Clarke

6. *An James Clarke, 1. April 1816*

Mein lieber Sir,

ich fühle mich durch den Dank des Prinzen sehr geehrt und bin Ihnen für die freundliche Weise, auf die Sie das Werk erwähnen, sehr verbunden. Ich muß mich auch noch für einen früheren Brief bedanken, der mir von Hans Place zugestellt wurde. Ich versichere Ihnen, daß ich mich über seinen freundlichen Ton sehr gefreut habe, und hoffe, mein Schweigen wird so ausgelegt, wie es gemeint war, als Zögern nämlich, Ihre Zeit mit leeren Danksagungen in Anspruch zu nehmen. Für jede interessante neue Lebensstellung, die Ihr Talent und Ihre literarischen Arbeiten Ihnen erworben haben oder mit denen die Gunst des Regenten Sie beehrt hat, wünsche ich Ihnen alles Gute. Ihre jüngste Ernennung ist, hoffe ich, ein Schritt zu noch Höherem. Meiner Meinung nach kann der Dienst am Hof gar nicht hoch genug bezahlt werden, denn das Opfer an Zeit und innerer Unabhängigkeit, das dabei erforderlich ist, muß grenzenlos sein. Ihre Hinweise auf die Art Werk, die mir im Augenblick nützlich sein könnte, sind äußerst liebenswürdig, und ich glaube gern, daß ein historischer Liebesroman über das Haus Coburg profitabler und populärer wäre als die häuslichen Szenen auf dem Lande, mit denen ich mich beschäftige. Aber ich könnte einen Liebesroman ebensowenig schreiben wie ein Versepos. Höchstens unter dem Zwang, mein Leben zu retten, könnte ich mich ernsthaft hinsetzen und einen ernstgemeinten Liebesroman schreiben; und wenn ich gezwungen wäre, daran weiterzuarbeiten und mich niemals durch Gelächter entspannen dürfte, dann müßte man mich eben aufhängen. Nein, ich muß bei meinem Metier bleiben und meinen eigenen Weg gehen, auch wenn mir Erfolg dabei nie wieder zuteil wird; auf jede andere Weise würde ich meiner Meinung nach unweigerlich scheitern.

Ich bin, mein lieber Sir, Ihre sehr ergebene und ehrliche Freundin

J. Austen

Dokumente

Cassandra Austen an Fanny Knight über Jane Austens Tod

1. Sonntag, 20. Juli 1817

Winchester, Sonntag

Meine liebste Fanny,

mir nun doppelt lieb um deretwillen, die wir verloren haben.

Sie hat Dich von Herzen geliebt, und niemals werde ich den Beweis Deiner Liebe vergessen, den Du ihr während ihrer Krankheit durch das Schreiben all der freundlichen, amüsanten Briefe gegeben hast, wo doch Deine Empfindungen Dir, wie ich weiß, ganz andere Worte nahegelegt hätten. Ich kann Deine Güte nur durch die Versicherung wieder gutmachen, daß Deine liebevolle Absicht erreicht wurde: Du hast wesentlich zu ihrer Aufheiterung beigetragen. Sogar Dein letzter Brief hat ihr noch Freude bereitet; ich habe nur das Siegel aufgeschnitten und ihn ihr dann gegeben. Sie hat ihn geöffnet und selbst gelesen. Dann hat sie ihn mir zu lesen gegeben und anschließend ein bißchen, und zwar recht gutgelaunt, über seinen Inhalt gesprochen. Aber danach überfiel sie eine Mattigkeit, die sie daran hinderte, für irgend etwas das gewohnte Interesse aufzubringen.

Von Dienstagabend an, als ihre Beschwerden wiederkehrten, ging mit ihr eine sichtbare Veränderung vor, sie schlief mehr und auch wesentlich ruhiger, ja, in den letzten 48 Stunden war sie mehr im Schlaf als wach. Ihr Aussehen veränderte sich auch, und sie verfiel, ohne daß ich eine wesentliche Abnahme ihrer Kräfte bemerkt hätte; und obwohl ich die Hoffnung auf eine Wiederherstellung schon aufgegeben hatte, ahnte ich doch nicht, daß sie mich so schnell verlassen würde. Ich habe einen Schatz verloren, eine Schwester, eine Freundin, wie man sie sich nicht besser wünschen kann. Sie war die Sonne meines Lebens, sie vergoldete jede Freude, sie linderte jeden Schmerz, es gab keinen Gedanken, den ich vor ihr verborgen hätte, und es kommt mir vor, als hätte ich einen Teil von mir selbst verloren. Ich liebte sie zu sehr – zwar nicht mehr, als sie verdiente, aber ich bin mir bewußt, daß meine Liebe zu ihr mich manchmal anderen gegenüber ungerecht und nachlässig werden ließ, und daher erkenne ich nicht nur in einem allgemeinen Sinn die Gerechtigkeit Gottes an, sondern durchaus auch die des Schlags, den mir seine Hand versetzt hat. Du kennst mich zu gut, um zu befürchten, daß ich meiner Gefühle nicht Herr werden könnte; ich bin mir über das Ausmaß meines unersetzlichen Verlustes völlig im klaren, aber durchaus nicht überwältigt davon und auch kaum ernsthaft angegriffen, jedenfalls nicht in einer Weise, daß Ruhe und Luftwechsel mich nicht in kurzer Zeit wiederherstellen werden. Ich danke Gott, daß ich sie bis zuletzt pflegen konnte und meine vielen Gründe für Selbstvorwürfe nicht auch noch durch die vorsätzliche Vernachlässigung ihres Wohlbefindens vergrößern muß. Eine halbe Stunde, bevor sie ruhig und anscheinend bewußtlos dalag, spürte sie, daß sie im Sterben lag. Während dieser halben Stunde aber, die arme Seele!, mußte sie entsetzlich leiden. Sie sagte, sie könne mir gar nicht klarmachen, was sie durchmache, obwohl sie kaum über irgendeinen eindeutigen Schmerz klagte. Als ich sie fragte, ob sie etwas wolle, antwortete sie, nichts als sterben, und fügte dann noch hinzu: »Gott gebe mir Geduld, bete für mich, ach, bete für mich.« Ihre Stimme hatte schon gelitten, aber solange sie sprach, konnte man sie verstehen. Ich hoffe, ich breche Dir mit diesen Einzelheiten nicht das Herz, meine liebste Fanny, ich möchte Dir nur eine Freude machen, während ich mir den Kummer von der Seele rede. Ich könnte so an niemanden sonst schreiben, ja, Du bist die einzige außer Deiner Großmama, an die ich überhaupt geschrieben habe. An sie, nicht an Deinen Onkel Charles, habe ich am Freitag geschrieben. Gleich nach dem Dinner am Donnerstag ging ich in die Stadt, um etwas zu besorgen, woran Deiner lieben Tante sehr lag. Ich kehrte ungefähr um Viertel vor sechs zurück, als sie sich gerade von einem Anfall von Schwäche und Niedergeschlagenheit erholte; sie erholte sich so weit, daß sie mir sogar einen genauen Bericht der Attacke geben konnte, und als die Uhr sechs schlug, sprach sie ruhig mit mir. Ich kann nicht sagen, wie bald danach sie wieder einen ähnlichen Schwächeanfall bekam, dem dann die Schmerzen folgten, die sie nicht beschreiben konnte, aber Mr. Lyford war herbeigerufen worden und hatte ihr etwas gegeben, um ihr Erleichterung zu verschaffen, und spätestens um sieben lag sie in einem Zustand tiefer Bewußtlosigkeit. Von da an bewegte sie bis halb fünf Uhr morgens, als sie zu atmen aufhörte, kaum ein Glied, so daß wir, und dem Allmächtigen sei Dank dafür, allen Grund haben, anzunehmen, daß ihre Schmerzen vorüber waren. Fast bis zuletzt bewegte sich ihr Kopf bei jedem Atemzug leicht. Ich saß sechs Stunden lang mit einem Kissen auf dem Schoß bei ihr, um ihr den Kopf zu stützen, der fast außerhalb des Bettes lag – dann zwang mich Erschöpfung, meinen Platz für zweieinhalb Stunden Mrs. James Austen zu überlassen, und ungefähr eine Stunde, nachdem ich ihn wieder eingenommen hatte, tat sie ihren letzten Atemzug. Ich konnte selbst ihre Augen schließen, und es war mir eine große Befriedigung, ihr diesen letzten Dienst selbst erweisen zu können. Ihre Züge waren nicht verzerrt oder schmerzhaft verzogen, im Gegenteil, außer der ständigen Bewegung ihres Kopfes erweckte sie in mir den Eindruck einer schönen Statue, und noch jetzt in ihrem Sarg liegt ein so rührend heiterer Ausdruck auf ihren Zügen, daß ihr Anblick wohltuende Gedanken weckt. Heute, meine liebste Fanny, hast Du die traurige Nachricht erhalten, und ich weiß, wie weh sie Dir tut, aber ich weiß auch, daß Du Dich um Trost an die richtige Quelle wenden wirst und unser gnädiger Gott Gebeten gegenüber, wie Du sie darbringst, niemals taub ist.

Die traurige letzte Zeremonie soll am Donnerstagvormittag stattfinden, ihre lieben Überreste sollen in der Kathedrale beigesetzt werden. Es ist mir eine Genugtuung zu wissen, daß sie in einem Bauwerk liegen soll, das sie so bewundert hat – ihre kostbare Seele lebt, darauf vertraue ich, in einer höheren Wohnung. Möge meine eines Tages wieder mit ihrer vereinigt sein! Dein lieber Papa, Deine Onkel Henry und Frank und anstelle seines Vaters Edward Austen werden sie auf ihrem letzten Weg begleiten. Ich hoffe, keiner von ihnen wird durch diesen frommen Dienst länger leiden. Die Zeremonie muß vor zehn zu Ende sein, weil der Gottesdienst in der Kathedrale zu dieser Zeit beginnt, so daß wir noch früh am Tag zu Hause sein werden, da uns dann hier nichts mehr hält. Dein Onkel James hat uns gestern besucht und ist heute wieder nach Hause gefahren. Onkel Henry fährt morgen vormittag nach Chawton, er hat hier alle notwendigen Anordnungen getroffen, und ich glaube, dort wird seine Gesellschaft guttun. Er kehrt am Dienstagabend zu uns zurück. Ich hatte gar nicht vor, einen so langen Brief zu schreiben, als ich begann, aber dann mußte ich immer weiterschreiben und hoffe, Dir damit mehr Freude als Kummer zu bereiten.
Richte Mrs. J. Bridges freundliche Grüße von mir aus (ich freue mich sehr, daß sie bei Dir ist) und bestelle auch Lizzy und allen anderen herzliche Grüße. Ich bin, meine liebste Fanny,

Deine Dich liebende

Cass. Elizth Austen

Ich habe von den Chawtonern nichts gesagt, weil ich sicher bin, daß Du von Deinem Papa hören wirst.

Janes Wohnzimmer in Chawton

2. *Dienstag, 29. Juli 1817*

Chawton, Dienstag

Meine liebste Fanny,

ich habe gerade Deinen Brief zum drittenmal gelesen und danke Dir von Herzen für all Deine tröstlichen Worte und herzlicher noch für das Lob für *sie*, die außer mir, glaube ich, Dir näherstand als allen anderen Menschen. Nichts hätte wohltuender für mich sein können als die Art, wie Du über sie schreibst, und wenn der liebe Engel sich bewußt ist, was hier geschieht, und menschliche Gefühle noch nicht ganz überwunden hat, dann bereitet es ihr vielleicht Freude, so betrauert zu werden. Ich kann mir gut vorstellen, daß sie, wäre *sie* die Überlebende gewesen, von Dir in ganz ähnlichen Worten gesprochen hätte. In vieler Hinsicht besteht zweifellos zwischen Euren Persönlichkeiten starke

Ähnlichkeit; in Eurer herzlichen Freundschaft füreinander und Eurer wechselseitigen starken Zuneigung wart Ihr Euch gleich.

Donnerstag war kein so schrecklicher Tag für mich, wie ich gefürchtet hatte. Es waren so viele dringende Dinge zu erledigen, daß ich für andere Sorgen gar keine Zeit hatte. Alles wurde mit der größten Gelassenheit abgewickelt, und wenn ich nicht entschlossen gewesen wäre, auch ihren Abschied zu sehen, und daher gehorcht hätte, so hätte ich nicht gewußt, wann sie das Haus verließen. Ich sah dem kleinen Trauerzug bis ans Ende der Straße nach, und auch, als er abbog und außer Sicht geriet und ich sie für immer verloren hatte, war ich nicht überwältigt und auch nicht so aufgeregt wie jetzt, wo ich darüber schreibe. Nie ist ein Mensch aufrichtiger von denen betrauert worden, die ihre letzten Überreste begleitet haben, als dieses liebe Geschöpf. Möge der Schmerz, mit dem sie hier auf Erden verabschiedet wird, ein Vorzeichen für die Freude sein, mit der sie im Himmel empfangen wird!

Mir geht es weiterhin verhältnismäßig gut – viel besser als irgend jemand für möglich gehalten hätte, weil ich schon seit Monaten körperlich und seelisch so erschüttert bin; aber es geht mir wirklich gut, und ich hoffe, ich lasse es dem Allmächtigen gegenüber an Dankbarkeit für seine Unterstützung nicht fehlen. Auch Deiner Großmama geht es jetzt schon wesentlich besser als beim Nachhausekommen.

Ich hatte nicht den Eindruck, daß es Deinem lieben Papa nicht gut geht, und habe gehört, daß er sich nach seiner Rückkehr von Winchester erheblich wohler fühlt als vorher. Ich brauche Dir nicht zu sagen, daß er mir eine große Stütze war, aber ich kann nicht häufig genug betonen, wieviel Freundlichkeit ich von ihm und all unseren Lieben erfahren habe.

Ich gehe viel an die Luft und kann mich beschäftigen. Diese Beschäftigungen sind natürlich am besten für mich, weil ich dabei am ungestörtesten über sie, die ich verloren habe, nachdenken kann, und ich stelle sie mir dann bei allen möglichen Begebenheiten vor. In den glücklichen Stunden unseres vertraulichen Umgangs, im heiteren Familienkreis, in dem sie eine Zierde war, im Krankenzimmer, auf dem Totenbett und als (wie ich hoffe) himmlicher Gast. Ach, wenn ich doch eines Tages dort mit ihr vereinigt würde! Ich weiß, die Zeit wird kommen, wo ich mich weniger intensiv mit ihr beschäftige, aber noch gefällt mir die Vorstellung nicht. Und wenn ich dann weniger an ihr irdisches Leben denke, möge Gott mir die Gnade gewähren, daß ich nie aufhöre, sie mir als Gast des Himmels vorzustellen, daß ich nie in meinem demütigen Eifer nachlasse, mich dort mit ihr, wann es Gott gefällt, zu vereinigen.

Während ich ein paar der kostbaren Papiere durchsah, die nun mir gehören, habe ich einige Schriftstücke gefunden, in denen sie unter anderem darum bittet, eine ihrer Goldketten ihrer Patentochter Louisa zu vermachen und eine Locke ihres Haars für Dich rahmen zu lassen. Du wirst keine ausdrückliche Versicherung von mir brauchen, meine liebste Fanny, daß jeder Wunsch Deiner geliebten Tante mir heilig ist. Sei so gut, mir mitzuteilen, ob Dir eine Brosche oder ein Ring lieber ist. Gott sei mit Dir, meine liebste Fanny.

Ich bin von Herzen
Deine Cass. Elizth. Austen

Henry Austens »Biographische Notiz über die Autorin« in der Erstausgabe von *Northanger Abbey* und *Persuasion* (1818)

Die folgenden Blätter entstammen einer Feder, die bereits erheblich zur Unterhaltung der Öffentlichkeit beigetragen hat. Und wenn die Öffentlichkeit, die für die Verdienste von *Verstand und Gefühl*, *Stolz und Vorurteil*, *Mansfield Park* und *Emma* nicht unempfänglich gewesen ist, erfährt, daß die Hand, die diese Feder hielt, nun im Grab modert, dann wird sie vielleicht eine kurze Skizze Jane Austens mit freundlicheren Gefühlen aufnehmen als bloßer Neugier.
Die Aufgabe des anspruchslosen Biographen ist dabei kurz und leicht. Sie lebte ein durchaus nicht ereignisreiches Leben voll von Nützlichkeit, Literatur und Religion. Alle, die ihren nicht ersetzbaren Verlust beklagen, wird die Gewißheit trösten, daß sie im Kreis ihrer Familie und Freunde nie Mißfallen erregte, aber auch nie Vorwürfen begegnete; daß ihre Wünsche nicht nur vernünftig waren, sondern auch erfüllt wurden; und daß die kleinen, zum menschlichen Leben gehörenden Enttäuschungen keinen Augenblick durch nachlassendes Wohlwollen derer verstärkt wurden, die sie kannten.
Jane Austen wurde am 16. Dezember 1775 in Steventon, in der Grafschaft Hampshire, geboren. Ihr Vater war in der dortigen Gemeinde über vierzig Jahre Pfarrer. Dort ging er bis zum 70. Lebensjahr gewissenhaft und auf sich gestellt seinen geistlichen Pflichten nach. Den Rest seines Lebens verbrachte er mit seiner Frau, unserer Autorin und ihrer Schwester im Ruhestand in Bath. Da er nicht nur ein tiefgründiger Gelehrter war, sondern auch auf allen literarischen Gebieten einen äußerst kultivierten Geschmack besaß, ist es kein Wunder, daß seine Tochter Jane schon sehr früh den Reiz des Schreibens entdeckte und begeistert an der Entwick-

lung ihres eigenen Stils arbeitete. Nach dem Tod ihres Vaters zog sie mit ihrer Mutter und ihrer Schwester kurze Zeit nach Southampton und 1809 in das reizvolle Dorf Chawton in derselben Grafschaft. Von hier aus entließ sie die Romane in die Welt, die von vielen auf eine Stufe mit den Werken einer D'Arblay und einer Edgeworth gestellt wurden. Einige dieser Romane entstanden über einen langen Zeitraum. Denn obwohl sie schnell und ohne große Korrekturen schrieb, veranlaßte sie ihr unüberwindliches Mißtrauen gegenüber ihrem literarischen Urteil dazu, ihre Werke der Öffentlichkeit vorzuenthalten, bis Zeit und immer erneute Durchsicht sie überzeugt hatten, daß der Reiz des eigenen, erst kürzlich beendeten Schaffensprozesses sich verflüchtigt hatte. Aufgrund ihrer körperlichen Konstitution, ihres regelmäßigen Lebens und der stillen und glücklichen Beschäftigungen durfte die Öffentlichkeit eine lange Folge von unterhaltsamer Lektüre und sie selbst langsam steigenden Ruhm erwarten. Aber die Symptome eines schweren und unheilbaren körperlichen Verfalls begannen sich 1816 zu zeigen. Ihre Schwäche schritt zunächst trügerisch langsam fort, und bis zum Frühjahr des erwähnten Jahres sahen alle, deren Glück von der Teilnahme an ihrem Dasein abhing, keinen Grund zu verzweifeln. Aber im Mai 1817 schien es ratsam, daß sie sich um ständiger ärztlicher Überwachung willen nach Winchester begab, was aber damals schon keine Aussicht mehr auf endgültige Heilung versprach. Zwei Monate lang ertrug sie all den Schmerz, die Mühsal und die Langeweile, die ein langsamer Verfall mit sich bringen, mit mehr als bloßer Ergebung, mit wahrhaft ungebrochener Heiterkeit. Ihre geistige Spannkraft, ihr Gedächtnis, ihre Fantasie, Ausgeglichenheit und Herzlichkeit waren lebhaft, klar und unvermindert bis zum Schluß. Nicht einen Augenblick verließ sie ihre Liebe zu Gott oder zu ihren Mitmenschen. Sie bestand darauf, das Sakrament zu nehmen, bevor übermäßige körperliche Schwäche ihr Wahrnehmungsvermögen zu sehr beeinträchtigt hatte. Noch am Tag vor ihrem Tod verfaßte sie einige Strophen voller Fantasie

und Kraft. Ihre letzten bewußten Worte galten dem Dank an ihre Pflegerin, und auf die abschließende Frage nach ihren Wünschen antwortete sie: »Ich wünsche nichts als den Tod.«
Kurz darauf, am Freitag, dem 18. Juli 1817, starb sie in den Armen ihrer Schwester, die sich mit dem Berichterstatter dieser Ereignisse darin einig ist, daß sie niemals wieder einen Menschen wie sie erleben werden.
Jane Austen wurde am 24. Juli in der Kathedrale von Winchester begraben, die trotz der langen Liste ihrer angesehenen Toten die Asche keines begnadeteren Genies und keiner überzeugteren Christin birgt.
Sie war reich an persönlichen Vorzügen. Ihre Figur war ausgesprochen elegant. Sie hätte, ohne das Mittelmaß zu überschreiten, nicht größer sein dürfen. Ihre Haltung und Gestik waren verhalten, aber graziös. Alle ihre Züge waren angenehm und bildeten zusammen ein getreues Spiegelbild der Heiterkeit, Empfindsamkeit und Güte, die ihre Persönlichkeit prägten. Ihr Teint war von seltener Klarheit. Man könnte mit vollem Recht sagen, daß »ihr beredtes Blut aus ihrer bescheidenen Wange sprach«[1]. Ihre Stimme war ausgesprochen angenehm. Sie drückte sich fließend und genau aus, ja, sie war für kultivierte und vernünftige Gesellschaft wie geschaffen und konnte sich ebenso gewandt im Schriftlichen ausdrücken. In der heutigen Welt ist es gefährlich, weibliche Fertigkeiten zu erwähnen. Aber auch wenn unsere Autorin den meisten Frauen nicht an höheren Dingen überlegen gewesen wäre, hätte sie ihnen in solchen Fertigkeiten wohl kaum nachgestanden. Sie hatte nicht nur einen hochentwikkelten Sinn fürs Zeichnen, sondern führte in ihrer Jugend auch selbst den Stift mit großer Geschicklichkeit. Ihre eigenen musikalischen Fähigkeiten schätzte sie gering ein. Vor zwanzig Jahren hätte man mehr von ihnen gehalten, und in

1 Entstelltes Zitat aus John Donnes (1572–1631) religiösem Gedicht »Of the Progress of the Soul«: [...] we understood / Her by her sight, her pure and eloquent blood / Spoke in her cheeks, [...].

weiteren zwanzig Jahren werden manche Eltern für geringere Darbietungen ihrer Töchter Beifall erwarten. Sie tanzte gern und gut. Es bleibt mir nur, ein paar Beobachtungen über das hinzuzufügen, was ihren Lieben wichtiger erschien, nämlich jene Gaben, die jede Stunde im Leben ihrer Freunde verschönten.

Wenn in der Welt augenblicklich die Ansicht herrschen sollte, daß ein ausgeglichenes Temperament sich nicht mit der lebhaftesten Einbildungskraft und dem ausgeprägtesten Sinn für Geist vereinbaren läßt, dann wird diese Ansicht von allen ein für allemal geleugnet, die das Vergnügen hatten, die Autorin der folgenden Werke zu kennen. Obwohl ihr Laster, Leichtsinn und Leidenschaften anderer keineswegs entgingen, ließ sie sich nie dazu hinreißen, über menschliche Fehler unfreundlich zu sprechen. Vorgespielte Offenheit ist nicht selten, aber sie brauchte nichts vorzuspiegeln. Selbst so fehlerlos, wie es die menschliche Natur erlaubt, suchte sie doch bei den Fehlern anderer immer nach Gründen für Entschuldigung, Verzeihung, Versöhnung. Wo Beschönigung unmöglich war, suchte sie Zuflucht im Schweigen. Nie sprach sie ein unüberlegtes, leichtfertiges oder strenges Wort. Kurz, sie war ebenso kultiviert wie geistreich. Und ihre Umgangsformen hielten ihrer Kultiviertheit stand. Sie waren vorbildlich. Man konnte einfach nicht mit ihr zusammen sein, ohne das dringende Bedürfnis zu empfinden, ihre Freundschaft zu gewinnen, und ohne sich der Hoffnung hinzugeben, sie gewonnen zu haben. Sie war ohne Reserviertheit oder Steifheit still und ohne Aufdringlichkeit oder Überhebung gesprächig. Ausschließlich aus literarischem Interesse und Neigung wurde sie Schriftstellerin. Weder die Hoffnung auf Ruhm noch auf Verdienst mischten sich unter diese ursprünglichen Motive.

Wie bereits erwähnt, wurden die meisten ihrer Werke viele Jahre vor ihrem Erscheinen geschrieben. Nur mit großer Mühe konnten ihre Lieben, deren Voreingenommenheit zu ihren Gunsten sie mißtraute, auch wenn sie ihr Urteil respektierte, sie dazu überreden, ihr erstes Werk zu veröffentlichen.

Ja, sie war so davon überzeugt, daß sein Verkauf die Druckkosten nicht decken würde, daß sie sogar von ihrem bescheidenen Einkommen eine Summe einsparte, um für die erwarteten Unkosten aufzukommen. Sie konnte, was sie ihr »großes Glück« nannte, kaum fassen, als *Verstand und Gefühl* die runde Summe von 150 Pfund einbrachte. Nicht viele so begabte Menschen waren zugleich so wahrhaft anspruchslos. Sie betrachtete diese Summe als ungeheure Belohnung für etwas, was sie nichts gekostet hatte. Vielleicht wundern sich ihre Leser, daß ein solches Werk zu einer Zeit, wo andere Autoren mehr Guineen verdient als Zeilen geschrieben haben, nicht mehr einbrachte. Aber dafür leben die Werke unserer Autorin vielleicht auch länger als die, welche mit größerem Eklat über die Welt hereingebrochen sind. Aber die Öffentlichkeit war nicht ungerecht zu ihr, und unsere Autorin war von diesem Vorwurf weit entfernt. Ihr lag mehr an dem ihr hin und wieder zu Ohren kommenden Beifall derer, die Urteilsfähigkeit besaßen. Und doch scheute sie trotz dieses Beifalls das öffentliche Licht so sehr, daß auch der größte Ruhm sie, wäre sie am Leben geblieben, nicht dazu veranlaßt hätte, eine Schöpfung ihrer Feder mit ihrem Namen zu versehen. Im Schoß ihrer Familie sprach sie, dankbar für Lob, zugänglich für Vorschläge, aufgeschlossen für Kritik, freizügig über sie. Aber in der Öffentlichkeit legte sie auf den Status einer literarischen Zelebrität keinen Wert. Sie war eine höchst beherrschte und wirkungsvolle Vorleserin. Niemand verstand es so wie sie selbst, ihre Werke vorzulesen, denn sie war von der komischen Muse mit den schönsten Gaben gesegnet. Sie war eine leidenschaftliche und einsichtige Bewunderin von landschaftlicher Schönheit – in der Natur und auch auf Leinwand. Schon früh übte Gilpins Werk über das Pittoreske großen Reiz auf sie aus; und sie änderte nur selten ihr Urteil über Bücher und Menschen.

In Geschichte und den schönen Künsten war sie sehr belesen, und ihr Gedächtnis war außerordentlich gut. Unter den ernsthaften Schriftstellern waren Johnson als Prosaist und

Cowper als Lyriker ihre Lieblingsautoren. Es ist schwer zu sagen, in welchem Alter sie anfing, mit den besten Essays und Romanen der englischen Literatur und ihren Vorzügen und Fehlern umzugehen. Ihr natürliches Urteilsvermögen erkannte Richardsons mächtige Erfindungsgabe und seine Fähigkeit, Charaktere zu gestalten, an, während ihr Geschmack sie vor den Fehlern seines weitschweifigen Stils und langatmigen Erzählens bewahrte. Von Fieldings Werken schätzte sie keines ganz so hoch ein. Ohne jede Ziererei verabscheute sie alles Grobe. Weder Wirklichkeitstreue noch Geist oder Humor konnten sie mit einem so zweifelhaften moralischen Niveau versöhnen.

Ihre Fähigkeit, Charaktere zu erfinden, war intuitiv und fast unbegrenzt. Sie malte nach der Natur; aber trotz allem, was darüber spekuliert worden ist, nie nach individuellen Vorbildern. Ihre familiäre Korrespondenz gleicht nach Art und Stil in jeder Hinsicht ihren Romanen. Alles floß wohlgeformt aus ihrer Feder; denn ihre Gedanken waren so klar wie ihre Sprache gewählt. Man sagt nicht zuviel, wenn man behauptet, daß sie nie ein paar Zeilen oder einen Brief abschickte, die nicht reif zur Veröffentlichung waren.

Nur ein Charakterzug muß noch erwähnt werden. Aber er läßt alle anderen unwichtig erscheinen. Sie war ein durch und durch religiöser und frommer Mensch, ängstlich bemüht, Gott zu gefallen, und entschlossen, bei ihren Mitmenschen keinen Anstoß zu erregen. Mit theologischen Fragen war sie durch Lektüre und tiefes Nachdenken wohl vertraut, und ihre Ansichten entsprachen genau denen der englischen Hochkirche.

London, 13. Dezember 1817

[Henry Austen fügte eine Woche später ein einseitiges Postskript hinzu, in dem er vier kurze Auszüge aus Briefen von Jane Austen mitteilt und kommentiert.]

Personenregister

Nicht aufgenommen wurden nur einmal auftauchende Namen weiter nicht relevanter Personen. Bei bedeutenden historischen und bei für Jane Austens Leben wichtigen Personen sind die Lebensdaten hinzugefügt.

Jane Austen

Das Romanwerk

In der Übersetzung von Ursula und Christian Grawe

Reclams Universal-Bibliothek

Emma 7633 [5]

Kloster Northanger 7728 [4] – auch gebunden

Mansfield Park 8007 [6]

Stolz und Vorurteil 9817 [5]

Überredung 7972 [4] – auch gebunden

Verstand und Gefühl 7836 [5] – auch gebunden

Alle sechs Romane broschiert in einer Geschenkkassette

Reclams Lese-Klassiker

Emma

Mansfield Park

Philipp Reclam jun. Stuttgart

Englische Lyrik
in zweisprachigen Anthologien

Altenglische Lyrik. Ausgew. und hrsg. von Rolf Breuer und Rainer Schöwerling. 7995 [3]

Amerikanische Lyrik. Vom 17. Jahrhundert bis zur Gegenwart. Ausgew. und hrsg. von Franz Link. Übers. von Annemarie und Franz Link. 9759 [6]

Coleridge, Samuel Taylor: Gedichte. Übers. und hrsg. von Edgar Mertner. 9484 [3]

Dickinson, Emily: Gedichte. Ausgew. und übers. von Gertrud Liepe. Nachw. von Klaus Lubbers. 7908 [3]

Englische Barockgedichte. Ausgew. und hrsg. von Hermann Fischer. 9315 [6]

Englische und amerikanische Balladen. Hrsg. von Gisela Hoffmann. 7842 [6]

Englische Sonette. Ausgew. und übers. von Gisbert Kranz. 8372 [3]

Gedichte der englischen Romantik. Ausgew., hrsg. und komm. von Raimund Borgmeier. 9967 [5]

Hopkins, Gerard Manley: Gedichte. Übers. von Ursula Clemen und Friedhelm Kemp. Hrsg. von Wolfgang Clemen. 9440 [3]

Mittelenglische Lyrik. Ausgew. und hrsg. von Werner Arens und Rainer Schöwerling. 9985 [3]

Moderne englische Lyrik. Ausgew., komm. und hrsg. von Willi Erzgräber und Ute Knoedgen. 9826 [7]

Viktorianische Lyrik. Hrsg. von Armin Geraths und Kurt Herget in Verb. mit Gordon Collier und Bernd Wächter. Einl. von Armin Geraths. 8078 [7]

Philipp Reclam jun. Stuttgart

Die englische Literatur in Text und Darstellung

Gesamtherausgeber: Raimund Borgmeier

Band 1: Mittelalter. Hrsg. Heinz Bergner. 7764 [5]
Band 2: 16. Jahrhundert. Hrsg. Horst Weinstock. 7765 [5]
Band 3: 17. Jahrhundert I. Hrsg. Rainer Lengeler. 7766 [5]
Band 4: 17. Jahrhundert II. Hrsg. Elmar Lehmann. 7767 [5]
Band 5: 18. Jahrhundert I. Hrsg. Dietrich Rolle. 7768 [5]
Band 6: 18. Jahrhundert II. Hrsg. Walter Pache. 7769 [5]
Band 7: 19. Jahrhundert I. Hrsg. Raimund Borgmeier. 7770 [5]
Band 8: 19. Jahrhundert II. Hrsg. Bernhard Reitz. 7771 [5]
Band 9: 20. Jahrhundert I. Hrsg. Hans Ulrich Seeber. 7772 [5]
Band 10: 20. Jahrhundert II. Hrsg. Raimund Borgmeier und Bernhard Reitz. 7773 [5]

Auch in Kassette lieferbar.

Einen hervorragenden Weg zur englischen Literatur eröffnet die Reclam-Reihe *Die englische Literatur in Text und Darstellung*. Zehn Bände führen vom Mittelalter bis in die Gegenwart. Die bisher erschienenen Bände sind überzeugend in der Auswahl der Texte und der Konzeption. Allgemeine Einleitungen und Einführungen zu den Werken wecken das Verständnis. Da alle Texte englisch und deutsch gebracht werden, kann man immer der originalen Gestalt begegnen. Alle Gattungen sind vertreten, und bibliographische Anhänge geben weiterführende Hinweise und Hilfen.

Bayerischer Rundfunk

Philipp Reclam jun. Stuttgart

